KB100495

백작가의
망나니가
되었다

백작가의 망나니가 되었다 4

초판 1쇄 인쇄 2022년 08월 19일
초판 1쇄 발행 2022년 08월 25일

지은이 유려한
펴낸이 서경석
총괄 서기원 **책임편집** 황창선 서지혜
편집 박현성 김범석 이준영 김우진 이신영 양준 김수아
편집디자인 이문영 **표지디자인** 코마

펴낸곳 도서출판청어람
출판등록 1999년 05월 31일(제38-7-1999-000006호)

본사 경기도 부천시 부일로483번길 40, 3층
지사 서울특별시 구로구 디지털로272, 404호
전화 02-6956-0531
팩스 02-6956-0532
메일 chungeoram_book@naver.com

ISBN 979-11-04-92446-0 04810
          979-11-04-92442-2 (세트)

1 파본은 구입하신 서점에서 교환하여 드립니다.
2 저자와 협의하여 인지를 붙이지 않습니다.
3 이 책은 저작권법에 따라 보호받는 저작물이므로 무단전재와 무단복제를 금지하며, 이 책 내용의
    전부 또는 일부를 이용하려면 반드시 저작권자와 도서출판청어람의 서면동의를 받아야 합니다.

4

THE BIRTH OF A HERO

LOUT OF COUNT'S FAMILY LOUT OF

유려한 장편소설

백작가의
망나니가
되었다

제 1 부
영웅의 탄생

CONTENTS

27장
나 한다!

27장
나 한다!

케일의 긴장 가득한 마음과 달리 라온은 태연했다.

"나 용 맞다!"

라온의 대답에 금발 엘프의 표정이 더욱더 기이해졌다.

용이 맞냐고, 명백히 용이라는 정체성을 부정하는, 용 사이에서 싸우자는 것과 다름없는 말을 걸었음에도 검은 용의 대답은 해맑았다.

"……그래, 네가 용이지."

금발 엘프의 입에서 힘없는 대답이 흘러나왔다. 라온은 고개를 끄덕였다.

"맞다. 그리고 너도 용이다. 그러니까 반갑다! 인사도 모르나?"

"……인사를 알긴 알지?"

초면인 용 사이에 서로 얼굴을 보며 신랄한 비꼬기를 하면 몰라도, 이다지도 해맑고 반가운 인사라니. 금발 엘프는 고룡이 되었음에도 처음 겪는 상황에 살짝 힘이 빠졌다.

아름다운 금발 엘프, 중성적인 외모의 엘프에게 라온이 앞발을 내밀었다. 그 앞발을 보며 엘프는 입을 열었다.

"지금 악수하자는 거냐?"

"그렇다!"

"허, 참. 내 천 년 가까이 살면서 이런 꼴은 처음인데."

내 참. 거참. 허어.

골드 드래곤은 연신 탄식을 흘리며 라온의 앞발을 찝찝한 얼굴로 쳐다봤다. 몇 초간 쳐다보던 골드 드래곤은 그 앞발을 잡지 않고 진지하게 물었다.

"너…… 두뇌 지수가 낮나?"

파닥이던 라온의 날개가 멈칫했다.

쿡. 쿡! 케일이 세게 최한의 등을 찔러댔다. 언제 저러다 싸울지 알 수 없었다.

스릉. 아주 작은 소리와 함께 최한의 검집에서 검이 살짝 모습을 드러냈다. 그 순간, 금발 엘프의 시선이 최한 쪽을 향했다. 그런 줄 알았다.

하지만 아니었다.

'음? 왜 나를 봐?'

드래곤의 시선은 최한 등 뒤에, 아주 작게 고개를 내민 케일에게 닿았다. 그와 드래곤의 시선이 부딪쳤다. 금발 엘프의 입꼬리가 호선을 그렸다.

드래곤은 지금은 없어졌다 알려진 직업의 기운을 느꼈다.

위대한 용들의 유일한 호적수. 그 직업을 이어가는 유일한 가문의 후계자에게서만 풍겼다고 전해지던 기운이 지금 느껴졌다.

'지금은 이 기운을, 이 힘을 아는 자가 없을 텐데.'

지나간 기억들이 드래곤의 얼굴 위를 스쳐 지나갔고, 곧이어 금발 엘프의 눈동자에 기이한 빛이 맴돌았다.

'음!'

파충류 특유의 기다란 동공이 금빛을 띠자, 케일은 순간 거대한 해일이 자신을 덮쳐오는 느낌을 받았다.

'드래곤 피어인가?'

생명체들에게 공포심을 안겨준다는 드래곤 피어. 그 단어가 그의 머릿속에 떠올랐다. 하지만 그것과는 조금 달랐다. 공포는 밀려오지 않았다.

그러나, 그 단어를 떠올린 순간 몸이 반응했다.

쿵.

케일은 제 심장이 거세게 뛰는 것을 느꼈다.

지배하는 아우라.

검은 늪. 뼈만 남은 용 위에서 발견했던 그 힘이 심장의 활력과 함께 움직이며, 케일의 몸에서 기세가 일어났다.

"음?"

그리고 케일은 당황했다. 거대한 해일이 덮쳐올 것만 같았는데, 따뜻한 공기가 그의 몸을 감쌌다. 오들오들 추워서 떨리던 몸과 훌쩍이던 코가 말끔히 멈췄다.

'……드래곤 피어가 아니고 보온 마법인가?'

그렇다면 아까 그 힘은 뭐지?

용이 착한 짓을 했다. 케일은 믿을 수 없는 상황에 긴장감을 놓지 않았고, 이에 아우라가 커져갔다.

"아!"

최한은 감탄과 함께 검집에서 손을 떼며 뒤돌았다. 케일이 곧게 서서 드래곤과 시선을 마주하고 있었다. 언제 떨었냐는 듯, 평온한 들판 위에 서 있는 것처럼, 케일은 아주 담담히 드래곤과 마주했다.

'역시. 내가 아는 케일 님은 이런 분이셨지.'

그는 매번 겁 많은 척하지만, 늘 무슨 일이든 당당히 맞섰다.

최한은 다시 한번 케일의 기세에 감탄했다. 역시 사람의 기운은 단순히 무력에서만 오는 것이 아니었다.

그때, 검고 동그란 물체가 케일의 시야를 가렸다. 라온이었다.

"이 금 용아!"

케일은 순간 헛소리를 들었나 싶었다. 무슨 용? 금 용?

"우리 약한 인간은 그렇게 강하게 쳐다보면 안 된다! 간이 얼마나 작은 줄 아나!"

케일의 머릿속에도 라온의 말이 울려 퍼졌다.

─인간, 지금 앞발만큼 강해 보이지만, 내가 지켜주니 놀라지 마라. 긴장 안 해도 된다.

그리고 이어 말했다.

─저 금 용이 약한 인간 너를 째려보길래 한판 붙을까 했는데, 보온 마법 해준 걸로 봐서 싸가지는 있는 것 같다.

이런 대화를 듣지 못한 골드 드래곤은 정말로 기가 차다는 표정으로 라온을 쳐다봤다.

"저자가 약하긴 하지만. 그것보다 인간보고 '우리'라고? 정말 머리가 나쁜가?"

케일은 라온이 다시 한번 날개를 파닥이는 것을 멈추고 골드 드래곤을 쳐다보는 것을 목격할 수 있었다. 라온은 두 번이나 머리 나쁘다는 소리를 들었다.

이제 싸우려나. 보온 마법을 둘렀음에도 괜히 한기가 돌았다. 그 순간, 라온이 조소를 흘리며 말했다.

"나는 두뇌 지수가 낮은 게 아니라, 사회성이 높은 거다. 이 악수도 할 줄 모르는 사회성 낮은 황금 용아."

황금 용이라니. 그래, 금색 용이기는 하지.

역시. 라온이 말싸움에서 그냥 질 녀석은 아니지.

케일은 왠지 모를 흐뭇함을 느꼈다. 라온을 강하게 키운 보람이 있었다. 그 와중에 케일의 귓가로 펜드릭의 목소리가 들려왔다.

"세상에, 드래곤님들이 싸우지 않고 평화롭게 대화를 한다니! 이건 영상 마법으로 남겨놔야 하는데. 정령을 볼 수 없어 저주받은 엘프라 생각했던 저에게 이런 행운을 내려주시다니. 자연계의 별이신 두 드래곤님의 은혜로운 광경을……."

엘프이자 힐러인 펜드릭은 무릎을 꿇은 채 두 손을 맞잡고 있었다. 케일은 흰 눈 위에서 창백하지만 수려한 얼굴의 엘프가 중얼거리는 말을 들으며 확신했다.

'이놈도 정상은 아니구나.'

가만히 보면 제 주위에 있는 생명체들은 희한한 구석이 있었다. 케일은 정상적이고 평화를 사랑하는 자신이 참 살기 힘든 환경이라 생각했다.

케일은 슬그머니 펜드릭에게서 한 발짝 멀어졌다. 그 덕에 라온이 가리고 있던 골드 드래곤, 금발의 엘프를 제대로 관찰할 수 있었다. 용은 기가 막혀 하는 표정이었다. 라온은 그 표정에 대고 자신만만하게 말했다.

"나의 위대함에 놀랐나! 황금 용아!"

금발 엘프의 입에서 피식 바람 빠지는 웃음이 흘러나왔다. 드래곤은 여유로운 얼굴로 고개를 끄덕였다.

"그래, 너 때문에 많이 놀랐, 쿨럭!"

……뭐야?

케일은 당황했다.

금발 엘프가 갑자기 입을 막으며 기침을 해댔다. 그리고 입을 막은 손 사이로 액체가 흘러내렸다. 놀란 라온의 목소리가 울려 퍼졌다.

"뭐, 뭔가! 왜 그러나! 황금 용아, 피다! 피 토하지 마라!"

용이 피를 토한다.

뚜욱. 뚝. 금발 엘프의 손을 타고 흘러내린 핏방울이 하얀 눈 위를 붉게 물들여 갔다. 케일은 그 붉은 피를 보며 당황했다.

저 정도면 그냥 기력이 달리는 수준이 아니라, 몸 상태가 심각한 거 아냐?

"쿨럭, 크윽, 쿨럭!"

금발 엘프는 앞으로 허리를 숙였다. 그럴 정도로 격렬하게 기침을 하며 동시에 피를 토했다. 라온이 날아가 그런 엘프의 몸을 부축했다.

"하, 하하."

"황금 용아, 웃지 마라!"

금발 엘프는 라온을 보며 허탈한 얼굴로 웃었다. 골드 드래곤은 기침을 하는 와중에도 말을 이었다.

"용이 다른 용 걱정을 하다니. 쿨럭."

"말하지 마라! 금 용아!"

금발 엘프의 눈동자. 금안에 일순간 빛이 감돌았다. 조금 떨어져 있었음에도 그 금빛이 순간 케일의 시선을 확 사로잡았다. 그때, 펜드릭이 골드 드래곤을 향해 뛰어갔다.

"에르하벤 님!"

동시에 골드 드래곤, 에르하벤은 정식으로 자신을 소개했다.

"꼬맹아, 내 이름은 금 용이 아니라 에르하벤이다."

"그러냐? 반갑다. 그리고 나는 꼬맹이 아니다."

불퉁한 목소리로 꼬맹이가 아니라고 주장하는 라온은 여전히 에르하벤의 몸을 부축하고 있었다. 그 모습을 에르하벤이 묘한 눈길로 바라봤다.

케일은 두 용의 그 모습에 둘이 싸우지는 않을 것 같다는 생각이 들었다. 그래서 최한의 등을 두드렸다.

"우리도 가자."

물론 당연히 케일은 최한을 앞세웠다. 곧 그는 옐리아산 정상에 솟아오른 동굴 앞에 당도했다. 동굴은 높이가 상당했고, 저 끝에 아래로 향하는 계단이 자리했다.

"에르하벤 님, 괜찮으십니까?"

펜드릭이 치료의 힘을 담은 손으로 골드 드래곤 에르하벤을 부축하고 있었다. 에르하벤은 고개를 끄덕이며 아공간에서 꺼낸 손수건으로 입가의 피를 닦아냈다.

"그래, 기침은 멎었구나. 펜드릭, 어릴 적 보고 처음이구나."

"네. 다시 뵈어 영광입니다."

케일은 엘프 펜드릭을 대하는 에르하벤의 모습이 사뭇 다정하다는 느낌을 받았다. 그 다정한 모습이 신기해 골드 드래곤과 엘프를 가만히 쳐다봤다. 그 순간, 에르하벤의 시선이 케일 일행으로 향했다.

라크, 로잘린, 론, 비크로스, 온, 홍, 그리고 최한. 모두를 훑어보던 무심한 눈동자가 마지막으로 또다시 케일에게 닿았다. 그리고 움직이지 않았다.

'왜 이래?'

케일은 드래곤이 저러는 이유를 알 수가 없어 당황스러웠다. 정말로 이번엔 자신은 아무 짓도 안 했으니까.

"그만 봐라!"

검은 용이 휙 날아와 케일의 앞에 서며 시야를 가렸다.

"우리 약한 인간은 간이 작아서 그런 눈빛은 안 된다고 하지 않았나. 강하게 쳐다보지 마라!"

……간이 작은 건 맞다만, 쳐다본다고 기절할 정도로 간이 작은 건 아닌데.

케일은 라온의 말에 반박하고 싶었지만, 굳이 에르하벤과 마주하고 싶지 않았기에 가만히 있었다. 그렇기에 그는 에르하벤의 얼굴을 보지 못한 채, 용이 나직이 내뱉은 말만 들을 수 있었다.

"……간이 작다고?"

묘한 웃음기가 담긴 목소리였다.

"재밌네."

케일은 불안함이 점점 자신의 뒤통수를 어루만지는 느낌이 들었다.

'뭐가 재밌지? 나한테도 좀 알려주면 안 되려나?'

스릉. 최한이 다시 검을 살짝 뽑았다. 케일의 옆에는 로잘린이 언제든 마법 캐스팅을 할 수 있도록 손을 풀고 있었다. 묘한 긴장감이 감돌았다.

하지만 그 긴장감은 곧 사라졌다. 금발의 엘프, 에르하벤은 다시 몸을 똑바로 세우며 일행에게 말했다.

"따라와라."

에르하벤은 먼저 레어 안으로 걸음을 옮기며 한마디를 덧붙였다.

"이것도 인연인 것 같으니."

케일은 에르하벤, 골드 드래곤의 레어에 초대를 받았다. 그는 들어가고 싶어 하는 라온과 심각한 얼굴의 최한을 앞세우고 레어 안으로 들어섰다.

"세계수를 노린다라."

"네. 케일 님께 듣기로는 그들은 하나의 단체로, 다른 왕국이나 그만큼 큰 단체의 후원을 받으면서 움직이지 않았을까 싶습니다."

골드 드래곤 에르하벤의 레어 중 응접실로 꾸며진 곳에서 펜드릭과 에르하벤은 심각한 얼굴로 대화를 주고받았다. 그러나 케일은 그 대화 따위는 들리지 않았다.

현재 기다란 타원형 테이블에는 모든 일행이 둘러앉아 있었다. 물론 골드 드래곤만 한 단 높은 의자 위에 앉아 있었다. 그 상황도 케일이 신경 쓸 바가 아니었다. 그는 다른 게 눈에 들어왔다.

'골드 드래곤이라더니.'

케일은 자신이 앉은 의자와 테이블을 쳐다봤다. 의자는 쿠션을 빼면 다 금이요, 테이블은 금에다가 번쩍이는 보석들로 치장되었다. 응접실 천장은 화려한 샹들리에로 꾸며져 있었다. 레어가 동굴이라서 그냥 동굴 천장일 줄 알았더니.

'이 드래곤 부자구나.'

케일의 표정이 묘해졌다. 그의 귓가로 에르하벤의 목소리가 닿았다.

"그 비밀 단체의 진짜 대가리는 모르고?"

이야, 대가리라니. 용의 어휘 선택이 엄청났다. 역시 용다웠다.

케일은 펜드릭이 진지하게 고개를 끄덕이는 것을 볼 수 있었다.

"네. 아직 모릅니다."

톡. 톡. 에르하벤이 손가락으로 테이블을 두드렸다.

"……이상한데."

의문이 가득한 목소리에 케일은 저도 모르게 에르하벤에게 시선이 닿았다. 골드 드래곤은 의문을 그대로 내뱉었다.

"그 정도 단체가 짧은 시간 안에 생겼을 리도 없고. 동대륙 뒷세계도 지배했다면 적어도 몇십 년 동안 준비를 했다는 소린데. 찝찝하네."

"에르하벤 님의 생각이 어떠하신지 알 수 있을까요?"

조언을 구하는 펜드릭의 청에 에르하벤은 팔짱을 끼며 입을 열었다.

"내가 근 백 년 동안 레어에서 움직이지 않아 대륙 정세를 자세히 모르지만, 동대륙과 서대륙 모두에서 사건을 일으키는 단체는 단순히 인간 개인의 힘만으로는 불가능해."

"그럼 설마 인간 말고도?"

펜드릭은 조심스럽게 말을 건넸지만, 에르하벤은 대답하지 않고 고민에 빠진 듯 손으로 턱을 쓸었다. 이를 지켜보며 펜드릭은 지금까지 벌어졌던 일을 떠올렸다. 모두 아주 잔인하고 세상을 혼란스럽게 하는 일들이었다.

세상의 혼란. 그는 저도 모르게 떠오르는 종족이 있었다.

"에르하벤 님, 그, 설마. 그럼 설마 마족들이?"

마족?

최한과 로잘린을 비롯한 이들의 표정이 삽시간에 어두워졌다. 그 단어가 주는 여파 때문이었다. 그들은 새로운 가설에 당황한 얼굴로 케일을 쳐다봤다.

그리고 안심했다.

케일이 뭐 이런 헛소리가 다 있냐는 표정으로 펜드릭을 쳐다보고 있었다. 그 표정에 안심한 최한은 곧 에르하벤도 비슷한 얼굴로 펜드릭을 쳐다보고 있음을 깨달았다.

"······펜드릭, 너는 예전부터 상상력이 참 뛰어나구나."

"그럼 아닌가요?"

"당연히 아니지. 마족이 움직이면 신계에서 우리에게 계시를 줘."

"그럼?"

에르하벤은 무심히 답했다.

"너희 추정대로 한 국가가 주도적으로 몇십 년간 그 단체를 지원했거나, 혹은 알 수 없는 자연계의 강한 존재들이 그들을 후원했거나. 아니면 둘 다거나."

흐음. 에르하벤은 의문이 가득한 얼굴로 툭 내뱉었다.

"궁금하네."

하필 그 순간 케일과 에르하벤의 시선이 부딪쳤다.

'왜 나를 보고 궁금하다고 해?'

케일은 불길함을 억누르며 얼른 손을 움직였다. 라온의 목소리가 들려왔다.

"좋다, 인간!"

케일은 제 옆 푹신한 소파에 드러누운 라온의 동그란 머리를 열심히 쓰다듬었다. 라온과 온, 홍은 아주 고급스러워 보이는 푹신한 소파에 누워 있었다.

'이러면 안 시키겠지?'

그는 최대한 자연스럽게, 에르하벤에게 자신에겐 라온이 있다는 것을 알리려는 애달픈 의미를 담은 쓰다듬을 계속했다.

그럴 수밖에 없었다. 보통 소설책을 보면 이럴 때 용들은 굳이 자신이 움직이지 않고 꼭 레어를 찾은 인간들에게 일을 시키지 않던가?

정체를 알아 오라. 이렇게 말하면서 말이다.

케일은 그 상황을 피하고 싶어 최대한 열심히 라온을 쓰다듬었다. 그때 라온의 목소리가 머릿속에 울려 퍼졌다.

—인간, 나중에 내 별장도 이런가?

아차. 다른 위험이 발생했다.

어린 드래곤이 진짜 레어를 봐버렸다. 케일은 라온을 쳐다봤다. 그 눈동자에서 무엇을 본 것인지 라온은 한숨을 폭 내쉬며 날개를 파닥였다.

—괜찮다, 인간. 돈 걱정 하지 마라. 내가 벌어서 짓겠다. 기다려라.

케일은 짠한 눈빛으로 라온을 쳐다봤다.

10실버 용돈 받는 녀석이 무슨 돈을 번다고. 케일은 라온이 스스로 번다는 말을 흘려들어 버렸다. 지금은 그게 문제가 아니었다. 힐끗 에르하벤을 쳐다봤던 케일은 살짝 당황했다. 에르하벤이 여전히 케일 자신을 빤히 바라보고 있었다.

'정말 나한테 일 시키려고?'

케일은 천천히 에르하벤의 입이 열리는 것을 두려운 마음으로 바라봤다.

마침내 에르하벤이 말했다.

"뭐, 내 알 바도 아니고."

음?

"다 늙어서 기력도 달리는데 나서기도 귀찮고, 지지고 볶고 싸우든 말든 내 신경 쓸 바도 아니고."

오. 이 용 마음에 든다.

케일은 처음으로 에르하벤이 조금 괜찮게 보였다. 고룡이라서 그런지 꽤 성격이 괜찮았다.

에르하벤은 펜드릭을 보며 말을 이었다.

"하지만 세계수 방어 마법진은 조금 더 보강해야겠어."

"네."

"너희 엘프 마을에 설치할 방어 마법 장치도 하나 만들어줄 테니 들고 가도록."

"감사합니다, 에르하벤 님."

상당히 감동한 얼굴로 펜드릭은 감사 인사를 전했고, 에르하벤은 당연하다는 듯 인사를 받고는 다시 시선을 돌렸다.

그래, 다시 케일을 쳐다봤다.

'왜 자꾸 쳐다봐?'

이제 케일은 물론이고, 라온도 의문을 품었다.

"에르하벤, 내가 분명 우리 연약한 인간 담도 약하다고 했다!"

"꼬맹아, 에르하벤 님이라고 해야지. 내가 너보다 몇백 배 더 살았어."

꼬맹이라는 단어에 라온의 미간이 구겨졌다. 케일은 라온이 에르하벤을 쳐다보는 시선이 꼭 사고 치기 일보 직전 같아 슬슬 불안해졌다. 하지만 이어진 에르하벤의 말에 그런 불안함은 생각할 필요가 없었다.

"거참 희한한 놈이네. 아니, 대단한 건가?"

내가 희한하다고? 대단하다고?

케일은 의아한 마음에 에르하벤을 바라봤다. 골드 드래곤은 무덤덤하게 말을 이었다.

"고대의 힘을 그렇게 품었는데, 어떻게 안 죽고 살아 있지?"

……음?

"보통 터져서 죽을 텐데."

……뭐?

불안함 따위 한 번에 날려 버리는 폭탄 발언이 케일의 귓가를 후려쳤다. 다급한 라온의 목소리가 들려왔다.

"뭐라고! 이 금 용아, 뭐라고 했나!"

라온이 놀랐다.

케일도 놀랐다.

그리고 다 놀랐다.

"……죽는다고?"

냐아아옹?

조용히 은신하듯 있던 론, 담 크게 꾸벅꾸벅 졸던 훙까지 놀라서 에르하벤을 쳐다봤다.

"다들 몰랐나?"

하지만 에르하벤의 반응은 태연했다. 케일은 그 태연함에 할 말을 잃어버렸다.

'내가 죽을지도 모른다고?'

당연히 케일은 처음 듣는 정보였다. 에르하벤은 케일의 시선에 혀를 차며 입을 열었다.

"보통 고대의 힘은 천운이 닿아야 얻을 수 있을 정도의 귀한 힘이라고 하지. 그 강함을 떠나서 말이야. 그건 알고 있지?"

"안다! 아니까, 빨리 설명해라. 황금 용아!"

탕!

라온의 앞발이 무자비하게 황금 테이블을 후려쳤다. 그 모양대로 테이블이 파였다.

"무식하군. 용이 이 정도도 모르고 설명해 달라고 하다니."

에르하벤은 그 모습을 보고 비웃음을 숨기지 않으며 빤히 라온을 바라봤다. 그러면서 이어질 라온의 반응을 기다렸다.

"안 무식하다. 일단, 어서 말해달라!"

에르하벤은 비꼬는 자신의 말에 화내기는커녕 어서 말하라는 듯 쳐다보는 라온의 동글동글한 눈빛에 희미한 미소를 띠며 설명을 이었다.

"수많은 역사서와 고대 전설이 지금껏 고대의 힘을 가진 인간들에 대해서 기록을 해왔지. 그런데 말이야."

불안하다. 케일은 불안했다.

"지금껏 대부분 하나의 힘을 가진 이들만 기록되어 왔어. 왜 그럴까?"

에르하벤이 케일에게 물었다. 케일은 왠지 그 답을 알 것 같았다.

'힘을 여러 개 가진 이는 다 죽어서 기록되지 않았단 건가?'

그러고 보니, '영웅의 탄생'에서 두 개의 고대 힘을 지닌 이는 아무도 없었다. 그 점에 케일은 의문을 품지 않았었다.

에르하벤은 케일의 눈빛이 깊어지는 것을 보며 그가 얼추 답을 추론해 냈음을 알아챘다. 그의 입이 다시 열렸다.

"두 개 이상의 힘을 가지면 대부분 다 죽었거든. 그래서 기록되지 않았어. 물론 천운이 닿아 같은 속성으로 고대의 힘을 여러 개 얻었다면 살 수 있지만. 그러나 너처럼 속성이 다르면."

에르하벤은 곧고 새하얀 손가락을 쫙 펼쳤다.

"이렇게 손이 쫙 펼쳐지듯, 인간 몸이 터져 나가. 갈기갈기 몸이 다 터져 죽지. 형체도 없이."

"이럴 수가!"

라온이 절망에 가득 찬 얼굴로 외쳤다. 라온은 이제 케일 쪽을 쳐다보며 앞발로 황금 테이블을 쾅쾅 두드려 댔다.

"약한 인간! 그러게 쓸데없는 걸 왜 자꾸 주워 먹나! 어?"

라온은 그 짧은 목에 핏대를 세웠다.

"그 고생해 가면서! 주워 먹고 피 토하고! 난 너의 사고방식이 신기하다! 어푸, 입 막지 마라!"

케일은 라온의 얼굴을 대충 쓰다듬었다. 그 투박한 손길에 일단 라온은 입을 다물었다. 케일은 다른 일행의 걱정 어린 얼굴들을 한 번씩 마주하고는 에르하벤을 보며 입을 열었다.

"하지만 전 살아 있죠."

안 죽고 살아 있다.

현재 소유한 고대의 힘만 해도 '스며드는 목걸이'의 지배하는 물까지 포함하면 6개였다.

에르하벤은 케일의 말에 순순히 수긍했다.

"그래. 넌 살아 있지."

라온이 다시금 대화에 끼어들었다.

"곧 죽나?"

하. 무슨 저런 살벌한 소리를.

케일은 다시 라온의 얼굴과 머리를 마구잡이로 쓰다듬었고 라온은 어푸거리며 가만히 있었다. 에르하벤은 그 모습을 신기하게 바라보다가 코웃음과 함께 입을 열었다.

"죽긴. 안 죽으니까 저 녀석이 희한하고 대단한 거지."

골드 드래곤은 손가락으로 케일의 목걸이를 가리켰다.

"그 목걸이에 담긴 건 물이지?"

"네."

스며드는 목걸이 속 지배하는 물.

에르하벤은 기가 찬 얼굴로 고개를 가로저으며 케일을 쳐다봤다. 파충류 특유의 세로로 찢어진 동공이 케일을 낱낱이 탐색했다.

"나무의 힘도 있고. 바람의 힘도 있고. 불의 힘도 있고."

나무인 부서지지 않는 방패.

바람인 바람의 소리.

불인 파괴의 불.

"그리고 인간 고유의 힘이 하나 있지."

인간 고유의 힘. 그 말에 케일은 하나가 떠올랐다.

'심장의 활력'.

케일과 에르하벤의 시선이 부딪쳤다. 에르하벤은 이 특이한 인간에게 속한 고대의 힘을 하나 더 말했다.

"재생."

케일은 그 단어에 답했다.

"그 힘 덕에 제가 살아 있군요."

"그래. 고대 인간이 지녔던 강한 생명력. 그 재생력이 모든 속성의 힘들을 잘 조절하면서 융화시키고 있어."

심장의 활력.

케일은 문득 부서지지 않는 방패를 강화시키려고 얻었던 심장의 활력이 바람의 소리 때도 영향을 미쳤던 것이 떠올랐다.

강화인 줄 알았건만, 융합이었던 건가.

"아마 넌 그 힘을 첫 번째나 두 번째로 얻었을 거야."

"맞습니다. 두 번째로 얻었죠."

"그래서 산 거야."

에르하벤은 신기한 실험체를 보는 듯 케일의 몸을 응시했다.

"다른 두 속성이 부딪치기 전 재생의 힘이 먼저 안착해, 서로 부딪쳐 터지는 것을 막았지."

에르하벤은 눈앞의 인간 이름을 되새겼다.

'케일 헤니투스라고 했던가.'

골드 드래곤에게 최한이나 로잘린은 그다지 신기하지 않았다. 오히려 순혈 늑대족 아이와 순혈이지만 돌연변이로 추정되는 고양이족 아이들에게 눈길이 갔다.

'하지만 이 인간만큼 신기하진 않아.'

고대의 힘을 6개나 가질 정도의 운. 이건 천운이 아니었다. 오히려 어떤 신의 계시를 받았다는 게 말이 되었다. 하지만 죽음의 맹세 힘만 느껴질 뿐, 신의 손길은 느껴지지 않았다.

'미친놈이네.'

운에 미친놈이다.

그는 자신을 똑바로 보며 말하는 인간을 보면서, 오랜만에 화보다는 호기심을 느꼈다.

"그럼 걱정 안 해도 되겠군요."

담담한 케일의 표정에 에르하벤은 더욱더 이 인간이 신기했다. 만약 다른 힘부터 얻었다면 죽었을 텐데. 그 사실에 전혀 놀라지 않았다.

하지만 에르하벤의 생각과 달리 케일은 심장이 쿵쿵거렸다.

'괜히 다른 힘부터 얻었다가 황천길과 인사할 뻔했네.'

케일은 괜히 소름이 돋았다. 에르하벤이 말을 이었다.

"일단 지금은 안심이기는 한데."

"지금은요?"

"그래. 뭐, 네 몸은 지금 시한폭탄이니까. 재생의 힘이 삐끗하면 넌 터지는 거지."

쿵!

한 번 더 라온의 앞발이 황금 테이블을 후려쳤다. 에르하벤은 용이 인간 때문에 절망하는 모습이 우스웠지만 살벌한 꼬맹이 용의 눈빛에 빠르게 입을 열었다.

"하지만 방법이 있어."

왠지 케일은 그 방법을 알 것 같았다.

'……땅인가?'

왜 무서운 짱돌이 지금 떠오르는가.

에르하벤의 말이 이어졌다.

"목걸이 속 물의 힘도 너에게 귀속된 상태이니, 땅의 힘까지 얻어서 아예 서로 보완하게끔 하면 될 거야. 속성을 다 모으면 서로서로 보완이 되거든."

역시 짱돌을 얻어야 한단 말인가.

케일은 이름부터 싸한 그 고대의 힘을 떠올렸다. 그리고 제 어깨에 올라간 짜리몽땅한 앞발을 쳐다봤다.

"인간, 당장 땅의 힘을 구하자."

에르하벤이 비웃음을 흘렸다. 아무리 운에 미친놈이라 6개의 고대 힘을 얻었다지만 자연계 대표 다섯 속성을 모두 얻는 건 미친 짓이었다.

"꼬맹아, 천운이 닿아야 된다니까."

"그깟 운 따위 위대한 용이 만들 수 있다! 용의 위대함도 모르나, 이 금 용아!"

에르하벤이 케일을 보며 물었다.

"얘 도대체 왜 이리 컸냐?"

그러게요.

케일도 라온이 왜 저렇게 컸는지 알 수 없었다.

ㅡ인간, 그 엘프 족장이 준 서책으로 땅의 힘 찾자. 내가 반드시 찾아줄 테니, 걱정 마라! 넌 장수할 상이다!

그는 머릿속을 가득 채우는 라온의 아우성에 한숨을 삼켰다가 도로 토해냈다. 에르하벤 때문이었다.

"케일이라고 했던가? 네 집안이 혹시 드래곤 잡은 집안이냐?"

"……무슨 그런-"

무섭고 미친 소리를.

케일은 간신히 뒷말을 삼켰다. 하도 드래곤 같은 위엄이 없어 왕세자 대하듯 편하게 말이 나올 뻔했다.

"아니냐?"

"당연히 아닙니다."

케일은 에르하벤의 말에 웃으며 손사래를 쳤다. 하지만 에르하벤이 아무런 표정 없이 빤히 바라보자 이상하게 뒤통수가 서늘해져 왔고, 저도 모르게 동료들을 바라봤다.

"론, 우리 집안은 그냥 작은 귀족 가문이잖아?"

"……그렇습니다."

론은 드래곤의 시선을 피하며 한참 만에 답했다.

'시선을 피하니까 이상하잖아.'

케일의 미간이 구겨졌다. 저 암살자 노인네는 왜 저런단 말인가. 그는 이번엔 타깃을 최한으로 바꿨다.

"최한, 우리 가문 무력이 약하잖아?"

에르하벤의 시선도 최한에게로 향했다. 최한과 골드 드래곤의 시선이 부딪쳤다. 다행히 최한은 론보다는 편하게 답했다.

"……네. 약합니다."

케일은 그 대답에 만족하며 에르하벤을 바라봤다. 돈은 아주 많지만 그럭저럭 강한 시골 영지가 헤니투스 가문이었다.

에르하벤은 케일의 그 당당한 모습이 귀엽다는 듯 사뭇 다정한 음성으로 물었다.

"용을 죽이던 가문이 아니다?"

"아닙니다. 그리고 인간 중에 드래곤을 죽일 수 있는 이가 있겠습니까?"

"왜 없어?"

그럼 있다고?

"옛날에는 있었어. 드래곤 슬레이어 집안이."

에르하벤은 깍지 낀 두 손 위에 턱을 올리며 조곤조곤 말을 이었다.

"미친 집안이었지. 드래곤 피어에 굴하지 않고, 당당히 맞서는 힘이 있던 집안이었어. 그 힘은 집안의 후계자에게만 대대로 이어졌지."

골드 드래곤은 아까 전부터 자신의 눈을 똑바로 응시하는 케일이 재밌었다.

성룡이 된 드래곤은 군이 드래곤 피어를 뿌리지 않아도 특유의 지배하는 분위기가 있었다. 에르하벤은 엘프 펜드릭을 위해 최대한 가볍게 분위기를 조절했으나, 수인족을 제외한 인간들은 성룡을 처음 마주했기 때문인지 견디기 어려워했다.

괜히 론과 최한의 대답이 느렸던 게 아니었고, 일행이 케일 죽는단 소리가 나왔을 때 빼고 아무 말이 없는 것도 다 이유가 있었다. 그래서 일행이 케일을 쳐다보는 시선은 한층 깊어져 있었다.

에르하벤은 여전히 이 모든 것을 모르는 것 같은 케일에게 이어 말했다.

"하지만 그 집안의 마지막 후계자는 행방불명되고 그 힘은 끊겼어."

케일은 마지막 후계자가 행방불명되었다니 괜히 찜찜했다. 하지만 이어진 에르하벤의 말에 그는 모든 불안함이 사라졌다.

"그 힘은 굉장히 용기가 가득한 힘이지."

용기.

그 단어에 케일은 화사한 미소를 지었다.

절대 자신과 연관이 없는 힘이다. 지배하는 아우라 같은 허세에 사기 치기 좋은 힘만 있는 그와 전혀 연관이 없었다.

"그렇군요. 아무튼 저는 아닙니다."

단호한 케일의 대답에 에르하벤은 고개를 끄덕이며 수긍했다.

'아직 모르나 보네.'

그는 케일이 모르는 듯하자 굳이 더 말하지 않았다.

용에게 도전했던 수많은 존재들이 수십 미터에 달하는 드래곤을 앞에 두고 꼬리를 감췄다. 하지만 유일하게 절대 기세를 죽이지 않고 달려들었던 인간. 최고의 용 사냥꾼.

과거 드래곤들은 최고이자 유일했던 용 사냥꾼의 기운을 선천적으로 좋아하면서도 싫어했다. 용과 동등하게 마주하는 힘이었으니까.

"뭐, 네가 그렇게 생각한다면 그런 것이겠지."

에르하벤은 굳이 다 말해주지 않고 미소와 함께 다정히 답했다. 그 미소에 케일은 기묘한 불안감이 밀려왔지만 이내 걱정을 털어냈다. 자신은 용기 있는 힘 따위 없었다.

"그것보다 말이야."

또다.

케일은 에르하벤이 또 새로운 말을 하려고 입을 열자, 한숨을 삼켰다. 시한폭탄에, 용 사냥꾼에. 다음은 뭘까?

"꼬맹이."

케일은 안심했다. 이번엔 자신이 아닌 라온이었다.

"왜 그러냐, 늙은이."

"허!"

라온의 해맑은 반응에 에르하벤은 탄식을 흘렸다.

―나 잘했나?

그래, 당하면 안 되지. 케일은 라온의 머리를 쓰다듬었다. 에르하벤은 고개를 절레절레 가로저으며 툭 던지듯 말했다.

"넌 아직 1차 성장기도 안 지났구나."

"그래도 나는 강하다."

에르하벤은 라온을 빤히 바라봤다. 그가 다른 용들보다 용에게 호의적인 이유가 있었다.

"그래. 넌 충분히 강해질 수 있어. 하지만 다른 용들을 만나면 너는 묵사발이 되어 아주 찌그러질 거다."

"뭐? 묵사발? 찌그러져? 그럴 리 없다!"

라온이 강하게 부정했다. 하지만 라온은 슬그머니 에르하벤의 눈길을 피해 레어 천장을 바라봤다. 그 모습을 보며 에르하벤이 말했다.

"정말 용답지 않게 귀엽네."

라온이 에르하벤을 보며 냅다 반박했다.

"뭐? 난 귀엽지 않다!"

"내가 도와주마."

응?

라온이 순간 고개를 갸웃거렸다. '내가 뭘 들은 거지?'라는 표정으로 라온이 케일을 쳐다봤다. 케일도 의아한 얼굴이었다. 그때 한 인간과 한 용에게 에르하벤의 목소리가 들려왔다.

고룡은 죽기 전에 자신이 가진 모든 것을 누군가에게 전해주어 이 세상에 흔적을 남기고 싶었다.

"내 레어에서 지내라."

에르하벤은 자신이 죽어가고 있음을 알았다.

길어도 5년이다.

시간이 없다.

그가 용에게 호의적인 이유는 자신의 모든 것을 이을 존재가 용뿐이기 때문이었다. 그러던 중 용이지만 꽤 착하고 정 많은 용을 만났다.

"내 모든 것을 전해주마."

보통 용이라면 이 제안을 끔찍해하며 거절할 것이다. 다른 용의 것을 이어받고 싶지 않으니까. 하지만 이 용은 다를 거란 생각에 제의할 수 있었다.

'그래도 용이니 거절하려나.'

그렇지만 이 꼬맹이도 용이다. 거절할까 봐 조금 걱정되었다.

"물론 원하지 않으면 거절해도 나는 아량이 넓으니 다른 용들처럼 복수를 하지는 않는다. 그러니 편히 말하도록—"

담담히 말을 이어가던 에르하벤은 말끝을 흐리며 케일과 라온을 미묘한 표정으로 쳐다봤다.

케일의 표정이 이상했다.

라온의 표정도 이상했다.

전자는 떨떠름해했고, 후자는 신나 했다.

'신나?'

에르하벤이 의문을 느끼는 이때, 라온은 케일의 머릿속에다 말하고 있었다.

—인간, 공짜다! 나한테 다 준다고 했다!

케일이 왕세자에게 물건을 팔고 난 뒤에 웃는 얼굴처럼 라온이 해맑고 신나게 웃기 시작했다.

"황금 용아!"

"그래. 뭐, 거절하고 싶으면 해도 좋지만 단기로 한 3개월 정도만 배우면 다 배울 수-"

"숙식도 공짠가?"

순간 에르하벤은 제대로 들었나 싶어 라온을 빤히 쳐다봤다. 라온은 웃고 있었다.

에르하벤은 한참 만에 되물었다.

"……뭐?"

"배우는 것도 공짜면 숙식도 공짜 아닌가?"

"……그렇지?"

라온이 케일을 비롯한 일행을 가리키며 말했다.

"우리 다 숙식 공짠가?"

"……그렇지?"

탕!

라온이 호탕하게 황금 테이블을 두드리며 외쳤다.

"그럼 한다! 나 한다!"

케일의 머릿속으로 라온이 외쳤다.

-그럼 나 더 세진다! 황금 용 거 가지면 난 두 배로 세진다!

-그게 공짜다!

케일은 에르하벤이 라온의 대답에 갈피를 못 잡고 자신을 쳐다보자 어색하게 웃었다.

"하하하-"

그래, 잘된 일이지.

케일은 라온의 머리를 한 번 더 쓰다듬어 주었다.

괜히 라온이 자랑스럽고 흐뭇했다.

경제관념이 확실히 잘 잡혔다.

신난 검은 용과 달리 황금 용은 분명 자신이 원하던 상황임에도 이상하게 찝찝했다.

"아주 다 가르쳐 달라! 네 비법 다 가르쳐 달라!"

에르하벤은 라온의 아주 의욕이 철철 넘치는 외침에 작게 중얼거리듯 답했다.

"……그럴 생각이다만."

"좋은 생각이다! 약한 인간, 너도 그렇게 생각하지 않나?"

"그래그래."

대충 고개를 끄덕이는 인간과 날개를 파닥이는 검은 용의 조합. 에르하벤은 천 년 가까이 살면서 이런 광경은 처음이었다.

'말년에 내가 잘하는 짓일까?'

순간 의문이 들었지만, 에르하벤은 더 이상 시간이 없다는 생각에 이내 의문을 지워 버렸다. 이것도 인연이었다. 하필 말년에 어린 용을 만났고 그 용이 용답지 않은 정신 상태를 가진 것은 인연이라고 밖에 설명할 길이 없었다.

참 별일을 겪는다 싶어 그의 입가에 피식 웃음이 새어 나왔다.

"뭐, 어차피 곧 죽는데, 다 전수해 줘야지."

웃음과 함께 새어 나온 말에 잠시 정적이 내려앉았다. 하지만 이내 에르하벤은 자신에게로 쏟아지는 눈빛을 느낄 수 있었다.

"뭐? 금 용아, 뭐라고 했나!"

"네? 지, 지금 무슨 소리십니까?"

라온이 에르하벤 코앞으로 날아가 외쳤고 펜드릭은 대륙 종말 선

언을 들은 듯 동공이 세차게 흔들리고 있었다. 라온은 연신 에르하벤의 몸을 여기저기 살펴보며 외쳤다.

"독에 당했나? 누가 저주를 했나? 싸우다 다쳤나?"

놀람과 걱정이 가득한 목소리에 에르하벤은 다시 한번 묘한 느낌을 받았다. 그러나 그는 이내 자신의 앞에서 알짱거리며 날아다니는 라온을 손으로 밀어 치워냈다.

"꼬맹아, 용이 당한다는 게 말이 되냐?"

"말이 안 된다!"

에르하벤은 라온이 뒤이어 쏟아내는 말에 멈칫했다.

"그럼 왜 죽나? 죽지 마라! 난 용 너밖에 모른다!"

골드 드래곤의 표정이 기묘해졌다. 웃는 듯 기가 찬 듯. 그는 알 수 없는 얼굴로 라온의 뜨거운 눈빛을 외면했다. 그렇게 어린 용의 시선을 외면하니 케일과 눈이 마주쳤다.

"왜 아프신지 여쭤봐도 됩니까?"

"뭐, 나이가 들어서 여기저기 약해진 거지."

에르하벤은 흘러가듯 답했다. 그 모습에 케일은 고민했다.

'으음, 이 고룡에게 받는 게 있으니까. 어디 기력에 좋은 고대의 힘 없나.'

그는 기억을 되새기며 에르하벤을 바라봤다.

에르하벤은 혼란에 빠진 듯한 엘프 펜드릭의 머리를 쓰다듬었다. 정령을 보지 못하는 엘프. 족장 카나리아가 펜드릭을 데리고 레어로 왔던 때가 떠올랐다.

특이한 체질이 신기해, 호기심으로 약해서 죽어가던 이 녀석을 살렸다. 그 뒤로 이 아이는 에르하벤을 따랐다. 그 행동 속 진심이 느껴졌기에 에르하벤은 이제는 호기심이 아닌, 다정함을 담았다.

"펜드릭, 모든 자연계의 생명체는 늙어서 죽게 되어 있어. 그건 이 길 수 없어. 뭐, 아프지도 않고 죽음을 거스르는 방법이 있긴 하지만."

"그, 그게 뭔가요?"

다급한 펜드릭의 모습과 달리 에르하벤은 담담히 답했다.

"어둠을 따라야지. 리치처럼."

아. 펜드릭의 입에서 탄식이 흘러나왔다.

에르하벤은 덧붙였다.

"물론 나는 그러기 싫다."

하지만 그러는 용들이 아주 오래전에는 몇 있었다. 에르하벤은 그 마음을 이해했으나, 그 선택이 혐오스러웠다.

네크로맨서도 죽고, 다크엘프도 죽는다. 하지만 리치는 아프지도 않고 안 죽는다. 그 차이는 꽤 컸다.

"그래도 아직 멀었으니, 벌써부터 신경 쓰지 말도록."

"……알겠습니다."

에르하벤은 침울한 펜드릭이 마지못해 고개를 끄덕이는 것을 지켜봤다. 그의 귓가로 라온의 목소리가 들려왔다.

"황금 용아."

"왜?"

사뭇 진지한 목소리에 에르하벤은 라온을 쳐다봤다. 라온은 꽤 비장했다.

"나는 위대하니까, 네가 아주 오래 살 수 있는 방법을 찾을 수 있다. 기다려라."

에르하벤은 같잖다는 듯 바라보며 라온의 말을 무시했다. 하지만 그는 자꾸만 입꼬리가 올라가 손가락으로 입꼬리 끝을 누르며 케일을 쳐다봤다.

"앞으로 세 달 정도 너희 일행 모두 여기서 지낼 수 있나? 케일 헤니투스, 넌 귀족이라고 들었다만."

"음, 그게 말이죠. 영지로 굳이 바로 돌아가지 않아도 되지만."

케일은 에르하벤의 물음에 리타나와의 약속을 떠올렸다. 정글의 지배자 리타나. 그녀는 보답을 위해 케일을 만나고 싶다고 했었다.

"인간."

"음?"

케일은 라온의 부름에 검은 용에게로 시선을 옮겼다. 그리고 살짝 멈칫했다. 용의 눈빛이 살벌했다.

"……인간, 나 혼자 있기 싫다."

라온은 케일의 반응도 보지 않고 에르하벤을 쳐다봤다. 사뭇 용다운 매서운 눈빛에 에르하벤이 '호오' 감탄을 흘리며 라온을 마주 봤다. 라온이 담담하게 말했다.

"이 약한 인간은 최고급 푹신한 침대에서만 자고, 과일을 좋아하며, 고기는 최상급만 먹는다."

"……나보고 준비하라고?"

"네가 집 주인이잖아? 숙식 공짜라며? 위대한 용은 손짓 한 번이면 할 수 있지 않나?"

"……그렇지."

순간 에르하벤은 다 늙어서 이게 뭔 팔자가 싶었다.

'너무 물러졌어.'

너무 착해졌다. 예전 건방진 드래곤들을 한 달은 누워 있을 정도로 패고 다니던 그 성격이 어쩌다 이렇게 되었을까.

하지만 라온은 에르하벤의 고뇌 따위에는 눈길 한 번 주지 않고 케일을 다시 쳐다봤다.

"인간, 정글 지배자 만나러 가야 하지 않나?"

"……그래야지?"

"빨리빨리 돌아와라. 일주일 준다."

"……그래."

케일의 대답에 라온은 그제야 히죽 웃더니 케일 옆에 있는 소파로 돌아가 푹신한 가죽 위에 몸을 파묻었다. 그 모습에 케일은 한숨을 내쉬었다.

"하."

"허."

그리고 에르하벤도 탄식을 흘렸다. 순간 용과 인간의 시선이 부딪쳤다. 천 년의 시간을 가로지르는 묘한 공감대가 둘 사이에 자리 잡았다.

케일은 입을 열었다.

"갔다 오겠습니다."

"그래."

에르하벤은 한숨과 함께 답하고는, 일어서는 케일과 그의 뒤를 따르는 일행에게 툭 던지듯 말했다.

"어딜 왔다 갔다 하든 상관없지만 조용히 지내도록 해. 난 예민하거든. 꼬맹이 때문에 어쩔 수 없이 받아들였지만, 조심해."

골드 드래곤은 묘한 표정으로 자신을 쳐다보는 케일과 비슷하게 묘한 표정의 검은 용을 볼 수 있었다.

"뭘 그리 봐?"

케일은 천천히 고개를 가로저으며 답했다.

"아뇨. 아무것도 아닙니다."

그때, 그의 머릿속으로 라온이 말했다.

─저 황금 용, 별로 안 예민한 것 같은데?

동감이었다. 전혀 예민해 보이지 않았다. 에르하벤도 라온만큼 조금 용답지 않아 보였다. 에르하벤은 케일의 눈빛이 영 찜찜했던지 말을 덧붙였다.

"그리고 나는 저 꼬맹이만 가르친다. 뭘 가르쳐 달라고 엉겨 붙어도 절대 안 가르쳐 줄 생각이야. 뭐, 수인족은 조금 호기심이 들지만. 어쨌든 절대 안 돼."

그 말에 케일은 깨달았다.

'엉겨 붙으면 가르쳐 주겠구나.'

케일의 시선이 일행을 지나갔다. 그중 마법사 로잘린과 수인족 아이들이 눈에 들어왔다. 로잘린이 그를 보며 미소를 띠었다. 역시 로잘린은 케일처럼 알아채고 있었다. 케일의 입가에 음흉한 미소가 걸렸다.

"……왜 그리 웃는 거지?"

"에르하벤 님 말씀에 수긍하는 웃음입니다."

떨떠름해하는 에르하벤과 달리 케일은 3개월간 이 용에게서 라온은 물론이거니와 다른 일행도 뽑아 먹을 건 다 뽑아 먹게 만들어야겠다 생각했다.

드래곤이라 무서울 줄 알았더니, 이건 뭐 툴툴거리면서 계속 챙겨 주는 마음씨 좋은 노인이었다.

"인간, 왜 또 그렇게 웃는지 모르겠지만 빨리 갔다 와야 한다."

"알았어. 몇 명만 데리고 금방 갔다 올 거야."

케일은 라온이 한 번 더 건네는 말에 대충 답했다. 그러다가 문득 정글에 함께 갈 인원들을 생각하자, 알 수 없는 긴장감이 찾아왔다.

⁂

다음 날, 케일은 그 긴장감의 정체를 깨달았다.

"잘 갔다 와라, 인간! 괜히 착한 짓 한다고 나서서 다치지 말고!"

에르하벤의 레어 동굴 입구. 라온이 꽤 애달프게 건네는 말을 케일은 하나도 귀담아듣지 않고 고민에 빠져 있었다.

'뭔가 이상하다 싶었더니.'

케일의 시선이 함께 갈 일행에게로 향했다.

일단 '나올 수 없는 길', 5대 불가사의 중 하나인 그 안개 숲에 들어가려면 온이 있어야 했다.

온은 홍과 작별 인사를 하고 있었다. 케일은 온을 지나쳐 다른 일행에게로 향했다.

최한, 비크로스, 론.

"음."

절로 침음이 흘러나오는 조합이었다.

'차라리 한스를 데려올 걸 그랬나.'

우바르 영지에 두고 온 부집사 한스가 생각났다. 알 수 없는 차가운 기운이 케일의 등 뒤를 서늘하게 만들었다. 그는 저도 모르게 부르르 어깨를 떨었다.

"도련님, 괜찮으십니까?"

론이 다가와 다정한 척 물었다.

"……어, 괜찮아."

"괜찮다니 다행입니다. 혹 아프신 곳 있으면 말씀하십시오."

론이 인자한 미소를 지었다.

"오랜만에 이렇게 적은 인원으로 오붓하게 움직이니, 이것도 나름 좋군요."

좋기는.

케일은 흰 장갑을 끼는 비크로스를 보며 이 멤버 조합에 대해 고민했다.

'나쁜 짓 하기 좋은 조합 같은데.'

케일의 불안감 가득한 눈빛을 느낀 것인지, 비크로스가 흰 장갑을 낀 양손을 살짝 털며 케일에게 다가왔다.

"공자님, 출발해도 될 것 같습니다."

"그래. 가자."

케일은 라온과 다른 이들의 배웅을 받으며 위퍼 왕국의 남쪽 끝, 호이크 마을로 향했다. 그의 진짜 목적지는 호이크 마을의 끝자락과 이어지는 5대 불가사의 중 하나, '나올 수 없는 길'이었다.

하필 비가 왔다.

"저번이랑 비슷한데!"

케일의 품에 안긴 은빛 고양이 온이 콧노래를 흥얼거리며 안개를 조종했다.

현재 케일 일행은 '나올 수 없는 길' 숲 안을 거닐고 있었다. 비조차 이 기묘한 안개를 없애지 못했다.

쏴아아아–

온의 콧노래조차 들리지 않을 정도로 빗소리가 컸다. 투둑투둑. 케일은 우비를 두드리는 빗방울에 슬슬 귀찮음이 밀려왔다. 그의 옆으로 비크로스가 다가왔다.

"아무래도 밤이고 비도 많이 오니, 이 숲에서 하루 머무는 게 좋을 것 같습니다."

케일은 그 말에 고개를 끄덕였다.

"온, 저번에 갔던 그 동굴로 가자."

"근처인데."

케일은 온이 안개를 조종해 길을 트는 것을 보며, 뒤의 일행에게 따라오라 고갯짓했다. 론, 최한, 비크로스. 세 사람은 우비를 더 세게 동여매며 그의 뒤를 따랐다. 최한이 옆으로 따라와 케일에게 말을 건넸다.

"리타나 전하를 만났던 동굴로 갑니까?"

"어. 거기."

케일이 리타나와 그녀의 일행 앞에서 착한 척, 정중한 척, 온갖 연기를 했던 그 추억의 장소였다.

"꽤 좋은 추억이 있는 곳이지."

온도 그때의 기억을 떠올린 것인지 떨떠름한 얼굴로 후다닥 안개를 조종해 길을 만들었다. 모두 걸음을 빨리했기 때문인지 금방 저 멀리 어둠 속에서 동굴이 하나 모습을 드러냈다.

"저긴데! 응?"

온이 동굴을 가리키다가 멈칫했다. 론이 다가왔다.

"누가 있는 것 같습니다만."

동굴에서 희미한 빛이 새어 나오고 있었다. 동굴 안에 먼저 온 사람이 있는 듯했다. 케일은 잠시 고민하다가 입을 열었다.

"다른 데로 가기에는 늦은 것 같고. 일단 저기로 가지."

귀찮았다. 비도 오고, 어둡고, 배도 고프고. 더 걷기 싫었다. 마땅한 다른 대안도 없었고, 그냥 하루쯤 남들과 함께 지내는 게 나았다.

"네. 다행히 강한 기운은 느껴지지 않습니다."

최한이 덧붙인 말에 케일은 단호히 지시했다.

"가자."

거칠 것이 없었다.

투둑. 투둑. 빗방울이 우비를 두드리는 소리가 더욱더 거세졌고 일행은 바삐 동굴로 향했다.

희미하던 빛이 점점 더 강해지며 동굴의 입구가 보였다.

이제 쉴 수 있다.

케일이 그 사실에 걸음을 더 빨리했을 때, 최한의 목소리가 들려왔다.

"……익숙한 기운인데."

뭐라고?

케일은 최한의 말을 들음과 동시에 확연히 드러난 동굴 입구를 볼 수 있었다.

입구 안, 모닥불과 함께 동굴 내부가 눈에 들어왔다.

그 안에는 두 사람이 있었다.

'미친.'

케일은 두 눈을 비볐다.

"누, 누구신가요?"

떨리는 목소리가 들려왔다.

허약하고 아주 순하게 생긴 남자가 케일 일행을 바라보고 있었다. 그 눈동자는 순하다 못해 물기도 맺혀 있어 불쌍해 보였다. 그러나 그게 문제가 아니었다.

'쟤가 왜 저기에 있어?'

순한 인상의 금발 남자. 그 남자 옆에 누워 있는 금발 여자가 있었다. 봤던 여자다.

금발의 소드 마스터.

피에 미친 마법사 레디카를 죽였던 비밀 단체 소속. 그 여자가 몸 군데군데를 검게 물들인 채 정신을 못 차리고 있었다.

스릉—

아주 작은 소리가 케일의 귓가에 들려왔다. 최한이 검을 살짝 뽑았다. 케일은 뒤통수가 서늘하다 못해 한 대 맞은 기분이었다.

'이건 또 무슨 상황이야.'

그러나 이내 그는 론과 눈이 마주쳤다.

'무슨 일입니까?'

론의 눈동자가 그리 묻고 있었다. 그 순간 케일은 머릿속이 맑아 졌다.

'아, 맞다. 저 여자는 내 얼굴 모르지?'

금발의 소드 마스터. 저 여자는 케일의 얼굴은 물론, 일행의 얼굴을 몰랐다. 복면 쓴 모습만 알았지 다른 건 아무것도 몰랐다.

'좋은데?'

케일은 최한의 어깨 위에 손을 올렸다.

"최한, 검 집어넣어."

"네? 하지만!"

케일은 다급히 되묻는 최한에게 속삭였다.

"기운 감춰."

나중에 정신을 차린 여자가 최한의 기운을 느낄 수도 있었다.

케일은 의문 가득한 최한 대신 정신을 잃은 소드 마스터와 그 옆에서 겁에 질린 남자를 바라봤다. 금발에 순해 보이는 남자. 케일은 그에게 상냥한 미소를 그려 보였다. 케일 품 안의 온이 냐옹 울었다.

냐아아옹.

저번 리타나 때와 똑같다는 표정이었다. 그러나 케일은 그런 시선 따위 조금도 신경 쓰지 않았다. 분명 최한은 이들에게서 강한 기운은 느껴지지 않는다고 했다. 그 말은 정신을 잃고 있는 여자를 제외한 저 남자는 약하다는 소리였다.

케일은 우비 모자를 벗으며 순한 인상의 남자에게 말을 건넸다.

"미안합니다. 많이 놀랐죠?"

상냥하면서도 정중한 음성이었다.

최한이 그 음성에 흠칫했다. 그 순간, 케일은 론이 앞으로 나서는 것을 볼 수 있었다. 론과 비크로스, 온. 이 셋은 고래족 싸움 때 적들과 마주하지 않았다. 그래서 적들의 얼굴을 정확히 몰랐다. 그러나 케일은 상황을 모르는 론이 무슨 말을 할지 걱정하지 않았다.

"죄송합니다. 도련님 호위분이 사명감이 투철하셔서요."

시종의 자세로, 아주 인자하고 다정하게 론이 말했다.

케일은 론과 눈이 마주쳤다. 뒤이어 비크로스도 눈이 마주쳤고, 두 부자는 케일을 향해 미세하게 고개를 끄덕여 보였다.

'모르지만 일단 맞춰보겠습니다.'

그런 눈빛이었다.

'든든한데.'

갑자기 든든함이 확 밀려왔다.

케일은 이 멤버 조합이 처음으로 마음에 들었다.

28장
역시 착한 사람

28장
역시 착한 사람

누가 보아도 이 조합이면 정상적인 귀족 도련님과 시종, 호위 조합으로 보일 것이다.

'아니지. 원래 그런 조합이지.'

케일은 새삼 잊고 있던 사실을 깨달으며 상냥한 미소와 함께 금발의 남자를 바라봤다. 하지만 예상과 달랐다.

'왜 저래?'

남자가 더 경계한다. 특히 론을 보는 눈동자가 심각하게 흔들리고 있었다. 남자는 론의 왼팔을 힐끗거렸다.

론의 왼팔은 네크로맨서인 메리가 만든 팔이었다. 평소 긴팔 옷에 검은 장갑까지 껴서 티가 하나도 나지 않는 그 왼팔을 금발 남자는 얼굴 위로 표정을 다 드러내며 힐끗거렸다.

그 표정은 경악과 불안, 동시에 혼란이었다. 마치 저 팔이 가짜라는 것을, 그것도 어둠 속성으로 만들었다는 것을 안다는 눈빛이었다.

보는 것만으로도 어둠의 속성을 알아차리는 눈동자.

'……이것 봐라?'

케일은 촉이 왔다. 그의 시선이 금발 남자와 금발 여자, 두 사람을 향했다. 분명 다르게 생겼지만 묘하게 닮았다.

꼭 남매처럼.

문득 한 단어가 떠올랐다.

마법 폭탄.

그리고 하나 더.

태양신 교단.

성자와 성녀.

'……아 씨, 안 되는데.'

이런 줘도 받기 싫은 촉이 있나.

케일은 다짐했다.

'착하게 헤어지자.'

하지만 저들과 착하게 헤어지고 싶은 것은 케일 혼자만의 마음이었다.

"소, 속지 않아."

금발의 남자가 금발 소드 마스터를 다급하게 품에 안고서 케일을, 특히 론을 노려봤다. 그러나 순한, 꼭 비에 젖은 망아지 같은 눈동자는 노려보아도 위협은커녕 그저 안쓰러워 보였다.

"무슨 말씀이신지. 저희는 아무것도 속이는 것이 없답니다. 그저 지나가던 객이랍니다."

그에 비해 인자하게 미소를 띠며 금발 남자에게 다가가는 론은 케일 눈에 희대의 악당으로 보였다.

"오, 오지 마."

금발 남자는 아무것도 들리지 않는다는 듯 여자를 품에 안고서 뒤로 주춤주춤 밀려났다.

"으윽."

"아!"

정신을 잃은 채로 앓고 있던 여자의 입에서 신음이 흘러나왔다. 금발 남자는 뒤로 물러서던 것을 멈추고 황급히 품에 안은 여자를 내려놓았다. 여자를 살피던 남자의 눈빛은 이내 분노와 원통함을 담고서 론에게로 향했다.

"이 악독한 것들! 죽은 마나 폭탄을 던지더니, 이제는 네크로맨서에까지 손을 댄 것이냐!"

음. 이거 뭔가 오해를 한 것 같은데.

케일은 성자로 추정되는 이 녀석이 조금 오해를 하고 있다는 것을 눈치챘다.

툭. 툭. 케일이 팔을 두드리는 발길에 고개를 숙이니 온이 이거 해결해야 하는 거 아니냐는 눈빛으로 쳐다봤다.

'이거 해결해야 하는데?'

'아냐, 아직.'

케일은 살짝 고개를 가로저었다. 왠지 감이 왔다. 보통 이런 경우, 오해를 한 녀석이 저 혼자 구구절절 말하지 않는가?

그리고 알아내야 할 것이 있었다.

'죽은 마나 폭탄이라니. 그걸 폭탄으로 만들 수가 있나?'

케일은 비밀 단체에서 그런 것을 만들었나 싶어, 조금 더 정보가 필요했다. 그래서 아무것도 하지 않고 그저 방관했다.

따로 말하지 않아도 론이 적절하게 움직여 주었다. 그는 상당히 인자한 미소를 지으며 일부러 한 걸음 더 다가갔다.

　"정말 무슨 말씀이신지 모르겠군요. 오해를 하고 계시는 것 같습니다."

　결백을 밝히는 손짓에도 남자는 이번에는 결단코 믿지 않겠다는 눈빛을 한 채 외쳤다. 그 목소리는 죽음을 목전에 둔 이의 비장함이 가득했다.

　"내가 이제 하나를 지킬 것이다! 어떻게 제국의 이름을 달고 이런 추악한 짓을 한단 말인가!"

　……뭐?

　"태양신의 철퇴가 너희들을 가만두지 않을 것이야!"

　이제는 얼굴에 핏대까지 세우며 외쳐댔다.

　"이, 이 원통함을 태양은 알 것이다!"

　뭐야. 이 자식이 지금 무슨 소리 하는 거야.

　케일은 머릿속이 잠시 혼란스러워졌다. 그러거나 말거나 금발 남자는 두려움을 잊으려는 듯 쉬지 않고 외쳐댔다. 얼굴은 순한데, 목소리는 아주 기차 화통 삶아 먹은 듯 컸다.

　"내 비록 치유력밖에 없는 반쪽짜리일지라도! 가만히―"

　결국 케일은 그 남자의 말을 잘라먹었다.

　"잠시만."

　"하, 내 입을 막으려 해도 나는 멈추지 않을―"

　"아, 좀!"

　낮지만 강한 목소리. 금발 남자는 순간 입을 다물었다. 붉은 머리칼의 남자는 살짝 짜증이 난 얼굴로 강한 기세를 뿜어내고 있었다.

그 압도감에 순간 금발 남자는 얼어붙었다.

쏴아아아-.

빗소리만이 들리고 사위가 조용해졌다. 그제야 케일은 생각을 정리하기 시작했다. 그의 머릿속이 빠르게 움직였다.

'저 녀석 말에 따르면, 죽은 마나 폭탄이 제국 짓이란 말이지?'

그리고 지금 저 금발들은 제국에게 쫓기고 있고.

케일의 시선이 금발 여자에게로 향했다. 그 시선을 봤는지 금발 남자가 황급히 여자를 품에 안았지만 이미 케일은 확인할 것을 다 확인했다.

몸 군데군데 자리한 검은 자국. 저건 죽은 마나의 영향일 확률이 컸다.

'······큰일인데.'

죽은 마나 폭탄. 그런 폭탄을 제국에서 개발했을 것이라고는 케일은 전혀 생각지 못했다. 책에서는 그런 이야기가 없었다.

"도련님."

그는 론의 목소리에 생각을 대강 정리하고는 금발 남자를 바라봤다. 남자는 그 시선에 흠칫하면서도 입술을 깨물며 외쳤다.

"나, 나는 굴하지 않는다!"

하지만 남자는 자신에게 다가오는 붉은 머리칼의 남자를 보며 긴장감을 숨길 수가 없었다. 이런 강한 기운은 오랜만이었다. 단순히 강자의 기운이 아닌, 지배하는 자의 기운이었다.

저벅저벅. 물기를 머금은 신발 소리가 남자에게 가까워져 왔다. 붉은 머리칼의 남자가 코앞까지 다가왔다.

'안 돼.'

그는 동생 하나를 지켜야 했다. 금발 남자는 동생에게 평생 짐만 되고, 교단에 이용당하고, 마침내 제국으로부터 억울하게 쫓기게까지 된 자신이 한심했다.

가까이 다가온 붉은 머리칼의 남자가 금발 남자를 내려다보았다. 그 시선에 등에 소름이 돋았다. 천천히, 붉은 머리칼의 남자 케일의 입이 열렸다.

"죽은 마나 독에 당한 겁니까?"

"……무슨!"

무슨 헛소리를 하려고 하는 거냐?

그렇게 외치려고 했다. 하지만 금발의 남자 앞에 물건이 하나 나타났다.

"최상급 포션입니다. 이걸로 진척은 막을 수 있을 텐데. 그렇지 않습니까?"

최상급 포션. 모든 것을 빼앗긴 남자에게 너무나도 간절하던 그 포션. 분명 진품이 맞았다.

태양신 교단의 성자. 그는 죽어가는 동생에게 치유력을 쓸 수 없었다.

태양의 힘은 어둠을 태운다. 그가 힘을 사용하면 어둠에 중독된 동생도 함께 태워 버리는, 치유가 아닌 정화가 이루어질 터.

금발 남자, 성자는 부드럽게 웃는 붉은 머리칼의 남자를 볼 수 있었다. 그는 시종이라 소개했던 이를 가리켰다.

"우리 시종이 죽은 마나에 당한 적이 있어서 조금 알거든요. 그렇지, 론?"

케일이 론의 왼팔을 가리키며 물었다. 론은 안색의 변화도 없이 대답했다.

"네. 제 왼팔과 복부가 크게 당했었는데, 겨우 고쳤지요."

고쳤다고?

성자의 얼굴에 간절함이 드리워졌다. 하지만 케일은 이를 모른 척하며 품에서 최상급 포션을 계속 꺼냈다. 최상급 포션쯤이야 아주 많았다. 라온이 어찌나 챙겨주던지 무서울 정도였다. 하지만 케일은 열 개만 꺼냈다. 그리고 난처한 미소를 띠며 금발 남자를 바라봤다.

"이게 제가 가진 전부입니다. 참고로 로운 왕국 죽음의 신 교단에서 제작한 포션입니다. 이걸로 이 여자분 치료부터 하고 오해를 풀면 어떻겠습니까?"

성자의 눈동자가 흔들렸다. 성자는 실로 오랜만에 선한 미소를 볼 수 있었다. 그 선한 미소를 짓는 붉은 머리칼의 남자가 성자의 마음을 울리는 한마디 말을 건넸다.

"무엇보다도 사람 목숨이 먼저 아니겠습니까."

성자는 제 앞에 뚜껑을 열고 건네진 포션을 가만히 바라봤다.

동생이 늘 말했다.

'오빠는 사람을 잘 믿어서 탈이야. 금방 믿고 다 말해 버리고, 의심하지 않고. 그러지 마. 그게 오빠의 장점이기는 하지만. 일단 내가 강하니까, 걱정은 하지 마. 내가 지켜줄게.'

동생을 살려야 한다.

그때, 성자의 귓가로 남자의 목소리가 들려왔다.

"아, 저는 로운 왕국의 케일 헤니투스입니다."

그리고 황금 거북이 인장이 새겨진 작은 배지를 살짝 보여주었다.

"······케일 헤니투스요?"

"네."

케일은 부드럽게, 하지만 단호한 어조로 답했다. 이래야 이 남자는 물론, 나중에 깨어날 여자도 케일 자신이 조잡한 비밀 단체를 흉내 내는 그놈이 아닌 그저 지나가는 평범한 귀족인 줄 알 것이다.

케일은 아무것도 모르는 귀족 도련님이 되어 성자로 추정되는 놈을 쳐다봤다.

"그분이셨군요!"

음?

그런데 이놈의 반응이 이상하다.

"맞네요, 붉은 머리칼! 이제야 이 나올 수 없는 길에 오신 이유가 이해가 됩니다!"

덥석. 케일은 제 손과 함께 포션을 덥석 잡은 남자의 행동에 슬그머니 잡힌 손을 빼냈다.

"……저를 아십니까?"

"아, 그게 말이지요."

남자가 순한 미소를 지었다. 어떻게 이렇게 대번에 태세가 바뀔 수 있단 말인가?

"그 호이크 마을 사람들에게 들었습니다. 이 숲의 유해들을 거둬 한을 풀어주고, 마을 사람들에게 숲에 대해 알려주셨다지요?"

"그렇긴 합니다만."

호이크 마을. '나올 수 없는 길' 숲의 입구를 차지하고 있는 마을로, 케일은 이번엔 그 마을을 제대로 방문하지 않고 바로 숲으로 들어왔다.

"그 마을 사람들이 새 여행자만 오면 그들이 숲에 들어가기 전에

공자님 이야기를 하더군요. 숨어서 들, 아, 그 어쨌든 듣다가 알게
되었습니다."

남자는 이 숲에 들어오기 전, 마을에 몰래 숨어 염탐하다가 케일
에 대한 이야기를 들은 듯했다.

"아주 현명하고 카리스마 있으시지만 마음이 따뜻한 귀족분이라
고 소문이 자자하시더군요."

"……과찬입니다."

그런 평판이 케일은 전혀 달갑지 않았다.

그땐 정글의 불길을 처리하느라, 한스와 부단장에게 이곳에 대한
뒤처리를 맡기고 떠났었다. 새삼 그 둘이 어떻게 처리를 했는지 강
한 의문이 들었다. 하지만 케일은 이내 눈앞의 남자에게 집중했다.

성자는 마음이 편해졌는지 한결 편안한 얼굴로 혼자서 주절댔다.

"네. 그리고 리타나 여왕님께서도 선한 사람에 대해 이야기를 하
시면 꼭 공자님을 언급하셨습니다."

"……누구요?"

지금 이 자식이 무슨 소릴 하는 거야?

왜 성자가 리타나 얘기를 해?

"아, 그게."

남자는 그제야 아차 한 듯 어색한, 그러면서도 티가 다 나는 얼굴
로 변명했다.

"정글의 여왕님이요. 그냥 예전에 정글에 갔을 때, 안면만 튼 사이
입니다. 그냥 아는 분입니다."

전혀 안면만 아는 사이로 보이지 않았다. 성자는 다급히 이어 말
했다.

"저와 제 동생은 그저 평범한 이들인데, 그분께 도움을 받았고요."

어찌 저리 빤히 다 보이는 거짓말을 한단 말인가.

케일은 한숨을 삼키며 고개를 끄덕였다.

"그렇군요. 어서 치료부터 하시지요."

"아, 네."

"론, 돕게."

"네, 도련님."

성자는 론이 다가가자 멈칫했지만, 이내 론이 조심스레 천을 꺼내 치료를 도우려 하자 살짝 고개를 숙여 보였다. 케일은 그 모습을 보고는 자리에서 일어섰다.

"저는 잠시 밖에 나갔다가 오겠습니다. 최한."

"……네."

최한에게 동굴 입구를 가리켰다.

"이 앞에서 저 두 분 호위를 서게."

"……네."

어정쩡한 최한의 대답과 한층 신뢰감을 보이는 성자의 눈빛. 케일은 저렇게 사람을 잘 믿는 성자가 앞으로 어찌 살아갈까 생각하며 비크로스의 어깨를 툭 두드렸다.

"잠시 주위를 둘러보도록 하지. 환자가 있는데 맹수나 몬스터가 오면 곤란하니까."

"네. 알겠습니다."

비크로스가 믿음직한 호위처럼 답하며 케일의 뒤를 따랐다. 케일은 동굴 안쪽과 떨어진 입구에 선 최한의 곁을 지나며 작게 속삭였다.

"최한, 감시 잘해."

그제야 최한은 이채를 띠고는 진중한 얼굴로 고개를 끄덕였다.

"네. 호. 위. 를 잘. 하. 겠. 습. 니. 다."

제 나름대로 돕는다고 하는 게 말 연기다.

케일은 물론 비크로스도 그 말을 무시하며 동굴 밖으로 나왔다. 이전과 달리 안개비가 내려 우비를 쓰니 밖에 있어도 크게 상관이 없었다.

"비크로스."

"네."

"영상통신구를 써줄 마법사도 없으니까, 전서를 줄 테니 잠시 갔다 와라."

비크로스가 무뚝뚝한 얼굴로 물었다.

"툰카 측에게요?"

역시. 케일은 살짝 감탄했다. 비크로스는 자세히 말하지 않아도 대강 자신의 생각을 눈치채고 있었다.

죽은 마나 폭탄을 만든 제국. 이걸 모른 채 싸우게 되면 툰카 측에게 너무나도 불리했다. 이 정보를 그냥 둘 수 없었다.

"그래. 툰카에게 전하도록. 이래야 막상막하로 싸우지 않겠어?"

하지만 비크로스는 다른 말을 건넸다.

"은근히 걱정되나 봅니다?"

"누구? 툰카?"

"네."

케일은 잠시 침묵했다가 툭 던지듯 무심히 말했다.

"그냥 아무 말 말고 갔다 와."

비크로스는 알겠다는 듯 무뚝뚝한 얼굴에 미소를 그리며 고개를 끄덕였다. 마치 못 말리겠다는 표정이었다. 케일은 그 표정에도 다른 설명을 덧붙이지 않았다.

그는 툰카의 전투 방식을 안다. 그 녀석은 다친 병사들을 버리고 앞으로 나아간다. 약한 사람은 도태되어도, 다쳐도, 죽어가도 당연시 여기는 놈이다.

헤롤도 비슷했다. 헤롤이나 툰카나 둘 다 제 욕심에 하고 싶은 거 하는 놈들이었다. 헤롤은 대륙의 마법을 모두 없애고 싶은 욕심. 툰카는 그저 싸우면서 더 강해지고 싶은 욕심.

'그런 놈들 밑에 있는 이들이 무슨 죄겠어.'

굳이 걱정이 된다면 툰카가 아닌, 그 밑의 병사들이 자꾸 생각났다. 폭탄에 누가 가장 많이 다치겠는가.

그리고 죽은 마나에 중독되면 다시 살아나기 힘들다. 일단 최상급 포션을 계속 쓰며 죽은 마나가 더 퍼지지 않도록 처치해야 했다.

'헤롤이 병사들에게 최상급 포션을 쓸까? 툰카는?'

그 녀석은 케일이 정말로 약하게 굴었다면 친구 취급은커녕 무시했을 녀석이다. 케일은 지시를 기다리는 비크로스에게 명했다.

"바로 툰카 측에 갈 필요는 없어. 로잘린 씨가 더 가까우니, 그녀에게 전서를 가져다주면 그녀가 전달할 거야. 그게 빠를 거다. 또 알베르 왕세자에게도 전하고."

"네, 알겠습니다."

로잘린과 비크로스, 두 사람이 함께면 잘 해낼 것이다. 비크로스는 살짝 호기심을 드러내며 낮은 목소리로 물었다.

"그런데 저 두 사람이 누굽니까?"

"태양신 쌍둥이로 추정된다."

"……그 도망자들이요?"

케일은 잠시 비크로스의 눈치를 살폈다가 입을 열었다.

"그래. 그리고 저 안의 여자는 비밀 단체 소속으로 고래족 싸움 때 마주했다는 그 소드 마스터다."

"……저 여자가 말입니까?"

"그래. 그러니 얼른 갔다 와. 네 변명은 내가 알아서 해둘 테니."

비크로스의 입꼬리가 기이하게 비틀렸다. 그의 아버지를 죽음의 위기로 몰고 갔던 단체에 소속된 자에 대해 알게 되었으니까.

케일은 점점 분위기가 가라앉는 비크로스에게 툭 던지듯 말했다.

"나와 론을 믿고 빨리 갔다 와."

"든든하네요."

비크로스는 다시 담담한 얼굴로 고개를 끄덕였다. 아버지와 케일 공자라면 잘 해낼 것이다. 그리고 무력이 뛰어난 최한이 있으니 위험한 상황은 없을 터.

냐아아옹.

온이 울며 자신도 있다고 존재감을 발휘했다. 비크로스는 그 모습에 피식 웃고는 케일에게 손을 내밀었다.

"전서 주십시오."

케일은 비크로스에게 전서를 넘겨 떠나보낸 후, 느긋하게 동굴 입구로 돌아왔다.

"다녀오셨습니까?"

"그래."

최한의 인사를 받으며 케일은 동굴 안으로 들어섰다. 론이 여전히 인자한 미소를 얼굴에 띠고 있었다. 최한과 론은 비크로스가 케일 옆에 없어도 어떠한 의문도 드러내지 않았다.

케일은 금발 소드 마스터를 애달프게 바라보는 성자에게 다가갔다.

"어떻게, 여자분은 조금 괜찮아지셨습니까?"

"아, 네. 전보다는 몸 안의 죽은 마나가—"

밝은 얼굴로 성자가 말을 이어갈 때였다.

"으음."

금발 소드 마스터. 그녀의 입에서 신음이 흘러나왔다. 그녀의 속눈썹이 파르르 떨렸고, 곧 눈꺼풀을 들어 올릴 것 같았다.

"하, 하나!"

성자는 소드 마스터의 이름으로 추정되는 단어를 간절히 불렀고, 여자는 미간을 찌푸린 채 간신히 감고 있던 눈을 떴다.

"……오빠."

"하나!"

성자가 동생을 절절하게 부르며 껴안았다. 쌍둥이가 그렇게 감격적인 상봉을 하는 사이, 케일은 론의 손바닥에 글자를 써 넣었다.

'암 소속.'

론의 눈동자가 서늘하게 가라앉았고, 케일은 시치미 뚝 떼고서 자신을 바라보는 성자에게 미소를 지어 보였다.

"다행입니다."

"공자님, 덕분에 동생이 깨어났습니다! 감사합니다!"

케일은 자신에게 향한 성자의 감격한 눈빛과 지금 상황을 이해 못하고 있는 소드 마스터의 눈빛을 받으며 그저 도련님용 미소를 지었다. 아직 이 둘에게서 알아내야 할 게 참 많았다.

그건 바로, 이들의 상태가 왜 이렇냐는 것과 어찌하여 정글의 리타나 이름이 성자의 입에서 나왔냐 하는 점이었다. 그리고 제국이 왜 공적이 될지도 모를 죽은 마나를 사용하냐는 점이었다.

"……오빠."

소드 마스터, 하나는 잠긴 목소리로 성자를 불렀다. 하지만 하나의 눈동자는 케일과 최한, 론을 보고 있었다.

마찬가지로 케일도 하나의 상태를 확인하고 있었다.

'죽은 마나 중독 초기 상태군.'

그녀의 몸에 자잘한 상처들이 있었고 상처들은 검게 물들었다. 아마도 그녀가 당한 죽은 마나 폭탄은 액체의 형태인 듯싶었다. 상처에 죽은 마나 액체가 닿아 중독된 것 같았다.

'소드 마스터라 버티나 보네.'

소드 마스터는 생명력이 질기다. 아마 몸 안 오러의 힘으로 최대한 죽은 마나의 확장을 막는 중일 터.

하지만 이 소드 마스터는 약해진 상태다. 케일은 절로 부드러운 미소를 입가에 머금었다. 이를 여자는 경계했다.

"……이자들은 누구야?"

간신히 정신을 차렸지만 여전히 땀범벅인 그녀는 상당히 힘겨워했다. 말 한 마디, 한 마디 내뱉는 것을 겨우겨우 해냈다.

"내가, 쿨럭, 하아."

누워 있는 소드 마스터는 어깨를 들썩이더니 검은 피를 토해냈다. 성자가 다급히 손을 그 입가로 가져갔다.

"하나! 말하지 마!"

"……내가 아무나 들이지 말랬지?"

여자는 성자를 매섭게 노려보며 몸을 일으키려 했다. 그때, 그녀의 입가에 새하얀 천이 닿았다.

"피 흐릅니다. 다 설명드릴 테니, 진정하세요."

다정한 목소리가 하나의 귓가에 닿았다. 케일은 그녀의 입가에 묻은 검은 피를 닦아냈다.

'검은 피는 수집해 놨다가 나중에 드래곤한테 물어봐야겠어.'

그는 고룡 에르하벤에게 물어보기로 마음먹으며 경계심 가득한 적에게 부드러이 말했다.

"오빠분이 동생분을 어찌나 간절히 살리려고 하시는지, 감동적이었습니다. 그러니 일단 몸부터 생각하세요."

"여기 포션입니다, 도련님."

때에 맞춰 론이 새 포션을 하나 더 내밀었다. 케일은 언제 서늘한 눈빛이었냐는 듯 걱정과 염려가 가득한, 인자한 노인 연기를 하는 론을 보며 감탄했다.

'이렇게 손발이 맞을 수가.'

최한, 로잘린, 그리고 평균 8세들과 다닐 때와는 차원이 달랐다. 케일은 편안한 마음으로 포션을 성자에게 건넸다.

하나는 이 모습에 혼란스러워졌다. 나올 수 없는 길, 이곳에 이런 귀족 도련님 같은 자와 시종이 있다는 게 이상했다.

"……이자들은 뭐야."

그때, 오빠의 다정한 질책이 들려왔다.

"하나, 이자들이라니. 이분들은 그렇지 않아."

하나는 저를 책망하는 듯한 오빠의 목소리에 그를 바라봤다. 자신이 정신을 잃은 새에 이 순진하다 못해 맹한 오빠가 무슨 짓을 벌였을지 걱정되었다.

그러나 성자의 표정은 오랜만에 밝았다.

"하나, 너도 아는 분이야. 케일 헤니투스라고 호이크 마을에서 들었던 분 있잖아. 그분과 시종, 기사분들이야."

"······케일 헤니투스?"

하나의 눈동자가 붉은 머리칼의 남자에게로 향했다. 성자는 신이 난 음성으로 말을 이었다.

"그래. 네가 얼굴을 안다고 설명해 주었잖아. 그, 로운 왕국 테러 사건 때 백성들을 지키기 위해 나섰던 위대한 영웅이라고!"

하나의 눈동자가 뭐라 설명할 수 없는 빛을 띠며 일렁였다. 케일은 자신을 뚫어질 듯 바라보는 그녀에게 쑥스럽다는 듯 살짝 고개를 숙였다. 그리고 생각했다.

'위대한 영웅은 얼어 죽을. 저 여자한테는 짜증 나는 적이었겠지.'

비밀 단체 소속인 저 여자 입장에서 케일은 로운 왕국 영웅이 아니라 일을 망친 주범 중 하나일 것이다. 그리고 이 정보로 케일은 한가지를 파악했다.

'저 성자는 비밀 단체 소속이 아니군.'

그렇지 않고는 저렇게 맹하게 행동할 리 없었다.

"그래서 케일 공자님이 포션도 주시고, 지금 기사분에게 부탁해 우리 호위도 서주셨어."

"……정말 그 케일 헤니투스?"

믿을 수 없다는 듯 바라보는 그녀에게 케일은 난감한 미소를 지었다.

"네, 쑥스럽지만 그 케일 헤니투스입니다."

"……은빛 방패 공자?"

오랜만이다.

오랜만에 그 낯부끄럽고 창피한 이름이 소드 마스터 입에서 흘러나왔다. 하지만 케일은 여기서 믿음을 주어야 했다.

파아앗.

은빛과 함께 아주 작은 크기의 방패가 나타났다.

"……오!"

성자는 맹하게 감탄했고, 소드 마스터는 살짝 안심한 듯했다. 케일은 그녀를 보며 말했다.

"이제 믿으십니까?"

"……뭐, 그렇죠."

"그럼 위험하신 상태니, 안정을 취하십시오."

케일은 듬직한 표정으로 말했다.

"우리가 오늘 밤 경계를 서겠습니다. 무슨 연유인지는 모르나, 아프고 힘든 분들을 지켜 드리는 것이 귀족 된 도리 아니겠습니까."

성자는 감탄했고, 소드 마스터는 잘됐다는 표정이었다. 론이 적절하게 맞장구쳤다.

"맞습니다, 도련님. 우리는 수도에서 테러를 저질렀던 그런 극악무도한 놈들과는 다르지요. 이렇게 사람을 구하려 노력해야, 죽이려 드는 놈들과는 달라야 합니다."

소드 마스터는 고개를 끄덕이며 맞장구쳤다.

"……맞아요."

오, 맞장구를 칠 줄은 몰랐는데?

케일은 론의 말에 그녀가 동의를 할 줄은 몰랐다. 그러나 뒤에 이어진 말에 묘한 느낌을 받았다.

"그런… 그런 단체의 놈들은 피를 다 뽑아내 말려 죽여 버려야 해요."

……살벌하다.

케일은 아무래도 이 여자가 그 단체에 배신을 당한 게 아닌가 하는 생각이 들었다. 하지만 케일은 아무것도 듣지 못했다는 얼굴로 태연하게 물었다.

"그런데 어쩌다 이 나올 수 없는 길에 들어오셨습니까? 길을 잃으면 큰일인데."

그리고 정적이 내려앉았다.

성자는 당황한 얼굴로 제 동생 눈치를 보았고 소드 마스터는 가만히 천장을 바라봤다.

그 모습에 케일은 한 가지를 추측할 수 있었다.

'리타나를 만나러 가는 길인가 보군.'

그녀의 이름이 괜히 성자의 입에서 흘러나온 게 아닐 터. 뻔히 보였다.

그 추측은 곧 결과로 다가왔다.

냐아아옹.

비크로스를 숲의 입구까지 데려다준 온이 종종걸음으로 동굴 안에 들어섰다. 온은 케일에게 직진해 오더니, 그의 팔을 맹렬히, 그리고 다급하게 툭툭 두드렸다. 그와 동시에 동굴 입구에 있던 최한이 케일에게 말했다.

"멀리서 빛이 하나 다가옵니다."

"뭐?"

케일은 놀란 얼굴로 동굴 입구로 갔다.

다시 비가 거세진 한밤중. 동굴로 다가오는 빛. 케일은 비로소 성자가 아픈 동생과 함께 숨어야 하는데도 왜 동굴에 불을 피워놓았는지 알 수 있었다.

그때, 최한이 아주 작게, 빗소리에 묻힐 만큼 작은 목소리로 속삭였다.

"엘프 전투 때 들었습니다."

최한은 마창사와 싸웠을 때, 마창사가 울분에 가득 차 했던 말을 떠올렸다.

'금색 쌍둥이 때문에 일도 많아졌는데! 이것들은 도대체 왜 이러는 거야!'

이를 그대로 케일에게 말했다. 케일은 최한의 어깨를 두드리며 뒤돌아섰다. 그의 시선이 두 남매에게 향했다.

"저 다가오는 빛은 두 분의 손님 같군요. 맞습니까?"

성자는 소드 마스터의 눈치를 보았고, 소드 마스터는 힘겹게 몸을 일으켜 세우며 검은 마나가 군데군데 물든 얼굴을 들어 케일을 쳐다봤다.

"네, 아마 우리 손님일 겁니다."

그 대답과 동시에, 케일은 동굴로 다가오는 사람들을 볼 수 있었다.

"……케일 공자!"

"오랜만입니다, 리나 씨."

정글의 중심인 리타나. 그녀가 찬란하게 빛나는 구슬을 하나 쥐고 서 있었다. 당황한 그녀를 보는 대신 케일은 그 구슬에 새겨진 문양을 살펴보았다.

태양신의 문양이었다. 그 안에 담긴 빛이 성자가 있는 방향을 화살표로 가리키고 있었다. 케일은 천천히 뒤돌아서서 성자를 바라봤다.

"태양신 교단 문양이네요. 그게 왜 당신을 가리키고 있습니까?"

"그게, 케일 공자."

"그러고 보니 두 분은 남매, 아니, 쌍둥이 같은데."

대답 없이 난감한 표정만 짓는 성자를 보던 케일이 돌연 탄식을 흘렸다.

"하, 어떻게 리나 씨가 이 숲에서 길을 잃지 않고 여기까지 왔는지 알겠군요. 그리고 두 분이 누구인지도요."

"……케일 공자."

리타나가 케일에게 다가갔다. 케일의 표정이 굳어 있었기 때문이다. 혼란을 억누르는 듯한 케일의 표정은 처음 보는 것이었다.

케일은 다가오는 그녀에게 시선을 두지 않은 채 혼잣말처럼 내뱉었다.

"나는 선의로 도운 일인데, 도운 자들이—"

괴로움이 케일의 얼굴에 드리워졌다.

"하필, 태양신 교단에 테러를 일으킨 자들이라니. 어떻게 나에게 이런."

"아닙니다!"

그때, 성자의 목소리가 동굴 안을 울렸다.

"오빠, 진정해."

소드 마스터가 성자를 진정시켰고, 케일은 성자와 시선을 마주했다. 억울함과 분함이 가득한 그의 눈빛을 보던 케일은 리타나에게로 시선을 돌렸다.

"무슨 사정이 있겠지요?"

"……공자."

"제가 아는 리나 씨라면, 제가 상상하는 끔찍한 일에 동조하실 분이 아니라 생각합니다."

케일의 손이 남매를 향했다.

"그리고 이렇게 서로를 생각하는 애틋한 남매가 그런 짓을 했을 리 없다고 생각, 아니, 믿고 싶습니다."

성자의 눈동자가 일렁였다. 그건 감동이었다. 리타나도 마찬가지였다. 그녀는 힘차게 고개를 끄덕이며 말했다.

"걱정 마세요, 공자. 나는 공자가 생각하는 그런 사람입니다."

"맞습니다, 공자님. 저희는 나쁜 의도로 나온 게 아닙니다."

리타나의 충직한 수하가 말을 덧붙였다. 케일은 그 말들에 힘겹게 미소를 지으며 고개를 끄덕였다. 그 행동에 리타나는 안심한 듯 남매에게 다가갔다.

그 순간 케일과 론의 시선이 부딪쳤다. 시종 론이 슬그머니 엄지를 들어 올리며 흐뭇한 눈빛을 지었다. 그리고 최한이 멍한 얼굴로 케일을 쳐다봤다.

'이쯤이야.'

케일은 이 정도쯤이야, 라는 눈빛을 일행에게 보내고는 리타나의 목소리에 그녀를 바라봤다.

“공자도 함께 들어요.”

“……괜찮습니다. 제게는 버거운 이야기일 것 같습니다.”

일단 한 번 거절했다. 일개 귀족가 자제에게 이런 상황은 버겁다는 듯이.

“공자의 도움이 필요한 일이라 그런 게 아니에요. 원래 공자를 만나면 알려 드리려던 이야기일 뿐이에요.”

도움이 필요 없다는 말에 케일은 고개를 끄덕였다.

“제가 알아야 할 일이라도 있습니까?”

“공자, 정글의 불 기억하지요?”

갑자기 불 이야기가 왜 나올까.

“……기억납니다. 끔찍했지요.”

“맞아요. 그 불의 범인을 알아냈습니다.”

쌍둥이가 뭘 빌미로 리타나에게 접근했는지 알 것 같았다.

황태자가 정글에 불을 질렀다.

이 사실로 리타나를 불러냈으리라. 하지만 케일은 모른 척했다.

“설마 그 범인이 저 남매분들은 아닐 테고?”

“네. 공자 예상대로일 겁니다. 저분들이 범인이 누구인지 우리에게 말해주었죠.”

케일이 믿을 수 없다는 듯 쌍둥이 남매를 쳐다봤다. 그때 소드 마스터가 성자에게 말했다.

“오빠, 다 말해.”

“그래.”

결연한 표정의 성자가 말을 시작했다.

“사실 성자와 성녀로 알려졌지만, 저는 반쪽짜리 성력을 지닌 성

자로 태어났고 제 동생 하나는 성녀가 아닙니다. 다만 검에 재능이
있어 검사로 자랐습니다."

성자는 교단에 대한 분노도 드러냈다.

"교단에서는 저희 둘을 이용해 둘 다 성력을 타고났다는 듯 선전
했고, 저희를 성자와 성녀로만 살게 만들었지요. 그래서 제대로 세
상 구경도 못 했습니다."

케일은 실소를 참았다.

'세상 구경 못 하긴.'

아프지만 꼿꼿한 자세로 동굴 벽에 기대 앉아 있는 소드 마스터
하나. 케일은 비밀 단체 소속원의 천연덕스러운 표정 연기를 보며
기가 찼다.

그사이 성자의 말은 이어지고 있었다.

"어떤 단체가 마법 폭탄을 교단에 터뜨렸고, 교단은 쑥대밭이 되
었습니다. 그 와중에 제국에서는 그 단체와 저희를 한패로 몰며 저
희를 추격하기 시작했습니다."

"당신들이 테러를 일으킨 게 아니란 건가요?"

리타나의 물음에 성자가 단호히 고개를 끄덕였다.

"네, 저희는 아닙니다. 하지만 제국은 우리를 없애고 싶은 마음에
그렇게 했을 겁니다."

"왜죠?"

성자는 잠시 침묵하다가 입을 열었다.

"교단 측에서 그 축제 때 발표하려던 정보 때문이죠. 우리 두 사람
을 제외하고 그 정보를 알던 이들은 테러로 죽었습니다."

"무슨 정보죠?"

리타나가 기다리던 정보인 듯 성자를 살짝 재촉했다. 하지만 그 대답은 소드 마스터의 입에서 흘러나왔다.

"제국은 연금술을 이용해 죽은 마나로 폭탄을 만든다. 그리고 정글에서 일어났던 그 거대한 불은 제국의 짓이다."

성자가 이었다.

"교단 측은 그 발표로 황실을 억누르려고 했지요."

케일은 왜 태양신 교단이 태양신을 기리는 축제와 연금술을 기리는 축제를 함께하려고 했는지 이해했다.

노리는 바가 있었던 것이다.

"그런데 갑자기 폭탄 테러가 일어났고, 우리는 그 범인으로 몰렸지요. 발표 전에 말입니다! 분명 제국은 우리가 그 정보를 손에 쥐고 있다는 것을 알고 있었던 겁니다! 그래서 이렇게 억울하게 쫓기게 되었고, 하나는 다치고! 크흑!"

울분이 치미는 듯 성자는 눈가가 벌겋게 물들었다.

케일은 이 모든 걸 가만히 듣고 있었다. 하지만 머릿속이 바쁘게 돌아갔다.

'언뜻 제국과 교단의 일 같은데, 왜 비밀 단체가 그 사이에 끼어들어 있지?'

제국, 교단. 둘 중 한 곳과 비밀 단체 간에 연관이 있는 건가? 그럼 비밀 단체 소속인 저 여자는 도대체 뭐지?

케일의 시선이 여자에게로 향했다. 성자는 그간의 설움을 토해내고 있었다.

"우리는 이용만 당했습니다! 너무 억울합니다!"

소드 마스터 하나가 담담히 중얼거렸다.

"그래. 다 이용하지. 모두에게 다 당했어. 가족처럼 생각했더니."

모두에게 다. 케일은 저 단어에 교단, 황실, 그리고 다른 하나가 더 있다는 것을 눈치챘다. 리타나의 입이 열렸다.

"그럼 그 정보를 대가로 우리에게 신변 보호 요청을 하는 건가요?"

성자가 고개를 끄덕였다.

"네. 현재 저희에게 연금술 종탑에 대한 정보가 있습니다. 이걸 드릴 테니, 우리가 동대륙으로 떠날 수 있게 해주십시오."

원래 태양신 쌍둥이의 도주 계획은 둘이서 동대륙으로 떠나 그곳에서 사는 것이었다.

성자의 말이 끝난 후, 잠시 각자의 생각으로 정적이 내려앉았을 때. 하나의 목소리가 동굴 안에 울려 퍼졌다.

"오빠만 데려가세요."

"그게 무슨 소리야! 하나, 너는!"

성자가 당황한 얼굴로 제 동생을 바라봤다. 하지만 소드 마스터의 얼굴은 담담했다.

"나는 어차피 죽을 몸이야."

쌍둥이의 본래 계획과 달리, 하나는 죽은 마나에 중독되어 버렸다. 이대로라면 동대륙을 건너다가 죽을 판이었다.

"죽는다니! 그런 말 하지 마! 하나, 내가 널 살릴 거야!"

성자의 절박한 목소리에도 그녀는 입을 꾹 다문 채 동굴 천장만 응시했다. 리타나는 복잡한 시선으로 남매를 바라봤다. 그 순간, 차분한 목소리가 동굴에 울려 퍼졌다.

"복수라도 하게요?"

케일이었다.

동굴 천장을 보던 소드 마스터의 시선이 케일에게로 향했다. 그 얼굴을 응시하며 케일은 담담히 말을 이었다.

"지금 그럴 얼굴인데."

여자는 실소를 흘리며 답했다.

"그렇다면요?"

부정하지 않았다. 죽어가는 몸이었지만 그 눈동자에는 분노와 배신감이 가득했다.

"하나! 제국에 복수라니! 너는 나한테 그러지 말라고 했잖아."

"그래, 제국에 복수라니. 그러면 안 돼."

"안 된다면서, 왜 너는!"

하나는 다시 입을 다물었다. 하지만 케일은 그녀의 뜻을 알아챌 수 있었다. 그녀의 정체를 알고 있기에 가능했다.

저 여자는 제국에 복수를 하려는 게 아니다.

다른 쪽에 복수를 하려는 거다.

케일은 최한의 말을 다시 한번 떠올렸다.

'마창사가 금색 쌍둥이 때문에 일이 많아졌다고 그랬습니다. 아무래도 저 둘을 가리키는 것 같습니다.'

저 여자는 비밀 단체에도 배신을 당했다.

"하나, 말 좀 해봐! 우리 둘이 같이 살아야지. 안 그러면 의미가 없어!"

성자의 애달픈 목소리에도 하나는 입을 다물고서 눈을 감았다.

"저기요. 음, 하나 씨?"

로운 왕국의 영웅이자 선하고 정중한 자, 케일 헤니투스. 하나는 그의 목소리도 무시하려 했다. 하지만 그럴 수 없었다.

"그 복수 한번 효과적으로 해볼 생각 없습니까?"

케일은 하나가 놀란 얼굴로 눈을 떠 자신을 보자, 미소를 그렸다. 어제의 적이 꼭 평생의 적일 필요는 없었다.

"……그게 무슨."

"죽은 마나로 어차피 죽을 몸. 더 오래 살게 해줄게요."

동굴 안이 조용해졌다. 하나만이 케일의 말에 반응했다.

"……도대체 무슨 소리를."

케일은 혼란스러워하는 그녀에게 더 짙은 미소를 그려 보였다. 그는 리타나도, 저 성자도 모를 말을, 오직 소드 마스터인 그녀만 알아들을 말을 툭 던졌다.

"피에 미친 마법사처럼 죽으면 안 되잖아?"

하나. 그녀의 눈동자가 흔들렸다.

그 흔들림을 케일은 놓치지 않았다. 어제의 적을 동료로 들일 수는 없으나, 부려먹을 수는 있는 법이었다.

"피에 미친 마법사요? 그게 누군가요?"

정글의 왕 리타나가 제일 처음으로 케일의 말에 반응했다. 뒤이어 성자도 한마디를 건넸다.

"이름 살벌하네요. 마법사가 피라니. 그런데 하나, 포션 한 개 더 마실래? 안색이 너무 안 좋은데."

소드 마스터 하나의 얼굴이 하얗게 질려 있었다. 그녀는 입을 꾹 다물고 있었지만 입술 끝이 잘게 떨리고 있었다. 케일은 여유로이 새로운 손수건을 성자에게 건넸다.

"하나 씨 땀 좀 닦아드려야겠어요. 어우, 이마에 식은땀이 많이 나네요."

케일은 다정히 말하고선 리타나와 시선을 마주했다. 하나는 떨리는 손끝을 숨기며 모른 척했다.

"피에 미친 마법사라고, 그런 녀석이 있습니다. 저도 그 사람에 대해 들은 것뿐이지만, 아무튼 지금은 죽었죠."

"그런 사람이 있군요."

"네, 참으로 잔인하게 죽었다고 들었습니다."

생각도 하기 싫다는 듯 케일은 몸서리를 치며 말했다.

"동료의 검에 베여서 죽었거든요."

"……음, 끔찍하네요."

리타나 수하의 반응에 케일은 고개를 끄덕였다. 하나의 얼굴이 더 하얗게 질렸다. 죽은 마나의 검은 자국과 하얗게 질린 얼굴이 더욱 더 대비되었다.

케일은 말을 이었다.

"저는 그런 이야기만 들어도 심장이 뛰더군요. 제 눈앞에서 사람 죽는 걸 보기 싫은지라."

"그럼요. 공자의 마음씨를 제가 알아요. 사람 죽는 게 공자님께는 힘드실 거예요."

리타나가 케일의 말에 동의하면서도 은근한 어조로 물었다.

"그런데 복수를 돕는다니요."

그녀는 케일이 가짜 성녀에게 했던 말이 그답지 않다고 생각했다. 케일이 누군가의 복수를 돕는다니. 저 쌍둥이의 억울한 마음은 이해가 되었으나, 케일의 성정은 그런 잔혹함과 어울리지 않았다.

그녀의 마음을 알아챈 것일까. 케일이 리타나에게 물었다.

"리나 씨, 최고의 복수가 무엇인지 아십니까?"

"……최고의 복수요?"

케일은 리타나의 의문 가득한 얼굴에도 별 다른 말 없이 시선을 돌려 하얗게 질린 사람을 응시했다.

"하나 씨."

케일은 담담하지만 사려 깊은 어조로 말했다.

"제가 참견해서는 안 되는 일일지도 모르지만, 한 말씀만 드리겠습니다."

또 무슨 소릴 하려고?

혼란과 불안이 가득한 하나의 눈동자가 느껴졌지만 케일은 제 할 말을 했다.

"하나 씨, 오래 행복하게 사는 게 진짜 복수입니다. 오빠와 행복하게 사셔야지요."

행복하게 사는 게 진짜 복수는 무슨. 당한 만큼 갚아야 진짜 복수였고, 복수를 해야 억울함 없이 두 발 뻗고 자는 법이었다. 하지만 케일은 속마음과 다른 말을 내뱉었다.

리타나가 진심으로 감탄했다.

"아, 그런 뜻으로. 공자는 저와 달리 그릇이 크십니다."

성자는 살짝 눈가의 눈물을 훔쳤다.

냐아아옹.

온이 케일의 품에서 벗어나 바닥에 내려앉으며 울었다. 리타나는 다정스레 온의 머리를 쓰다듬었다.

"온도 케일 공자의 말에 동의하는군요."

온은 동의는커녕 기가 차서 케일의 품을 벗어나 탄식을 흘릴 뿐이었다. 최한은 이미 동굴 내부를 외면하며 그저 동굴 밖만 쳐다보고 있었다.

"맞습니다. 그런 게 복수지요."

그리고 론이 케일의 말에 맞장구를 쳤다. 케일은 동료들 간의 불협화음에도 굴하지 않았다.

"벌써 새벽이네요. 일단 환자분도 계시고 하니, 잠시라도 눈을 붙이는 게 어떻습니까?"

"그럴까요?"

리타나가 동굴 밖을 보며 답했다. 확실히 시간이 늦었다.

"네. 쌍둥이 두 분은 힘드실 테니, 저희 일행과 리나 씨 일행이 돌아가며 주위 순찰을 도는 게 어떻겠습니까?"

"아, 혹시 적이 올지도 모르니까요?"

적. 제국군을 가리키며 말하는 리타나의 표정이 굳어 있었다.

"네, 혹시 모르니까요."

"좋아요. 그러죠."

리타나의 수긍에 케일은 쌍둥이, 특히 하나를 보며 말했다.

"두 분은 푹 주무세요."

"감사합니다. 얼마만의 단잠인지 모르겠네요. 불안함 없이 잠들수 있을 것 같습니다."

성자는 감동한 목소리로 답했고 하나의 얼굴이 일그러졌다.

"하나, 또 기침이 나오려고 해?"

"……오빠는 좀. 하, 아냐."

성자의 지극한 간호를 받는 하나의 머릿속이 복잡해 보였다. 그러거나 말거나 케일은 태연했다.

"저희가 먼저 순찰을 돌죠."

그렇게 길었던 대화가 잠시 멈추고, 모두 휴식을 택했다.

케일 일행이 먼저 순찰을 돌았고, 그들이 돌아왔을 때 성자와 성녀는 피곤했던지 깊은 잠에 빠져 있었다. 리타나 일행이 안개를 조종하는 온을 데리고 주위 순찰 준비를 했다.

"공자, 순찰을 꽤 오래 도셨네요."

"숲 입구까지 다녀온다고요."

"우리도 그래야겠네요. 그러면 한두 시간 걸릴 듯해요."

"네. 조심히 다녀오십시오."

리타나는 피곤한지 눈을 붙일 준비를 하는 케일에게 미소로 인사를 대신하고는 온과 수하들을 데리고 동굴 밖으로 순찰을 나갔다. 물론 동굴 입구에서 경비를 서는 최한에게 눈인사를 건넸다.

쏴아아아.

빗소리와 모닥불이 타오르는 소리만이 적막한 동굴 안에 울려 퍼졌다. 고요했다.

그렇게 리타나 일행이 멀어졌을 무렵.

"넌 누구지?"

하나의 목소리가 울려 퍼졌다.

"내가 묻고 싶은 말인데."

케일은 감았던 눈을 떴다. 그는 고개를 돌렸다. 소드 마스터 하나가 어느새 일어나 동굴 벽에 기댄 채로 케일 일행 쪽을 노려보고 있었다. 케일도 자리에서 일어나 앉았다.

그와 그녀의 시선이 부딪치며 잠시간의 대치가 이어졌다. 하지만 그 대치는 곧 깨졌다.

"……설마 네가 그 녀석들이야?"

하나는 반쯤 확신 어린 눈빛으로 케일을 바라봤다.

"그 녀석들이 뭐지?"

케일의 물음에 그녀는 상당히 찜찜한 얼굴로 답했다.

"……비밀 단체."

저 단어를 내뱉는 그녀의 표정은 상당히 묘했다. 하긴 본인이 비밀 단체 소속이면서 다른 곳을 비밀 단체로 말하는 그 심정이 어떨지, 케일은 알 것 같았다. 그는 그녀의 물음에 답했다.

"그걸 알면 도망쳐야지. 왜 안 도망치고 있어?"

케일은 미소를 그렸다. 하지만 그 미소는 다정하지 않았다. 오히려 하나는 등에 소름이 돋았다. 그녀의 시선이 힐끗 성자에게로 닿았다가 케일에게로 향했다.

눈이 마주친 순간, 케일은 물었다.

"오빠가 걱정되나 봐?"

"……지금 협박하는 건가?"

그녀의 안광에 흉흉한 빛이 감돌았다. 일순간 몸에 피어나는 검은 자국이 옅어졌다. 황금빛 오러가 그녀의 피부에 서리고 있었다.

스릉.

최한이 검집에서 검을 살짝 뽑았다. 그리고 론이 자리에서 일어나 케일 뒤에 섰다. 하나는 입술을 깨물었다. 태평하게 자는 오빠의 손을 잡았다.

'어떡하지?'

그녀는 머릿속이 복잡하다 못해 터질 것 같았다.

오빠와 자신을 이용하는 교단. 자신들을 개처럼 부리는 교황. 그들을 피하고 싶던 와중에 자신에게 다가온 단체. 그 단체는 그녀를 가족처럼 대해주었다.

여기라면 오빠와 함께 교단을 빠져나와 살 수 있겠구나 했다. 하지만 그곳에서도 배신을 당했다. 그리고 막다른 골목에서 또 다른 적을 마주했다.

미칠 것 같았다. 어떻게 해야 할까.

그때, 케일 헤니투스의 입이 열리는 것을 볼 수 있었다.

"협박은 하지 않아."

"……뭐?"

하나는 실소를 흘렸다. 죽은 마나 때문에 온몸의 핏줄이 터져 버릴 것 같았지만, 그녀는 오러를 최대치로 올렸다.

"지금 하는 행태가 협박이 아니라고?"

금방이라도 터질 듯, 하나의 기세는 흉흉했다. 그런 그녀에게 무심한 목소리가 닿았다.

"너에 대한 예의 같아서 말이야."

"……뭐라고?"

하나는 순간 케일의 말을 이해할 수 없었다. 하지만 케일은 어깨를 으쓱이며 대수롭지 않게 답했다.

"보니까 암에서도 배신당한 것 아닌가?"

상대는 암이라는 단체의 이름을 알고 있었다. 하나는 그 정보력에 놀랐지만 침묵했다.

"마창사가 너와 네 오빠를 찾는 것 같던데."

그리고 이어진 케일의 말에 얼굴을 일그러뜨렸다. 제국군에, 교단에, 비밀 단체에. 그녀는 숨이 막혀왔다. 그녀는 얼굴을 일그러뜨린 그대로 케일을 노려보았다.

"그런 말을 하는 이유가 뭐지?"

그녀는 입꼬리에 비웃음을 매달며 말을 이었다.

"궁지에 몰렸으니, 복종하고 모든 정보를 토하라는 건가? 왕국에서 영웅 대접 받고, 온갖 착한 척은 다 하더니."

정중한 공자인 척했지만 하나는 그가 정중함과는 거리가 먼, 오히려 사악한 편이라고 느끼고 있었다. 그 이중적인 모습에 소름이 돋았다.

암도 그랬다. 가족처럼 대하면서 뒤로는 자신의 뒤통수를 칠 준비를 했다.

"네가 이런 놈이란 걸 남들은 모르고 있지? 여왕도 모르는 것 같은데 말이야."

그녀는 케일을 노려보며 애써 비웃었다. 하지만 상대는 차분하게 말했다.

"넌 알잖아."

"⋯⋯뭐?"

"넌 내가 이런 놈이라는 거 알잖아. 난 내 두 모습 다 너에게 보였어. 이걸로 답이 된 거 아닌가?"

대수롭지 않은 일을 말하듯 태평한 목소리가 동굴 안에 퍼졌다.

"배신당한 너에겐, 이게 내가 보여줄 기본 예의라 생각하는데."

순간 그녀는 말문이 막혔다.

'너에 대한 예의 같아서 말이야.'

하나는 방금 전 케일이 협박이 아니라고 했던 말이 비로소 이해되었다.

케일은 흉흉한 기세가 수그러드는 것을 가만히 지켜보았다. 협박은 그다지 취미가 아니었다. 협박보다는 거래가 그의 취미였다. 그에게 하나의 목소리가 닿았다.

"……나와 대화를 하고 싶은 거야?"

"그래. 대화를 겸한 거래를 하고 싶은 거지."

하나는 그가 기세가 수그러든 자신을 보며 미소 짓는 것을 볼 수 있었다.

"이제 대화할 준비가 됐네."

아까 전 오싹하게 느껴지던 미소와 달리 한층 부드러운 미소였다. 하나는 저도 모르게 주먹을 쥐던 손에 힘을 풀었다. 그때였다.

"나는 너와 네 오빠를 동대륙에 보내지 않을 거다."

"그게 무슨 소리야?"

다시금 이어진 그의 말에 하나는 얼굴이 일그러졌다. 분위기가 좋아졌다 싶었더니, 결국 진로를 방해한다는 소리였다. 그 순간 케일의 말이 이어졌다.

"나야말로 네가 무슨 생각인지 모르겠다."

"뭐?"

"암이 동대륙 뒷세계를 지배하고 있는 걸 아나?"

하나의 몸이 순간 굳었다. 그녀는 말도 내뱉지 못하고 충격받은 표정으로 케일을 쳐다봤다. 그러다가 한참 만에 작게 말했다.

"……몰랐어. 네가 나보다 더 잘 알고 있구나."

하나는 케일의 정보력에 다시 한번 놀랐다. 그리고 자신이 아무것도 몰랐다는 사실에 분노했다.

"나한테는 그냥, 그냥 북쪽과 연합한 작은 단체라고 했는데."

음? 뭐라고?

케일은 순간 멈칫했다.

하나는 고개를 숙였다. 그녀는 세상에 대해 잘 아는 척했지만, 결국 성자인 제 오빠처럼 세상을 아직 겪지 못했다. 그래서 순진한 편이었다.

"나는 그냥 오빠와 나를 북쪽으로 보내준다고 해서. 그놈들이 북쪽 왕국과 손을 잡았다고 했으니까. 배신당한 지금은 동대륙에만 가면, 그러면 우리가 살 줄 알았어."

케일은 슬쩍 고개를 뒤로 돌렸다. 론과 시선이 마주쳤다.

'지금 내가 제대로 들은 게 맞지?'

론이 심각한 얼굴로 고개를 끄덕였다.

'그런 것 같습니다, 도련님.'

케일은 다시금 하나를 바라봤다. 고개를 숙였던 그녀가 천천히 고개를 들었다. 아무리 소드 마스터라도 궁지에 몰린 그녀는 가여운 인간에 불과했다. 케일은 그 얼굴을 보며 생각을 가다듬었다.

분명 북쪽이랬다.

지금 비밀 단체가 북쪽과 연관이 되어 있다고 했다. 케일은 목이 탔다. 하지만 그녀와 눈을 마주하며 아무렇지도 않게 말했다.

"그러니까 말이야. 북쪽 파에른 왕국과 암은 서로 협력 관계잖아."

케일은 하나의 반응을 기다렸다. 심장이 쿵쿵 뛰었다.

마침내 하나의 대답이 들려왔다.

"응. 그래서 서대륙에서 도망갈 곳은 없어."

오. 이런 제기랄.

북쪽이 비밀 단체의 뒷배였어? 아니, 협력 관계였어?

"크흠, 큼!"

최한이 사레라도 걸린 것인지, 헛기침을 하며 목을 가다듬어 댔다. 케일은 이를 가벼이 무시했다. 하나의 말이 이어졌다. 그녀는 괴로움을 겨우 삼키는 것처럼 짓씹듯이 말을 토해냈다.

"……그런데 북쪽과 제국이 협력 관계일 줄이야."

이야.

케일은 욕이 튀어나올 것 같았다.

'영웅의 탄생'에서 제국은 북쪽 3국 연합의 와이번 기사단 정보를 알고 있었다. 단순히 그냥 정보력이 뛰어나서 그런 줄 알았더니, 그게 아니었다.

'미치겠다.'

하지만 그는 자신을 바라보는 하나에게 담담히 답했다.

"그러게 말이야."

그 맞장구에 하나는 고개를 끄덕였다.

"역시 넌 다 알고 있었구나. 나는, 나는 아무것도 몰랐어."

그녀는 괴로움에 두 손으로 얼굴을 쓸어내렸다. 그런 그녀에게 케일은 말했다.

"나도 다 아는 건 아냐. 나도 그 정도만 알고 있을 뿐이야."

북쪽 3국에, 비밀 단체에, 제국이라니.

이거 알고 보니 개판 1분 전이었다.

'어떡하죠?'

최한이 그렇게 쳐다봤다.

……어떡하긴.

더 개판으로 만들어야지.

"그럼 이제 우리는 어떻게 해야 하지?"

하나는 갈피를 못 잡고 케일을 바라봤다. 혼란으로 가득한 눈동자는 답을 구하고 있었다. 그러나 아쉽게도 상대를 잘못 골랐다.

"언제는 나를 의심하더니, 이제는 나한테 어떻게 할지를 묻는 건가?"

케일은 나오는 대로 지껄였다. 지금 그의 머릿속에는 저 쌍둥이를 어찌해야 하나 그런 건 들어갈 공간도 없었다.

"하, 하지만. 너는 암과 싸우고 있으니까―"

싸우다니. 무슨 그런 식겁할 소리를.

케일은 고개를 가로저으며 일단 생각나는 대로 내뱉었다.

"일단 너희 쌍둥이는 리나 씨에게 의탁해. 정글은 땅이 넓고 은신하기 좋은 장소가 많으니 충분히 리나 씨 역량으로 가능할 거다."

하나는 불안한 자신과 달리 고저 없는 목소리에 조금씩 진정되어 갔다. 케일의 이어진 말이 그녀의 마음속을 깊이 울렸다.

"그리고 네 몸부터 나아. 너 스스로를 지키는 건 너다. 그건 알지 않나?"

"……알아. 이번 일로 더 알았지."

태양신의 치유력을 타고났지만 그 때문인지 운동 신경이 형편없는 성자 잭. 그와 달리 검과 운동 신경에 특출한 재능을 가진 하나.

오빠와 스스로를 지키는 건 그녀가 할 일이었다. 케일의 목소리가 들려왔다.

"그래. 아무도 믿지 마."

그녀는 케일을 바라봤다.

"리나 씨도 믿지 말고, 나도 믿지 말고. 네 오빠와 둘이서 버텨."

남자는 무표정으로 자신을 믿지 말라고 말했다. 하나는 마창사를 떠올렸다.

'친오빠처럼 생각해. 우릴 믿어. 너와 오빠에게 자유를 줄게.'

교황을 떠올렸다.

'너희 같은 비렁뱅이들을 화려하게 만들어준 게 나다. 나를 믿거라. 그러면 태양신의 찬란한 빛의 길로 인도를 받을 수 있어.'

모두가 하나와 오빠에게 자신을 믿으라 하였다. 그녀는 자신을 바라보는 케일에게 고개를 끄덕였다.

"그래. 안 믿을게."

그 대답에 케일은 고개를 끄덕였다.

당연히 그래야 했다. 이 여자에겐 지금 죽어가는 몸과 치유력만 지닌 성자 오빠만이 있었다. 도망갈 곳도 없고, 오로지 숨을 곳만 필요했다.

그러나 제국, 비밀 단체, 모든 곳에서 버림받은 그녀는 갈 곳이 얼마 없었다. 그렇기에 케일은 말했다.

"그리고 널 살릴 수 있는 사람을 데려다줄 테니까 기다리고 있어."

"······정말 내가 살 수 있나?"

"그래."

금발 소드 마스터의 죽어가던 눈동자에 생기가 감돌기 시작했다. 그녀는 자신의 팔 위 검은 핏줄이 불거진 자리를 매만지다가 케일을 응시했다.

"그럼 난 너에게 뭘 대가로 지불해야 하지?"

케일의 입가에 미소가 맺혔다.

"하나 씨, 넌 꽤 영리해."

하나는 케일이 한 말을 모두 기억하고 있었다.

"넌 나와 거래를 한다고 했으니까."

이전의 단체들과 달리 케일은 그녀에게 거래를 하자고 했다. 케일은 그 말을 부정하지 않았다.

"그래. 거래를 해야지. 물론 그 거래는 내가 널 살릴 사람을 데리고 갈 때 죽음의 맹세와 함께 진행할 거다. 그때 다시 거래를 하도록 하지."

나을 수 있다. 살 수 있다.

하나는 케일의 말에서 그 사실을 확신할 수 있었다. 그녀는 저도 모르게, 순한 얼굴로 자는 오빠를 바라봤다. 너무 순해서 멍청하게 느껴지는 오빠지만, 자신을 최고로, 최우선으로 두는 오빠였다. 하나는 무언가 울컥 차올라 입술을 꾹 깨물었다.

동시에 이어진 케일의 말이 그녀의 심장을 더 들뜨게 만들었다.

"그리고 치료가 끝나면 네가 제대로 복수를 할 기회도 줄 테니까 숨죽이고 기다리고 있어."

하나는 케일을 뚫어질 듯 바라봤다.

"……정말로 복수가 가능해?"

케일은 대충 고개를 끄덕였다.

'가능하지.'

위티라에게서 들은, 호랑이족과 고래족이 함께 벌일 전투가 떠올랐다. 두 종족이 함께 암 전투단 1조에게 펼칠 공격. 그 시기는 올겨울이랬다.

현재 북쪽 3국이 암과 협력하고, 또 따로 제국과 협력을 한 것인지. 아니면 북쪽, 암, 제국 세 곳이 함께 협력 중인지 정확히 알 수 없었다. 그러니 기회가 왔을 때.

'싹 쓸어버려야지.'

북쪽은 케일이 사는 로운 왕국을 넘보는 곳이다. 그곳에 도움이 될 손길은 최대한 없애 버리는 게 맞았다.

케일은 제 나름대로 개판을 만들기로 마음먹었다. 그는 쌍둥이를 바라봤다.

하나는 소드 마스터이고. 또 다른 하나는 반쪽이지만 태양신 교단의 성자다. 현재 억울한 누명을 쓰고 있지만, 그의 결백함만 밝혀진다면 태양신 신도들이 모두 저 성자 밑으로 모여들 터.

케일은 소드 마스터에게 달콤한 말을 건넸다.

"피를 좋아하는 너에게 충분한 피를 적실 수 있는 기회를 주도록 하지."

피바다는 얼마나 아름다울까. 그렇게 말하던 게 눈앞의 성자 동생이었다. 케일은 예상대로 생기가 넘치다 못해 광기까지 언뜻 보이는 눈동자를 보며 생각했다.

'얘도 정상은 아냐.'

케일은 괜히 자신의 붉은 머리칼을 쓸어 넘겼다. 하나는 짜릿한 상상을 억누르는 듯 목소리의 떨림을 애써 감추며 말했다.

"케일 헤니투스, 넌 악하지만 꽤 상냥해."

"네 눈에 그렇게 보인다면 그렇겠지."

케일은 굳이 하나의 생각을 바로잡아 주지 않았다.

하나는 낮게 웃음을 흘렸다. 죽은 마나에 중독된 몸이기에 힘겨웠지만 전보다 더 활기가 넘쳤다. 케일은 복수의 피를 뿌릴 상상을 즐겁게 하고 있는 것 같은 그녀에게 부드러이 물었다.

"그럼 이제 대화는 그만하고 잘까?"

"그래."

하나는 그제야 편한 얼굴로 다시 누웠다. 물론 그녀는 최한에게 한 번 눈길을 주었지만 최한이 케일을 쳐다보고 있자 아무 말 없이 눈을 감았다.

케일은 그 광경을 보다가 시선을 옮겨 동굴 천장을 바라봤다. 잠 자기는 글렀다.

왜 이렇게 다들 치고받고 싸우려고 할까.

결국 케일은 울고 싶은 기분으로 잠들지 못했다.

다음 날 이른 아침. 비는 그쳤다.

동굴 밖으로 나온 케일은 안개로 가득한 숲을 둘러보며 둥그런 바위 위에 걸터앉았다. 서늘한 아침 공기가 그를 반겨주었다.

"하아."

"아침부터 웬 한숨이에요?"

한숨을 내쉬던 케일은 뒤에서 들려온 목소리에 몸을 돌렸다.

"리나 씨."

리타나가 케일에게로 다가왔다. 그녀는 케일 옆 바위 위에 걸터앉으며 그를 걱정스레 바라봤다.

"공자, 잠을 못 주무신 것 같아요."

"……마음이 심란해서요."

백수 라이프가 또 더 멀어졌다.

케일은 그 사실이 서글펐다.

"아."

리타나는 작게 탄성을 흘렸다. 그녀는 안쓰러움과 동시에 존경이 담긴 눈길로 케일을 바라봤다.

"그렇죠. 공자의 심성상 이런 상황과 사실들이 힘겹게 다가올 거예요."

"네. 제 성정상 지금 상황은 버겁죠."

리타나는 선하고 정의로운 케일이 힘없이 대답하는 모습에 마음이 아려왔다. 하지만 그런 그이기에 전할 말이 있었다.

"공자, 어젯밤에 적들을 신경 쓰지 않고 행복하게, 건강하게 사는 게 최고의 복수라고 하셨죠?"

케일은 그녀가 꺼내는 말을 들으며 직감했다.

'이제 개판을 벌일 때인가.'

그는 그녀가 다가온 이유를 짐작했다. 그렇기에 답했다.

"네, 전 그게 최고의 복수라 생각합니다."

물론 전혀 그렇게 생각하지 않는다.

"그렇군요. 하지만 전 공자와 생각이 달라요."

리타나의 눈동자에 차가운 분노가 서렸다. 그녀는 작년에 정글을 태웠던 불을 아직 잊지 않았다. 다행히 부족민들은 죽지 않았지만, 정글에서 그녀가 다스리는 것은 부족민만이 아니었다. 정글에는 수많은 생명체가 존재했다.

상생을 중시하는 남부 정글. 그녀는 폭풍 전의 고요처럼, 평온히 말을 이었다.

"수많은 나무와 식물들, 동물들이 그 불길에 죽었어요. 그리고 검게 변한 정글 1구역을 살리기 위해 우리는 앞으로 수많은 시간과 노력을 그곳에 바쳐야 해요. 또 터전을 잃은 이들은 그 기나긴 시간을 기다려야 하죠."

리타나가 괜히 정글의 지배자가 된 게 아니었다. 리더는 포용할 줄 알아야 하지만, 그보다 외부의 위험에 맞서고 적과 싸울 줄 알아야 했다.

"전 정글 사람으로서 그 복수를 해야 합니다."

그녀는 자신의 말에 케일이 어떤 얼굴을 할지 궁금했다. 하지만 그 표정을 살피기 전 들린 케일의 말에 리타나는 미소를 그렸다.

"저에게 갑자기 어젯밤 이야기를 꺼내시는 이유는 하나 같습니다."

굳이 이른 아침부터 리타나가 홀로 있는 케일을 찾아온 이유는 뻔했다. 케일은 리타나에게 말했다.

"제가 왕세자 저하께 연락을 드리겠습니다."

"……역시 공자는 선한 만큼 영리하신 것 같습니다."

리타나는 툰카와 달랐다. 그녀는 정글의 불과 더불어 죽은 마나 폭탄을 제국과의 싸움에 있어 명분으로 쥐고 싶었다. 하지만 이는 혼자서 힘들었다.

"알베르 왕세자 저하시라면 리나 씨와의 대화를 반기실 겁니다."

"공자, 그리 말해줘서 고마워요. 아무래도 제국이 걸려 있으니 우리만으로는 부족할 것 같아서요. 죽은 마나 폭탄을 공론화시킬 준비를 해야겠어요."

리타나는 서두를 태세는 아니었다. 케일은 흘러가듯이 물었다.

"제국과 위퍼 왕국의 전쟁이 끝난 후를 노리는 것입니까?"

"네."

리타나는 허리에 매단 단창의 끝을 천천히 쓰다듬었다. 그녀의 눈동자가 형형한 빛을 띠기 시작했고 그녀는 나직이 읊조렸다.

"우리도 전쟁 준비를 해야 하니까요."

살벌했다.

케일이 괜히 소름이 돋아 리타나를 외면하려 했을 때, 그녀가 케일을 다시 불렀다.

"아, 공자. 그리고 보답은 여기 있습니다."

음?

케일은 제 앞에 놓인 종이를 봤다가 다시 리타나를 쳐다봤다.

'이게 보답이라고?'

리타나는 케일의 시선에 그저 미소를 띠며 종이를 더 내밀었고, 케일은 결국 그 종이를 받아 펼쳤다.

'오.'

소리 없는 감탄이었다.

리타나의 목소리가 들려왔다.

"별장을 세우실 땅 크기가 너무 작더군요. 그래서 그 땅이 있는 언덕과 더불어 해안가 일부를 함께 드리면 좋지 않을까 해서요."

정글 1구역 해안가. 최상급 마정석을 발견했던 언덕을 통째로, 그리고 그 해안가 절반의 소유권도 케일에게 넘긴다는 문서였다. 케일은 심장이 뛰었다. 설렘이었다.

케일은 리타나가 소탈하게 웃으며 말하는 것을 가만히 바라보았다.

"아직 복구가 덜 되었지만, 다행히 부족장이 관리하는 땅이더군요. 부족민들도 동의했고."

"……해안가 반은 너무 많습니다만."

괜히 한마디를 붙여봤다. 그 말에 리타나는 손사래를 쳤다.

"에이, 많기는요. 배로 다니시잖아요. 오고 가기 편하시라고 드리는 거예요."

"음, 그래도."

"정글 1구역 부족민들 마음이니, 받아주세요."

케일은 한숨을 내쉬며 종이를 안주머니에 넣었다.

"정 그렇다면 받겠습니다."

"네, 고마워요."

리타나는 꽤 큰 땅임에도 당황하지 않고 아무렇지 않게 받는 케일을 흐뭇한 미소로 바라봤다. 그러다가 케일과 눈이 마주친 그녀는 흐뭇한 미소를 얼른 지웠다. 케일이 그녀에게 잘됐다는 듯 말했다.

"왕세자 저하를 이 해안가에서 만나면 되겠군요. 제 배로 몰래 모셔오면 되니까요."

"아!"

리타나는 그런 생각을 하는 케일에게 감탄했다.

'어쩌면 공자는 늘 이렇게 앞날에 대해, 그리고 타인과 왕국에 대해 생각할까.'

감탄하는 그녀에게 케일이 조심스럽게 덧붙였다.

"그리고 리나 씨, 그 쌍둥이 두 분 조금 안쓰러운 분들 같습니다. 제가 죽은 마나 치료사를 데려올 때까지 잘 부탁드립니다."

"……공자의 고운 마음은 언제나 저를 감동시키네요."

케일은 리타나에게 쑥스러운 미소를 지어 보였다. 그리고 속으로 생각했다.

'왕세자 저하는 또 돌겠다고 하겠네.'

왕세자 알베르 반응이 눈에 뻔했다.

케일은 일행과 함께 '나올 수 없는 길' 정글 쪽 출구까지 정글 측 일행과 쌍둥이를 배웅했다. 물론 소드 마스터 하나의 품에 영상통신구를 몰래 넘겨줬다.

냐아아옹.

온의 울음소리에 케일은 고개를 끄덕였다.

"그래, 가자."

케일은 옐리아산 골드 드래곤 에르하벤의 레어로 향했다.

옐리아산 정상에 도착하자마자 케일은 흠칫했다.

"인간! 인간!"

동굴 입구에서부터 시꺼먼 게 케일을 향해 맹렬하게 날아오고 있었다.

검은 용 라온이었다.

냐아아옹.

뒤이어 홍과 늑대 소년 라크가 레어 입구에서 나왔다.

'이놈들이 어떻게 알고 마중 나온 거야?'

케일은 슬그머니 한 발짝 옆으로 물러섰다. 라온과 부딪치면 황천길을 밟을 것 같았다. 그 정도로 용은 맹렬하게 날아왔다.

"인간!"

"왜?"

무심한 케일의 물음에 라온의 표정이 밝아졌다.

"인간 그대로구나!"

라온은 케일의 몸을 빙글빙글 돌며 날았다.

"어디 다친 데는 없나?"

"나 안 보고 싶었나?"

"나 뭐 배운 줄 아나?"

다다다 라온의 말이 쏟아졌다.

케일은 이대로 두면 계속 라온이 혼자서 쉴 새 없이 말을 해댈 것 같아 대충 머리를 쓰다듬으며 말했다.

"넌 당연히 다 잘하고 있었겠지. 위대한 라온이니까."

라온이 히죽 웃었다.

"맞다! 황금 용이 나보고 생각보다 천재랬다!"

"그래그래. 넌 위대한 천재야."

"인간, 내가 어제 뭘 배웠는 줄 아나? 화산처럼-"

케일은 말이 길어질 것 같아, 라온의 말을 잘랐다.

"영상통신구."

"응?"

"왕세자 연락 좀."

"알겠다!"

라온은 흔쾌히 알겠다고 답했고, 케일은 일사천리로 왕세자에게 영상통신을 연결했다. 오랜만에 알베르 왕세자가 뚱한 얼굴로 케일을 바라봤다.

-왜? 어제 로잘린 씨가 연락 준 것 때문인가?

"아뇨. 다른 할 말이 있어서요."

케일을 보는 왕세자의 표정이 묘했다. 왕국의 별이신, 같은 그런 말도 안 되는 미사여구 없이 바로 용건을 꺼내는 케일은 처음이었다.

–뭔데? 그리고 너 어디야? 왜 이리 뭐가 다 번쩍번쩍해?

에르하벤이 내준 케일의 방은 금으로 도배된 호화로운 방이었다. 라온의 요구 사항이었다.

알베르는 영상통신구 너머 국왕의 방보다 화려해 보이는 케일의 방을 보며 이건 뭐지 하는 표정을 지었고, 그런 그에게 케일의 목소리가 닿았다.

"폭탄 테러를 했던 그 단체와 북쪽 3국이 협력 관계랍니다."

–뭐?

케일은 순간 안색이 굳어진 알베르에게 그간 있었던 일을 대강 다 말했다.

태양신 교단과 제국의 사이.

제국이 한 짓.

쌍둥이를 만난 일.

정글과 제국의 관계.

더불어 케일은 예전에 고래족을 도와 그들과 연이 닿았고, 고래족이 그 비밀 단체의 전투조와 싸울 계획이라는 사실까지 말했다. 한참을 듣던 알베르가 두 눈을 깜박이며 물었다.

–그러니까, 지금 정글의 여왕이 만나고 싶다는 의사를 전했다고? 제국이 그런 짓들을 했고? 북쪽도 연관이 되어 있고?

케일의 대답은 심플했다.

"네."

왕세자가 말했다.

-너 뭐냐?

"케일 헤니투스죠."

-하. 돌겠네.

역시나 왕세자는 '돌겠네'를 외쳤고 케일은 그런 왕세자에게 물었다.

"개판 직전이죠?"

-우리 왕국 위아래로 난리네.

"그러니까 우리도 개판을 만들죠."

왕세자가 짜증 내던 것을 멈추고 케일을 쳐다봤다.

"저하, 우린 지금 브렉 왕국과도 협력 관계잖습니까? 거기다가 우리에겐 누가 더 있습니까?"

알베르의 입꼬리가 살짝 올라갔다.

-정글도 있고, 고래족도 있고, 위퍼 왕국도 있군.

"억울한 누명을 쓴 쌍둥이도 있죠. 그리고 죽은 마나 폭탄을 다룰 수 있는 다크엘프도 있습니다."

거기다가 케일은 왕세자에게 말하진 못했지만 준비한 것들이 더 있었다. 더불어 무조건 도와줄 드래곤이 하나, 긴가민가한 드래곤도 하나 있었다.

케일 헤니투스와 알베르 크로스만. 두 사람의 입가에 비슷한 미소가 어렸다. 영상통신구 범위 밖에 있던 라온이 오랜만에 케일의 머릿속에서 반가운 목소리로 말했다.

-인간, 너의 그 미소는 참으로 오랜만이다! 뭔 짓을 하려는 거냐! 나도 신나고 싶다!

뭔 짓이긴. 제국과 북쪽, 비밀 단체 뒤통수 후려칠 준비를 하는 거지.

왕세자가 케일에게 말했다.

─해볼 만한데?

"그렇죠?"

29장

무섭지 않다

29장
무섭지 않다

-매우, 매우 해볼 만해.

왕세자 알베르는 조금 신난 얼굴이었다.

-오랜만에 네놈이 골 때리면서도 머리를 맑게 해주는 이야기를 하는구나.

케일은 고개를 끄덕였다.

"그렇죠. 제가 늘 문젯거리만 안겨 드리는 건 아니랍니다."

알베르는 당연히 코웃음을 쳤다. 그는 살면서 케일 헤니투스만큼 사건을 몰고 다니는 인간은 보지 못했다. 저 정도면 운명이다. 하지만 알베르는 이런 속마음을 말하지 않고 새로이 얻은 정보를 전했다.

-네 녀석이 보내준 인질은 현재 이모님이 취조하고 있다.

"잘되어 갑니까?"

물론 취조가 아니라 정신 고문이겠지만. 케일은 굳이 그 부분을 꼬집지 않았다.

−조만간 일부는 토해내지 않을까 싶어. 이모님이 그쪽 방면 전문가를 데려왔거든.

다크엘프가 데려온 전문가는 누굴까. 왠지 케일은 섬뜩해져 왔지만 모른 척 고개를 끄덕였다. 그 와중에 알베르는 혼잣말을 하며 생각을 가다듬고 있었다.

−할 일이 많군. 정글의 여왕과는 내가 영상통신을 하도록 하지. 그리고 위퍼 참모장과도 접촉을 해야겠어. 그렇게 되면 일단 지리상으로는 제국과 북 3국을 분리시킬 수 있겠−

알베르는 말을 하다 말고 케일을 쳐다봤다.

−너 왜 그리 쳐다봐?

케일이 흐뭇한 미소를 지은 채 알베르를 바라보고 있었다. 케일은 입에 침 하나 묻히지 않고 말했다.

"저하가 자랑스럽고 존경스러워서요."

역시 왕세자에게 말하길 잘했다. 똑똑한 사람이 부지런하기까지 해서 귀찮은 일을 도맡아 해냈다. 그렇기에 그저 자랑스러웠다.

−······후우.

알베르는 그저 한숨을 내쉬었다. 그리고 툭 던지듯 말했다.

−넌 앞으로 뭐 할 참이지?

케일은 눈 하나 깜박이지 않고 뻔뻔하게 답했다.

"정보를 모으겠습니다."

정보는 무슨. 일단 가을까지 쉴 생각이다. 지금 자신이 나서서 할 일이 뭐가 있겠나?

그러나 케일은 왕세자가 묘하게 웃는 것을 볼 수 있었다. 알베르는 화사한 얼굴로 음흉하게 웃어 보였다.

−그래. 너라면 정보를 잘 모을 거다.

알베르는 생각했다.

'또 어디 엮어서 정보를 물어다 주겠지.'

왕세자 전속 정보단보다 케일 하나가 나았다.

"……네. 뭐."

케일은 왕세자의 웃는 얼굴이 영 찝찝했지만 외면했다. 대신 케일은 그에게 메리에 대한 부탁을 전하고 영상통신을 마무리했다. 그들의 마무리 인사는 갈수록 정이 많아졌다.

−네놈과 영상통신만 하고 나면 악몽에 시달려. 지독한 놈.

"저하께서 만수무강하시길 바랍니다."

−웃기는 놈.

뚝. 영상통신이 예고도 없이 끊어져 버렸다. 케일은 이제 한시름 놓아도 되겠다 생각했다. 하지만 그럴 수 없었다.

쉬이익−

이건 바람을 가르는 소리였다. 케일은 제 코앞으로 총알같이 날아오는 검은 물체에 당황했다.

'얘가 왜 이래?'

라온이 케일의 얼굴 한 뼘 정도 거리에서 멈췄다. 검은 용의 눈동자가 이글이글 불타오르고 있었다. 케일은 괜히 불안해져 왔다.

"인간!"

라온이 외쳤다.

"땅의 힘 구하러 가자!"

아, 맞다. 그게 있었다.

케일은 갑자기 피곤함이 밀려왔다. 그는 제 코앞에 둥둥 뜬 채로 얼굴을 들이민 라온을 손으로 살짝 밀어내며 한숨을 내쉬었다.

"너 수업은?"

라온은 에르하벤과의 수업을 해야 했다. 케일의 물음에 라온의 날개가 잠시 멈칫했지만 라온은 당당히 답했다.

"……실습 가자고 하면 된다!"

얼씨구야, 에르하벤까지 데리고 짱돌을 구하러 가자고? 어디 대륙부수러 가니?

케일은 손을 휘휘 저으며 말했다.

"넌 수업 들어. 그냥 최한이랑 다녀오면 돼."

미쳤다고 용을 두 마리나 데리고 짱돌을 구하러 가겠나. 케일은 턱도 없는 상황이라 생각하며 실소를 흘렸다.

그런데 이상했다.

라온이 조용하다. 케일은 고개를 돌렸다.

"……인간."

라온이 목소리를 낮게 깔며 날개와 어깨를 쫙 펼쳤다.

"위대한 라온의 말이니 따라라. 약한 인간은 내가 가야 한다."

다섯 살짜리가 위엄 있는 분위기를 만들려고 했다. 그래 봤자 5살이다. 그것도 케일은 4살 때부터 봤다. 에르하벤이 용의 위엄은 가르치지 않는 건가. 케일은 귀찮아서 그냥 답했다.

"……그러든가."

히죽. 라온의 입꼬리가 올라갔다.

"그래! 인간! 잘 생각했다! 그럼 나는 에르하벤한테 통보하고 온다!"

라온은 황금과 보석으로 번쩍이는 케일의 방을 나가 에르하벤에게 날아갔다. 케일은 날아가는 라온의 뒷모습을 보며 생각했다.

'통보가 아니라 부탁을 해야 하는 거 아닌가?'

어휘 선택에서 또다시 찜찜함을 느꼈지만, 일단 케일은 엘프가 준 서책을 꺼내 들며 그것에 집중했다. 오래된 서책이었지만, 마법을 사용한 것인지 꽤 상태가 양호해 글을 읽기에는 괜찮았다.

사락. 사락.

종이 넘기는 소리와 함께 케일은 첫 페이지를 읽었다. 첫 페이지에는 두 줄만 적혀 있었다.

누군가 멍청한 인간은 돌대가리와 같다고 했지.
그런 인간에게 조막만 한 돌의 무서움을 알려주겠다.

탁.

케일은 서책을 덮었다. 왠지 이 책도 이상하다.

하지만 시한폭탄 없는 삶을 위해 케일은 한숨과 함께 책을 다시 펼쳤다. 그는 진짜 안전하게 살려고 별짓을 다한다고 생각하며 얼굴을 있는 대로 구겼다. 일단 페이지를 다음 장으로 넘겼다.

땅. 네가 발을 딛고 있는 이 땅은 무엇보다도 단단하다.
땅은 제 몸을 내주며 모든 생명체들이 살 수 있는 터전을 만들어준다.
그 땅의 가장 단단한 형태가 돌이다.

여기는 조금 정상적인 말들이다.

사락. 사락.

케일은 천천히 페이지를 넘기며 내용을 읽어 내려갔다. 점차 구겨졌던 얼굴이 펴졌다. 군데군데 그의 눈길을 사로잡는 문구들이 있었다.

그는 사람들에게 수호자라 불렸다.
아마 처음 그렇게 불린 것은 마을로 내려오는 몬스터를 막아섰을 때일 것이다.

그는 바위의 나라의 숨겨진 수호자였다. 어려움이 존재하는 곳엔 그가 늘 나타나
가장 맨 앞에 당당히 서서 모든 것을 막았다.

그 숭고한 정신을 사람들은 존경했다.

케일은 예전에 스텐 후작가의 장남 테일러가 말해줬던 고대 전설이 하나 떠올랐다.

바위의 나라를 구했던 수호신. 대륙에 어둠이 내려앉았을 때 대륙의 북동쪽을 구했던 영웅에 관한 전설이었다.

'그 전설과 연관된 건가?'

케일은 그 전설을 떠올리며 마저 글을 읽어 내려갔다. 점점 그의 입꼬리가 올라갔다.

수호자에게는 친구이자 적인 영웅이 하나 있었다.
대륙이 북쪽의 냉기에 얼어붙었을 때 그 냉기를 물리친 인물로,
그 영웅은 짠돌이에 취미가 동전 줍기였다.

파괴의 불. 그 힘의 주인이 고이 모셔둔 돈을 이 책 속 영웅이 가지고 있다.

수호자는 그 돈을 보고 말했다.

"미친놈. 쓰지도 않고 그렇게 모으더니, 이렇게 많이 모았구나!"

많이 모았단다.

케일은 갑자기 마음이 풍족해져 왔다. 하지만 그의 표정이 갈수록 이상해졌다.

수호자는 공격과 방어 모두에 능했다.

그가 던지는 작은 돌은 강한 파괴력을 지녔다.

일단 이 서책에 기록된 고대의 힘은 무서운 짱돌이 맞는 것 같다. 그런데 그게 문제가 아니었다.

그는 마지막으로 어둠으로부터 사람들을 지키기 전,

자신과 친우들의 모든 것들을 자신의 고향에 남겨두었다.

사라라락. 책장을 넘기는 케일의 손길이 점점 빨라졌다.

탁.

마침내 마지막 장까지 읽은 케일은 마지막 장을 펼친 채로 서책을 황금 테이블 위에 엎어버렸다.

"하아."

케일은 한숨을 내쉬었다. 그러면서 책 내용을 떠올렸다.

바위의 나라에서 가장 강한 바위들이 존재하는 곳.

바위의 나라는 현재 로운 왕국의 터다. 로운 왕국은 화강암과 대리석이 고루 존재하는 곳이었다. 케일은 문득 생각했다.

가장 강한 바위는 화강암을 말하는 것이 아닐까.

그리고 그가 수문장으로 있었던, 온갖 몬스터들이 날뛰고
대륙 간 이동이 가능하였던 위험한 장소인 그의 고향.
그곳에 그는 모든 것을 남겨두었다.

"아, 진짜."
케일의 얼굴이 다시 구겨졌다.
"이거 우리 동네 같은데."
아무리 봐도 헤니투스 영지다. 그것도 어둠의 숲일 확률이 상당히 높아 보였다. 현재 로운 왕국에서 저런 위험한 장소는 저곳뿐이었다.
케일은 이 '무서운 짱돌'을 어떻게 얻어야 할지 대충 감이 잡혔다.

욕심 없고 오로지 정의와 선행만을 생각하던 수호자는
죽은 친우들의 후손들이 그들의 유품을 가져갈 수 있도록
자신의 집에 표시를 해두었다고 전해진다.

파괴의 불이 케일에게 길을 인도해 주리라. 대략적인 장소도, 얻을 방법도 알았건만 이상하게 케일은 불안했다.
"인간, 인간!"
그때, 열린 방문에서 라온이 날아 들어왔다.
"왜- 음?"

무심코 고개를 들었던 케일의 표정이 묘해졌다.

"인간! 너 책 볼 때 과일 먹지 않는가! 챙겨 왔다! 신선하다!"

라온이 작다란 두 앞발로 과일 쟁반을 들고서 날아왔다. 그리고 그걸 케일의 테이블 위에 올려놓았다. 케일이 이를 빤히 쳐다보자, 라온이 말했다.

"인간, 비 맞으면서 동굴 갔다고 들었다. 고생 많았다. 맛있는 거 먹어야 튼튼해진다."

라온의 뒤에서 또 다른 목소리가 들려왔다.

"내 참, 용생을 살면서 용이 인간 시중드는 건 또 처음 보네. 말세다, 말세야."

라온을 따라 들어온 골드 드래곤 에르하벤이 혀를 차며 고개를 절레절레 가로저었다. 라온은 그제야 에르하벤을 떠올린 듯 앞발로 에르하벤을 가리켰다.

"금 용 할배도 데려왔다! 실습에 대해 이야기 나누자고 데려왔다!"

에르하벤이 기가 찬 얼굴로 라온을 쳐다봤다.

'아니, 언제 에르하벤이 금 용 할배가 되었대?'

케일은 그게 궁금하면서도 에르하벤에게 자신의 맞은편 자리를 가리켰다.

"에르하벤 님, 앉으시죠."

"허, 참."

골드 드래곤은 외모에 어울리지 않는 탄식을 흘리며 맞은편 소파에 털썩 주저앉았다.

"다 늙어서 왜 이런 맹랑한 꼬맹이를 집에 들여 가지고."

"금 용아, 나는 맹랑하지 않다!"

톡. 톡. 케일은 포도를 한 알씩 떼어 먹으며 두 용의 대화를 지켜봤다. 에르하벤은 라온의 반박에 비웃음을 흘렸다.

"맹랑하지 않긴. 벌써부터 수업 빠지고 땡땡이 칠 생각이나 하고."

"아니다! 약한 인간 튼튼하게 해주러 가는 거다! 그리고 나는 땡땡이가 아니라 금 용이랑 같이 실습 가고 싶은 거다!"

탕, 탕. 라온이 황금 테이블을 살짝 두드렸다.

"금 용이랑 꼭 같이 갈 거다!"

케일은 순간이었지만 에르하벤의 입꼬리가 씰룩이는 것을 놓치지 않았다. 천 년가량 홀로 살아왔던 고룡은 애써 5살 용에게 퉁명스럽게 답했다.

"난 별로 같이 가고 싶지 않다만."

"안 된다! 금 용이랑 같이 갈 거다!"

라온이 고개를 가로저으며 강하게 주장했다. 그리고 에르하벤의 입꼬리가 한 번 더 씰룩였다.

이걸 케일은 모두 보았다.

골드 드래곤은 여전히 퉁명스럽게 말했다.

"같이 갈지 안 갈지는 내가 정하는 거다, 꼬맹아."

그러면서 케일에게 냉정하게 말했다.

"케일 헤니투스, 땅의 힘을 찾는 게 쉬운 일이 아니다. 정보 없이 무작정 구하려고 돌아다니는 것은 힘든 일이야."

케일은 생각했다. 참 보면 볼수록 이 고룡은 마음이 약하다.

골드 드래곤은 케일의 생각을 알지 못한 채 말을 이었다.

"고대 전설에 관한 서책을 일단 찾아보고."

탁.

에르하벤은 제 말을 끊는 소리에 테이블을 쳐다봤다.

오래된 서책이 보였다. 꼭 고대 전설을 담고 있을 것 같은 책이다. 에르하벤은 잠시 멈칫했다가 말을 이었다.

"그리고 그 서책에서 고대의 힘 위치는 물론이거니와 그걸 얻을 방법도 찾아야 하고."

"찾았습니다."

"……다?"

"네."

골드 드래곤은 담담하게 앉아 있는 인간을 가만히 응시했다. 가진 고대의 힘만 6개인 인간.

에르하벤은 인정했다.

"넌 운에 미친놈이구나."

케일이 씨익 웃어 보였다. 에르하벤은 덩달아 코웃음을 흘렸다. 에르하벤의 팔을 툭툭 치는 앞발이 있었다.

"금 용아, 가자!"

신난 라온이 그 앞발의 주인이었다. 에르하벤은 라온과 케일을 번갈아 바라봤다. 그는 라온에게 라온의 성장 과정과 케일과 라온의 만남에 대해서 모두 들었다.

에르하벤은 인간과 검은 용에게 차갑게 답했다.

"난 내가 하고 싶은 대로 할 거다. 그게 용이야."

며칠 뒤, 케일은 무서운 짱돌의 힘을 얻기 위해 어둠의 숲 근처 해리스 마을에 도착했다. 해리스 마을에 주둔하고 있던 기사가 케일에게 인사했다.

"오랜만입니다, 공자님."

"그래."

"오늘은 매번 함께하시던 분들은 안 오셨군요. 간소하게 오셨네요."

기사는 케일과 함께 온 이들을 보며 싹싹하게 말을 건넸다. 케일은 별것 아니라는 듯 고개를 끄덕였다.

"뭐. 마을에서 며칠 쉬다만 갈 거라. 그렇지, 힐스만?"

케일의 일행 중 한 명, 부단장 힐스만이 멍하게 서 있다가 케일의 부름에 화들짝 놀라며 답했다.

"네, 네! 그, 그렇습니다!"

기사는 부단장 힐스만이 하얗게 질린 얼굴로 대답하자, 그를 걱정스럽게 바라봤다. 그런 그에게 투박하지만 꽤 따뜻한 케일의 목소리가 들려왔다.

"부단장이 멀미를 했나 봐. 뱃멀미도 심하더니, 마차 멀미도 하나 봐."

"아, 그렇군요. 부단장님, 괜찮으십니까?"

부단장 힐스만은 열심히 고개를 끄덕였다.

"괜찮네! 아주 괜찮아!"

툭. 케일이 어깨를 두드리자 힐스만의 입에서 말이 흘러나왔다.

"그리고 공자님 호위는 나와 이, 이, 이-"

힐스만은 말을 잇지 못했다. 그의 시선이 케일을 제외하고 유일하게 함께 온 사람에게 닿아 있었다. 금발에, 중성적인 외모의 사람.

그 아름다운 사람이 물끄러미 바라보자, 힐스만은 두 손으로 그 사람을 가리키며 말했다.

"공자님 호위는 나와 이분이 함께할 걸세. 자유로이 이동할 테니, 따로 함께 따라오지 않아도 되네."

"네. 알겠습니다!"

기사는 씩씩하게 답하며 케일의 옆에 선 이를 힐끗 쳐다보았다. 지금까지 케일이 데려온 인물들도 범상치 않았는데, 이번에 함께 온 이는 분위기가 뭔가 더 다가가기 어려웠다. 범접하기 힘든 사람으로 보였다.

"그럼 수고하게."

"네, 공자님."

케일은 기사와 병사들에게 격려 인사를 건넨 후, 마을 안으로 들어섰다. 그는 혀를 차며 힐스만에게 말했다.

"뭘 그리 긴장해? 그렇지 않습니까, 에르하벤 님?"

"그러게."

에르하벤이 힐스만을 보며 말했다.

"인간이여, 편하게 하거라."

힐스만은 열심히 고개를 끄덕였다. 케일은 자신의 사람인 힐스만에게 당연히 에르하벤에 대해 말해주었다. 현재 케일의 일행은 대부분 레어에 있었고, 단 세 존재만이 그와 함께였다.

하나는 심부름과 잡일을 시킬 힐스만이었고, 다른 둘은 용이었다.

"인간 세계는 그대로네."

마실 나온 듯 고룡의 여유로운 말에, 힐스만은 뱃멀미 때처럼 또다시 케일의 옷깃을 슬쩍 잡았다. 당연히 케일은 그 손을 쳐냈고, 그의 머릿속으로 라온이 말했다.

─짱돌! 무서운 짱돌이라니 하나도 무섭지 않다! 용이 둘인데!

그러게. 하나도 무섭지가 않네.

케일은 무서울 수가 없었다.

무섭지 않았기 때문에 모든 과정이 일사천리로 진행되었다. 케일은 순식간에 어둠의 숲에 당도했다.

"고, 공자님, 제가 앞장서겠습니다!"

힐스만이 어둠의 숲 입구를 보며 맨 앞으로 나섰다. 그러자 뚱한 눈빛 두 쌍이 그를 쳐다보았다. 하나는 케일이었고, 또 하나는 에르하벤이었다. 하지만 또 다른 눈빛을 지닌 존재가 힐스만의 긴장을 풀어주었다.

"그래! 부단장아, 얼른 가자!"

라온이었다.

투명화를 푼 라온이 방긋방긋 웃으며 힐스만을 재촉했다. 그 웃음을 따라 부단장도 히죽 웃었다. 하지만 웃음 사이로 케일이 끼어들었다.

"부단장, 어둠의 숲 중심까지는 들어가 본 적 없지 않나?"

지난겨울. 늑대족 10명과 함께 훈련을 했던 부단장은 어둠의 숲 외곽을 중심으로 돌며 훈련했다.

"한 번 최한을 따라가 본 적이 있습니다! 믿어주십시오!"

"……그래."

케일은 힐스만에게 어서 가라는 듯 휘이휘이 손짓했다. 부단장은 비장하게 고개를 끄덕이며 앞장섰다. 케일은 그 뒤를 느긋하게 따르며 옆을 쳐다봤다. 에르하벤은 아까부터 말이 없었다.

"무슨 문제 있으십니까?"

케일의 물음에 에르하벤은 고개를 돌리더니 케일을 빤히 바라보며 입을 열었다.

"푸른 늑대족 10명도 있더라?"

"그렇죠."

현재 해리스 마을에는 우바르 영지에서 돌아온 부집사 한스와 늑대족 아이들 10명이 함께 생활 중이었다. 그들은 케일의 갑작스러운 방문을 반겼다.

골드 드래곤이 중얼거렸다.

"……고대의 힘 6개에, 온갖 수인족에, 인간 쪽 강자도 많고. 인생 참 고달프게 사네."

순간 케일은 말문이 턱 막혔다. 가만히 생각해 보니, 자신은 참 고달프게 살고 있었다.

"쯧쯧."

에르하벤은 고개를 가로저으며 혀를 찼다. 그는 케일의 얼굴이 복잡한 고뇌로 뒤엉키는 것을 보며 생각했다.

'이 녀석도 참 어찌 보면 박복한 인생이야.'

에르하벤은 이곳으로 오기 전 케일에게 비밀 단체에 대한 새로운 소식을 모두 전해 들었다.

'어쩌면 신은 온갖 곳에서 사람이 몰리고 사건이 엮이는 이놈을 위해 고대의 힘을 안겨준 것이 아닐까?'

골드 드래곤은 눈앞의 인간이 조금 불쌍했다.

물론 그는 고대의 힘이 신의 안배가 아닌, 모두 케일 스스로 구한 것임을 몰랐다. 온갖 수인족에, 인간 쪽 강자도 그렇고. 케일 제 스스로 한 짓이었다. 이를 골드 드래곤은 당연히 알 수 없었다.

한 인간의 삶에 대해 작은 오해를 하는 드래곤에게 라온의 목소리가 들려왔다.

"그래도 약한 인간은 내가 있어서 고달프지 않다! 위대한 라온 미르가 있으니까!"

검은 용은 아주 스스로에 대한 뿌듯함이 넘치는 표정이었다. 골드 드래곤은 그런 라온을 외면하며 여전히 고뇌하는 인간에게 말했다.

"고생이 많다."

케일은 고개를 끄덕였다.

"……그러네요. 얼른 모든 걸 끝내야 할 텐데."

끝내고 놀아야 한다. 자야 한다. 침대 위를 뒹굴어야 한다.

케일은 점점 더 백수에 대한 욕망이 강해졌다. 천 년 가까이 산 고룡은 한 인간이 자신을 둘러싼 운명에 고뇌하는 것을 보며 툭 던지듯 말했다.

"힘든 일 있으면 한번 말이라도 해봐."

"……정말입니까?"

케일의 눈동자에 번뜩 이채가 감돌았다. 에르하벤은 혀를 차며 고개를 끄덕였다.

"쯧쯧, 그래."

그 순간 케일은 생각했다.

'한 번은 도와주겠네.'

케일의 입가에 미소가 맴돌았다. 이를 본 골드 드래곤은 박복한 인간이 자신의 말에 기뻐하는 것 같아 슬그머니 기분이 좋아졌다.

하지만 단 한 사람. 부단장 힐스만은 현재 다른 기분을 느끼고 있었다.

"……공자님."

"왜?"

"……몬스터들이 이상한데요."

어둠의 숲 외곽의 몬스터들이 이상했다.

"끼이- 헉, 끽-"

고블린이 제대로 숨도 쉬지 못한 채 수풀 속으로 도망쳤다.

쿵. 쿠웅, 쿵!

쥐를 닮은 몬스터들이 단체로 땅에 머리를 박고 바들바들 떨어댔다. 그 광경을 이상하게 보던 힐스만은 케일이 한 존재를 가리키자 납득했다.

"여기 성룡이 계시잖아."

"아."

아주 잘 납득이 되었다. 에르하벤은 라온을 보며 말했다.

"꼬맹이, 나의 위대함을 알겠나?"

"……모른다!"

라온이 휙 고개를 돌려 케일의 옆으로 날아갔다.

성룡이 된 드래곤은 드래곤 피어가 아니라도 스스로 뿜어내는 절대자로서의 기운이 있었다. 본능에 민감한 몬스터들은 그 기운에 제일 크게 반응했다.

-인간, 나 조만간 1차 성장한다! 그러니까 내가 더 위대하다!

그러든가.

케일은 머릿속에 울분을 토해내는 라온의 목소리를 흘려들으며 멍하니 서 있는 힐스만에게 말했다.

"계속 앞으로 가."

에르하벤은 케일에게 물었다.

"케일 헤니투스, 어둠의 숲 중앙으로 가서 위치를 찾을 건가?"

"네. 아무래도 일단 고대의 힘을 사용해야 위치를 알 수 있을 것 같습니다."

파괴의 불을 사용해 그 힘이 반응하는 방향을 따라가면 '무서운 짱돌'이 있는 수호자의 집을 찾을 수 있을 것 같다.

"인간! 또 그 불벼락 쓸 거냐! 그러다가 다친다!"

"약하게 할 거야."

"피 토하기만 해봐라! 세상에 있는 모든 짱돌을 다 없애 버린다! 다 부순다!"

"그래그래."

라온이 다급하게 말하자 케일은 태평하게 맞장구를 쳐줬다. 에르하벤은 그 광경을 보며 기가 찬 표정을 지었다. 하지만 그는 기막힘을 표현하는 대신 다른 질문을 던졌다.

"그런데 여기 검은 늪에서 용의 시체를 꺼냈다고?"

"네. 어둠의 숲에 와보지 않았다고 하셨죠?"

"어. 굳이 몬스터 구경하러 오기 싫어서."

명쾌한 대답이었다.

"나중에 그 장소에 가보시겠습니까?"

"아니, 뭐 하러 가. 귀찮아. 다른 용이 어찌 죽었는지 내 알 바 아냐."

에르하벤은 귀찮음을 한껏 드러냈다. 그의 앞에 라온이 나타났다. 검은 용이 고개를 갸웃거렸다.

"그런가? 나는 금 용 이야기가 궁금하다! 금 용이 궁금하다!"

금 용. 에르하벤의 입꼬리가 씰룩였다가 순식간에 자취를 감췄다.

"크흠, 내 이야기가 궁금하면 다음에 해주지, 꼬맹아."

"알았다! 기다린다!"

"크흠, 크흠."

에르하벤은 연신 헛기침을 하더니 슬그머니 화제를 돌렸다.

"뭐, 어둠의 숲은 조금 특이하니까, 한 번쯤 구경 올 가치는 있지. 그래서 이렇게 온 것이고."

"어둠의 숲이 특이합니까?"

케일의 물음에 그는 고개를 끄덕였다.

"현재 인간들에게 알려진 5대 불가사의 지역은 몇백여 년 전에 정해진 지역이지. 그중 '어둠의 숲'과 '나올 수 없는 길', 그리고 '절망의 호수'. 이렇게 세 곳은 고대부터 있었다."

"고대부터요?"

처음 듣는 이야기였다.

"그래. 만 년 전부터 이 세 곳은 존재했다. 만 년이라는 시간은 용에게도 아주 오래전이거든."

고대는 대개 만 년 전을 가리켰다. 케일은 꽤 흥미로운 이야기에 조금 더 에르하벤에게 물어볼까 하는 생각이 들었다. 그때였다.

크르르르-

"고, 공자님!"

채앵.

힐스만이 검을 뽑아 들며 자신을 불렀다. 케일은 시선을 앞으로 돌렸다.

현재 그의 위치는 어둠의 숲 내부로 들어서는 경계선이었다. 힐스만은 이미 경계선을 넘어선 상태였다. 케일은 어둠의 숲 경계선까지는 가본 적이 있으나, 내부로 들어서기는 처음이었다.

'물론 하늘을 날며 숲을 한 바퀴 돌아본 적은 있지만.'

땅을 딛고서 내부로 가는 건 처음이었다. 네크로맨서 메리의 해골 가득한 동굴도 외곽이었다. 굳이 강한 몬스터들과 마주치고 싶지 않았기 때문이었다.

케일은 망설임 없이 경계선을 넘었다.

크르르르-

들어서자마자 거대한 몬스터를 볼 수 있었다. 오우거와 비슷하지만 조금 더 괴팍한 모양새의 몬스터가 나무들 사이로 모습을 드러냈다. 드러난 송곳니는 케일의 팔뚝만 했고, 검은 피부색을 지녀 더 흉포해 보였다. 거기다가 손에 들린 몽둥이는 돌로 만들어진 것이었다.

하지만 그 눈동자는 또렷했다. 광기와 더불어 생각을 할 줄 아는 놈인 것이다.

"공자님, 제 뒤로 오십시오!"

힐스만이 언제 떨었냐는 듯, 케일에게 얼른 제 뒤로 숨으라 말하며 몬스터를 향해 검을 겨눴다. 그런 그에게 케일은 말했다.

"뭐 하나?"

"……네?"

힐스만은 케일의 삐딱한 시선에 멍하니 되물었다. 그 순간이었다.

쿵.

몬스터가 손에 들린 몽둥이를 바닥으로 떨어뜨렸다.

그리고.

쿠웅, 쿵!

머리를 땅에 박아댔다. 힐스만은 그제야 주위를 둘러보았다. 조용했다. 이상할 정도로 주변이 조용했다. 그때 한 존재의 목소리가 울려 퍼졌다.

"호오, 이성을 지닌 놈이구나."

에르하벤이었다. 힐스만이 흠칫했다. 곧 그는 생전 처음 보는 광경을 목도할 수 있었다.

"야."

크르르르.

"중앙까지 안내해."

크르르르.

몬스터가 잽싸게 일어났다. 힐스만은 기사단에 입단한 신입 기사의 기합 가득한 재빠른 몸짓을 보는 줄 알았다.

쾅!

몬스터가 몽둥이를 쥐어 잡고서 조금 키가 작은 나무 기둥을 후려쳤다.

콰직. 쿠웅.

나무가 쓰러졌다. 가공할 힘에 힐스만이 경악했지만, 그는 곧 몬스터가 계속해서 하는 행동에 더 경악했다.

몬스터는 앞으로 나아가며 모든 장해물을 부숴 버렸다. 나무도 작은 바위도, 그리고 높이 자란 풀은 친히 뽑았다. 그렇게 신속하게 길을 만들었다. 그것도 에르하벤이 직진만 하면 되는 곧은 직선 길이었다.

"가자."

에르하벤의 말에 힐스만은 검을 검집에 집어넣었다. 새삼 드래곤의 위엄이 느껴졌다. 하지만 힐스만은 움직일 수 없었다.

"……공자님?"

"너, 왜 그래?"

에르하벤이 의아한 얼굴로 케일을 쳐다봤다. 그리고 라온은 당황하고 있었다.

"인간! 지금 손에 그거, 조막만 한 거 불벼락 아닌가!"

케일의 손 위로 작은 불길이 치솟고 있었다.

"왜 말도 없이 불벼락 쓰나! 또 쓰러지면 안 된다!"

하지만 케일은 라온의 말이 들리지 않았다.

쿵. 쿵.

내부로 들어선 순간부터 심장이 크게 뛰었다. 케일은 고개를 숙였다. 땅. 땅에서 무언가가 올라왔다. 알 수 없는 기운이었다. 그 기운에 손바닥에서 작은 불이 솟아났다.

쿵. 쿵.

심장의 활력이 날뛰었다.

"……어?"

케일의 입에서 멍한 소리가 흘러나왔다.

싸아아아–

그의 발끝에 바람이 맴돌았다. 바람의 소리가 희미하게 소용돌이를 일으키고 있었다. 그리고 마지막으로.

파아앗.

그의 왼손에 작은 방패가 나타났다. 부서지지 않는 방패였다.

'……이상한데. 이거 아주 이상한데.'

케일은 문득 오래된 서책에 적혀 있던 문장이 하나 떠올랐다.

그는 마지막으로 어둠으로부터 사람들을 지키기 전,

자신과 친우들의 모든 것들을 자신의 고향에 남겨두었다.

일행이 케일에게 더 가까이 다가왔다. 에르하벤은 기이한 것을 본다는 듯 케일을 쳐다봤고, 라온은 다급했다.

"인간, 왜 그러나? 이건 뭔가? 고대의 힘이 고장 났나?"

케일의 입이 천천히 열렸다.

"······감이 오는데?"

왠지 심봤다, 라는 단어가 떠올랐다. 케일은 발걸음을 서둘렀다. 그는 에르하벤을 보며 말했다.

"가죠."

"내가 앞서지."

묘한 표정으로 지켜보던 에르하벤이 앞장섰다. 몬스터는 이미 에르하벤의 손짓에 길을 만들던 것을 멈추고 도망갔다.

"따라와."

그의 말에 케일은 고개를 끄덕이며 어둠의 숲 중심으로 향했다. 에르하벤은 빠르게 이동했다. 케일도 바람의 소리를 이용해 뒤처지지 않게 그 뒤를 따랐다. 라온은 힐스만에게 헤이스트 마법을 걸어주며 따라왔다.

케일이 말했다.

"왼쪽으로 틀죠."

쿵. 쿵.

몸에 새겨진 고대의 힘이, 그리고 케일이 딛고 있는 땅이 그에게 방향을 알려주었다. 이건 말로 설명할 수 없는 것이었다.

"북서쪽으로."

"이젠 북동으로."

그렇게 이동하던 케일은 마침내 걸음을 멈췄다.

어둠의 숲 내부의 북쪽 경계선.

그곳에서 케일은 바위를 하나 볼 수 있었다. 그냥 커다란 바위였다. 케일보다 세 배는 큰 그런 바위. 돌이 많은 헤니투스 영지에서 흔하게 볼 수 있는 커다란 돌.

"여긴가?"

에르하벤이 케일을 보며 물었다. 하지만 그는 대답을 들을 필요가 없었다.

"여긴가 보군."

케일이 웃고 있었다.

'날뛰는데.'

케일에게 속한 고대의 힘 4개가 날뛴다.

'……이거 정말-'

정말 짱돌 주인의 친우들이 지금까지 얻은 고대의 힘의 주인들인가?

케일의 입꼬리가 슬금슬금 올라가기 시작했다.

화르르르-

케일의 오른손에 있던 불이 저절로 바위를 향해 날았다. 바위와 불이 닿았다.

쿠구구구-

바위가 진동하는 것과 동시에 케일은 자신이 딛고 있는 땅이 진동하는 것을 느꼈다.

쩌저저적-

바위가 스스로 갈라지기 시작했다. 그 순간, 케일의 머릿속으로 낯선 목소리가 들려왔다. 중후하고 올바른 성품이 바로 느껴지는 목소리였다.

-불의 친우여, 드디어 그대가 왔는가.

제대로 찾아왔다. 케일은 입꼬리가 근질근질했다.

-나의 영원한 적이자 동료였던 자네를 나는- 음?

중후한 목소리 주인공이 당황했다.

-어?

중후한 목소리가 어벙한 반응을 보였다.

-……이게 무슨 일이지?

중후한 목소리. '무서운 짱돌'의 주인이 당황한 목소리로 말했다.

-왜 짠돌이에 도둑에 울보에 먹보가 같이-

짠돌이는 파괴의 불일 테고. 도둑은 바람의 소리일 것이고. 울보는 심장의 활력이겠지. 그리고 먹보는 부서지지 않는 방패일 것이다.

-자네는 누구지?

케일의 입이 열었다.

"케일 헤니투스입니다만."

심봤다.

갑자기 자기소개를 하는 케일을 부단장 힐스만이 의아하게 바라봤다. 하지만 그의 어깨를 잡으며 그를 뒤로 물리는 이가 있었다.

"가만히 있어."

"네? 혁, 네!"

당연히 에르하벤이었다. 그리고 라온이 짜리몽땅한 두 앞발로 둥그런 턱을 괸 채 케일을 주시했다.

'우리 인간이 이상한 상태다.'

케일의 주위를 갖가지 자연의 기운들이 휘감았다. 그리고 갈라진 돌에서부터 땅의 기운이 흘러나왔다. 에르하벤도 이를 눈치채고 뒤로 물러섰다.

고대의 힘은 스스로 얻는 것. 타인이 나서서는 안 되었다. 굳이 돕자면 호위를 서는 것이지만, 에르하벤은 용이 인간의 호위 따위를 설 수는 없는 법이라고 생각했다.

"금 용아! 호위 서자!"

물론 예외는 늘 있다.

에르하벤은 라온의 보챔을 무시했고, 당연히 그런 그를 보며 한숨을 폭 내쉰 라온은 부단장만 데리고 호위를 섰다. 그 와중에도 바위는 서서히 갈라지고 있었다.

쩌저저적―

스스로 갈라지는 바위의 모습은 기이했다. 케일의 머릿속에선 약간 얼이 빠진 목소리가 울려 퍼지고 있었다.

―……그 넷의 힘을 모두 얻은 인간이 있다니.

한탄과 황당함이 담긴 음성이었으나 케일은 갈라지는 바위에만 집중했다.

'입구였어.'

갈라지는 바위 안으로 어둠이 드러났다. 그 어둠은 아래를 향하고 있었다. 완만한 경사는 지하로 이어졌다. 칠흑 같은 어둠에 쉽사리 발걸음이 떨어지지 않을 법도 했지만, 케일은 망설이지 않고 어둠

속으로 들어갔다.

-내 친우들의 유품을 가져가거라.

-넌 그럴 자격이 있다.

집주인이 허락했는데, 망설일 필요는 없잖아?

케일은 어둠 속으로 사라졌다. 라온이 그 뒷모습을 보며 중얼거렸다.

"금 용아, 따라갈까? 우리 약한 인간, 엄청 약한데."

"허이구, 내 팔자야."

에르하벤은 그저 탄식을 하며 라온을 잡아채 꾹 눌러 땅으로 내려 앉혔다. 라온은 버둥거렸다.

"하지 마라! 감히 위대한 용을!"

"나도 용이다, 꼬맹아. 가만히 기다려."

라온은 입을 닷 발 내밀고 에르하벤의 손을 앞발로 후려치며 벗어 났다. 그리고 바위가 갈라지고 나타난 동굴 안을 응시했다. 케일은 어둠 속으로 사라져 보이지 않았다.

그러나 어둠 속으로 들어선 케일은 시각적인 어려움을 전혀 못 느 끼고 있었다.

'땅이 가르쳐 주네.'

신기한 경험이다. 한 걸음 한 걸음 내디딜 때마다, 알 수 없는 언 어로 땅이 케일에게 길을 알려주었다. 그 안내를 따라 내딛는 걸음 에 두려움이 사라졌다.

'유품이 뭘까?'

타박타박. 가벼운 발걸음이 경쾌하게 이어졌다.

고대부터 내려온 물건들. 케일은 그것만 생각해도 걸음이 날아갈 듯했다.

그때 무서운 짱돌 주인의 목소리가 들려왔다.

–나는 참 힘들게 살았다. 어린 시절 고아가 되어 홀로 살아야 했던 나에게 유일하게 마음 놓고 누릴 수 있는 것이 땅이었지. 그리고 땅은 나에게 힘도 주었다.

–참, 그때는 삼시 세 끼 배부르게 먹고 근심 없이 잠들 수 있는 그런 삶을 인생의 꿈으로 두었었어.

타박. 케일의 걸음이 멈췄다.

–하지만 나는 천운으로 땅이 준 힘이 내 몸 속에 있음을 깨닫고, 이 힘으로 세상을 이롭게 해야 한다고 생각했지. 그래서 늘 맞서 싸웠다.

–과거의 나와 같은 약자들을 지키는 이가 되고 싶었다.

케일은 팔짱을 낀 채 가만히 그 목소리를 들었다.

–그런 내 삶을 후회하지 않는다.

케일의 입꼬리가 삐뚜름하게 비틀렸다.

–그러나 하나 아쉬운 것이 있다면, 나는 너무 팍팍하게 살았다. 친우들이 위험한 상황임을 알고 있었음에도, 그들보다 약자들의 곁에 머물렀다.

–나는 약자들을 지켰다. 그러나 친우들은 모두 죽었다.

–그랬기에 나는 결국 그들의 유품만을 찾을 수밖에 없었다.

–그리고 그들의 힘을 이은 이에게 유품을 넘겨주기 전에 나도 세상을 뜰 수밖에 없었지.

–하지만 그렇게 해서라도 이 땅을 지킬 수 있어 행복하다.

케일은 다시 걸음을 옮겼다. 그 말에 더 귀를 기울일 필요가 없었다.

다르다. 자신과 아주 다르다. 자신은 남보다 나와 내 사람이 중요하다. 남들을 지키다 죽는다? 그런 숭고함이 자신에게는 조금도 없다.

'같을 필요도 없지.'

그리고 저 사람과 자신이 같을 필요도 없다.

ㅡ행복하다. 행복했지만, 친우들의 흔적을 전하지 못한 것이, 그리고 친우들의 죽음을 보지 못한 것이 참으로, 참으로 슬펐다.

ㅡ나 역시도 내 흔적을 아무에게도 남기지 못한 것이 서글펐다.

어둠의 끝. 희미한 빛이 보였다. 케일은 걸음을 빨리했다. 곧 그의 앞에 빛이 나타났다.

화아악. 시야가 밝아졌다.

ㅡ이곳이 내 흔적이다.

넓은 공동이 나타났고, 공동 천장에 달린 구슬이 빛을 뿜어냈다. 케일은 감탄을 내뱉었다.

"······미친."

횡재했다.

ㅡ크흠, 내가 물욕은 없지만, 그래도 친우의 뜻을 이은 자들이 왔을 때 후줄근하게 있을 수 없으니 신경을 조금 썼다.

대리석을 기둥으로 세워 만든 5층짜리 대저택이 케일의 시야에 들어왔다. 벽과 기둥, 지붕은 심플하지만 유려한 곡선과 올곧은 직선으로 그 멋을 살렸다. 그리고 창틀이나 문고리, 문 등은 하나하나 장인이 며칠 밤을 새워 만든 듯 고풍스러운 장식들로 가득했다.

헤니투스 백작가, 아니, 왕세자궁보다 멋스럽고 좋았다. 저택 앞에 정원도 존재했다. 물론 나무는 없었지만 고풍스러운 조각상들이 세워져 있었다. 물은 없지만 대리석으로 조각한 분수대도 자리해 있었다.

"이야."

―내 집이 조금 좋다, 크흠.

조금이 아니라 엄청 좋은데. 이 사람 은근 물욕이 있는데?

케일의 입가에 미소가 맺혔다. 하지만 저택의 옆을 본 순간 케일의 입가에서 미소가 사라졌다.

"……저건 뭐야?"

불길한 것이 보였다.

거대한 돌기둥. 그리고 그 돌기둥을 감싼 쇠사슬. 더불어 군데군데 쇠사슬 사이에 부적과 같은 종이가 붙어 있었다. 거기에다 그 돌기둥을 중심으로 마법진 비슷한 것이 아주 크게 새겨져 검붉은빛으로 빛나고 있었다. 누가 봐도 꼭 마왕이나 마족, 혹은 귀신을 봉인해놓았을 것 같은 그런 돌기둥이었다.

주춤주춤. 케일이 그 방향에서 멀어졌다. 중후한 목소리가 들렸다.

―이곳에는 슬픈 진실이 하나 있다.

슬픈 진실 따위 전혀 알고 싶지 않다. 하지만 늘 그렇듯, 고대의 힘 주인의 목소리는 케일이 막을 수 있는 게 아니었다.

―내가 살아 있을 적 이 숲에는 이상하게 다른 곳에서는 볼 수 없는 몬스터들이 보였다. 동대륙의 몬스터였지.

케일이 아는 어둠의 숲도 그러했다. 이곳엔 동대륙의 몬스터들뿐 아니라 돌연변이들도 많았다.

―그 비밀을 나는 이 동굴에 들어와서 알았지.

'설마?'

케일의 시선이 흉측한 돌기둥으로 향했다.

-이 동굴 안에는 동대륙과 이어진 기이한 통로가 하나 있었다. 통로에 잘못 들어선 몬스터들이 이 서대륙으로 넘어온 것이지. 그 과정에서 몬스터들이 변형되어 더 강해지고 흉포해지더군.

케일은 두 손으로 얼굴을 쓸어내렸다.

-그리고 인간은 튕겨냈어. 엘프도, 드워프도 마찬가지고. 오로지 몬스터만 들어갈 수 있더군.

-나와 내 동료들은 이 통로의 불가사의함을 풀지 못했다. 다만 더 강해진 변형 몬스터들이 넘어오는 것을 막기 위해 동서 각각의 통로를 막아두었고, 서쪽 입구는 내가 지켰다.

쓸데없는 걸 또 하나 알아버렸다.

-하지만 튼튼한 봉인이라 십만 년은 버틸 것이다. 그전에 이 돌기둥을 치우려면 내 힘을 이은 자만이 제거할 수 있지.

케일의 구겨졌던 미간이 살짝 풀어졌다. 고대가 만 년 전이니까. 십만 년이라면, 아직 한참 멀었다.

"흐음."

케일은 공동 안을 둘러보았다. 저택과 정원 외에도 지하 공동에는 넓은 공간이 더 있었다. 그는 옅은 미소를 입가에 매단 채 곧바로 저택으로 향했다. 그럴 수밖에 없었다.

화르르르-

아까 전부터 파괴의 불이 만든 작은 불덩이가 발광을 하며 저택 쪽을 가리켰으니까. 바람의 소리도, 방패도, 심장도 마찬가지였다.

-들어가거라.

집주인도 그렇고.

끼이이익-

만 년이 지났음에도 문은 멀쩡했다. 어떻게 이럴 수가 있을까. 그런 의문과 함께 케일은 저택 안으로 들어섰다.

바닥은 대리석이었다. 케일은 비교적 심플했던 외관과 달리 화려한 조명과 온갖 조각상을 지나, 텅 비어 있는 1층 홀을 보다가 고개를 위로 올렸다. 5층까지의 계단이 보였다.

−3층이다.

케일은 계단에 올라섰다. 그는 계단 손잡이 위를 손가락으로 쓸었다. 먼지가 많았다. 하지만 그 고풍스러움은 숨겨지지 않았다.

2층으로 올라서자, 화려한 중앙 테라스와 함께 빈방들이 있었다. 케일은 조금 서둘러 3층으로 향했고, 그곳에서 복도를 따라 쭈욱 늘어선 방들을 볼 수 있었다.

−안쪽 방 4개다.

케일은 복도를 거닐며 가장 안쪽으로 향했고, 마침내 중후한 목소리가 가리킨 첫 번째 방문 앞에 섰다. 커다란 문을 두 손으로 밀자 문이 밀려나며 방 내부가 드러났다.

−먹보는 먹는 것에만 관심이 있어서 그런지 몰라도 보상으로 보석을 받으면 그냥 대충 구석에 뭉쳐두더군. 그래서 내가 챙겼네.

"진짜."

내 참, 진짜.

대리석 받침대 위 유리 장식장 안에 보석들이 그 찬란한 빛을 내뿜고 있었다.

케일은 무표정을 유지한 채 다음 방을 열었다.

−울보는 재생의 힘이 있지만 왜 그리 겁이 많은지 무기를 주섬주섬 모아두더군. 다 일반 무기지만 그냥 내가 챙겼네.

울보의 방을 보고 난 후, 바로 다음 방을 열었다.

끼이이익, 쿵.

—짠돌이가 모으던 돈들인데, 요즘도 이 화폐일지는 모르겠네. 그래도 금화와 은화니 쓸 일이 있지 않겠나? 그래서 일단 챙겼네.

"하하하—"

케일은 결국 웃음을 터트리며 마지막 네 번째 방을 열었다.

—도둑은 늘 기록했어. 자신이 훔친 것들과 자신의 힘, 자신만의 비밀 기지를 말이야. 그래서 그 기록지들을 내가 챙겼네.

뭘 이리 다 챙겼대? 뭐 이리 착한 인간이 있어?

"하하하!"

케일은 오랜만에 마음 놓고 웃을 수가 있었다. 북쪽도 암도, 이 순간 다 잊어버렸다.

케일은 3층에 있는 다른 세 방을 쳐다봤다. 그의 눈빛이 들떠 있었다. 케일은 곧바로 나머지 세 방의 문을 열었다.

—으음, 그건 내가 모은 것들이다. 그냥 구해주면 보답으로 주길래 다 챙겼다.

끼이익. 끼이익. 끼이익.

총 세 번 문이 열렸고, 그 안의 광경이 모두 드러났다. 케일은 두 손으로 얼굴을 쓸어내렸다.

'행복하다.'

무서운 짱돌의 주인인 수호자가 주섬주섬 챙긴 것들에는, 보석도 있었고 금화도 있었고 희한한 물건들도 있었다.

'뭐 다 챙기는 게 취민가?'

수호자의 그 취미에 케일은 박수를 쳤다.

"정말 대단하십니다! 이것들을 어떻게 다 모으셨습니까!"

짝짝짝.

한 사람의 박수 소리가 먼지 가득하지만 고풍스러운 저택 안에 울려 퍼졌다.

-크흠, 뭐. 내가 조금 꼼꼼해서.

케일은 감탄이 듬뿍 담긴 박수를 치며 당연히 4층으로 향했다. 4층에는 아무것도 없었다. 그저 영주성보다 훌륭한 저택 내부가 보일 뿐이었다. 그것도 흥겨워 케일은 즐겁게 5층으로 향했다.

5층에는 방이 하나였다.

-내 방이다.

하나지만 크기는 5층 전체였고, 서재, 침실, 응접실이 벽 없이 하나의 공간 안에 들어서 있었다. 그 공간의 가운데 대리석으로 된 제단이 존재했다. 케일 허리 정도까지 오는 높이였다.

제단은 곧은 몸체를 지녔으며 어떤 조각가가 만든 것인지 아름다운 조각이 새겨져 있었다. 더불어 조각 사이사이는 갖가지 보석들로 꾸며져 있었다.

그리고 그 제단 위.

"……짱돌."

어린아이 주먹 반보다 훨씬 더 작은 돌이 하나 있었다.

누가 보아도 저건 짱돌이다.

-내 힘이다.

……이렇게 쉽게 얻을 수 있는 힘이었나?

케일은 고대의 힘 '무서운 짱돌'을 발견하자, 너무 싱겁다는 생각이 들었다. 이제 저 돌만 손에 넣으면 고대의 힘을 얻을 수 있을 테니까.

그때, 갑자기 중후한 목소리가 호통치듯 박력 넘치게 외쳤다.

-내 힘을 가지고 싶은가?

'가지고 싶지?'

-그렇다면 씹어라!

'음?'

제단으로 다가가던 케일의 걸음이 멈췄다.

-내 힘을 얻는 건 쉽다! 그러나, 이 힘은 궁극적으로 무언가를 지키려고 할 때 발동된다! 나는 내 힘이 숭고한 정의를 위해 사용되길 바란다!

갑자기 사람이 바뀐 듯, 고대의 힘 주인은 박력 있게 말했다.

-어떠한 위험에서도 물러서지 않겠다는 의지!

-선함과 정의야말로 세상을 유지시키는 힘!

짱돌의 주인은 외쳤다.

-씹어라! 씹어 먹으면 너는 이 힘을 가질 것이다!

'진짜 씹으라고?'

케일은 제단으로 다가갔다.

-선과 정의를 위해서만 이 힘을 사용하게 되리라!

의기양양한 목소리였다. 이 힘을 얻으면 너는 어쩔 수 없이 선한 일에 나설 것이라는 듯. 그러나 케일은 그럴 생각이 별로 없었다.

'그냥 땅 속성만 필요하니까.'

굳이 사용 안 하고 속성만 가지면 된다. 그게 목적이다. 케일은 돌을 집었다.

-씹어! 씹어라!

……역시 고대의 힘 주인들은 하나씩 이상한 구석이 있었다. 케일은 잠시 고민했다.

'씹어야 하나?'

그러나 고민은 길지 않았다.

―이 힘을 가지면 이 저택도 물려주마! 이 힘을 지닌 이가 내 후손이나 다름없으니!

케일은 바로 돌을 입안에 넣었다. 그리고 씹었다. 와그작. 돌은 입안에 들어가자 감자칩처럼 허무하게 부서졌다.

둥―

케일은 발밑의 울림과 함께 제 발바닥에서부터 치고 올라오는 힘을 느꼈다.

―내 힘은 누구나 가질 수 있다.

―하지만 내 힘은 몇 가지 상황에서만 사용 가능하다.

그의 목소리가 서서히 희미해지며 멀어져 갔다.

―지켜라.

―보호해라.

―너를 희생해라.

―그것이 모든 생명체들에게 제 모든 걸 내어주는 땅의 힘이다.

검은 용 라온은 동굴의 어둠 속에서 걸어 나오는 한 사람을 볼 수 있었다.

"인간!"

라온은 대번에 케일의 곁으로 날아갔다.

"인간, 인간! 너에게서 땅의 힘이 느껴진다! 이제 살았다!"

라온은 괜히 코를 훌쩍이며 튼튼하게 걸어 나온 케일을 감격스러운 눈빛으로 바라봤다. 에르하벤은 라온의 그 모습에 한숨을 내쉬면서도 꽤 반가운 얼굴로 케일에게 다가왔다. 라온이 들뜬 얼굴로 목소리를 높였다.

"인간! 이제 다른 짓 하지 말고 여행만 다니—"

"라온."

케일이 라온의 말을 잘랐다. 라온은 저를 부르는 케일을 보며 무언가 이상함을 느꼈다.

웃고 있다. 케일이 환하게 웃고 있다.

"……인간 왜 그리 웃나?"

그 물음에 케일은 대답했다.

"레어 생겼다."

"응?"

라온의 고개가 한쪽으로 기울어졌다. 케일은 일행에게 말했다.

"따라와. 에르하벤 님, 따라오세요."

케일은 다시 어둠 속으로 들어섰다. 얼마 지나지 않아 지하 공동에 도달한 케일은 뒤돌아서며 뒤따라온 일행의 표정을 감상했다. 라온이 웬만한 왕궁보다 고풍스러워 보이는 5층 저택을 보다가 케일을 쳐다봤다.

"……인간! 이거!"

"우리 별장이다."

"인간, 진짠가?"

케일이 고개를 끄덕이며 답했다.

"진짜."

"아싸!"

라온이 신난 듯 공중에서 한 바퀴 빙그르르 돌았다. 케일은 이를 흐뭇하게 바라보다가 골드 드래곤 에르하벤과 눈이 마주쳤다. 에르하벤이 툭 던지듯 말했다.

"희한하게 운이 좋아."

그러게 말입니다.

케일은 굳이 부정하지 않았다.

30장

우리 함께

30장
우리 함께

툭. 툭.

케일의 옆구리를 작은 앞발이 계속 두드렸다.

"인간."

"왜?"

케일은 시선을 내려 제 옆구리 근처를 쳐다봤다. 라온이 히죽 웃었다.

"여기 좋다. 잘했다. 칭찬한다!"

"……그래."

5살의 칭찬을 받아들이는 케일의 표정은 그저 그랬다. 에르하벤 역시 마찬가지였다.

"금 용아, 황금으로만 도배된 네 집보다 우리 집이 좋아 보이지 않나? 우리 집은 소탈하면서 정직해 보이지 않나?"

"……그래."

고룡은 그냥 대충 수긍했다. 케일과 에르하벤의 눈이 마주쳤다. 에르하벤은 한숨과 함께 한 곳을 가리켰다.

"저 돌기둥은 조사를 좀 해봐야 할 것 같은데."

불길해 보이는 돌기둥. 케일은 일행에게 그 돌기둥의 정체에 대해서 설명해 주었다. 그러자 각기 다른 반응을 보였다.

"……."

힐스만은 아까 전부터 멍한 얼굴로 서 있었으니 그냥 무시하기로 했다. 그리고 라온은 케일에게 다가와 조심스럽게 말했다.

"십만 년이면 그냥 무시하자, 인간."

……어째 점점 얘가 나를 닮아가는 것 같은데.

케일은 제 생각과 같은 라온을 보며 흐뭇함이 밀려왔다. 반면에 에르하벤은 다른 반응을 보였다.

"흥미로운데."

"그렇습니까?"

"어. 궁금하네."

골드 드래곤의 눈동자에 호기심이 맺혔다. 케일은 이를 보며 은근슬쩍 말을 건넸다.

"그럼 에르하벤 님이 한번 조사해 보시면 되지 않을까요?"

"내가?"

"네. 에르하벤 님이요. 위대하신 에르하벤 님이 저 비밀을 유일하게 알아채지 않으시겠습니까?"

에르하벤은 케일의 말에 코웃음을 흘렸다. 케일의 의도가 빤히 보였기 때문이다.

"나한테 떠넘기기는."

"하지만 에르하벤 님이 가장 현명하시고 지혜로우신 건 사실 아닙니까?"

"쓸데없는 소릴."

씰룩였다.

케일은 분명 에르하벤의 입꼬리가 씰룩이는 걸 봤다. 이 드래곤은 은근히 아부를 좋아했다.

"뭐, 내가 가장 지혜로운 건 맞으니 네 수작에 한 번은 넘어가 주지."

에르하벤은 결국 돌기둥에 대한 조사를 자신이 맡겠다고 말했다. 그는 케일의 아부보다 정말로 이 돌기둥 아래에 자리한 기운에 대해 궁금했다.

'희한하네.'

속성을 알 수 없는 기운이 돌기둥 아래에서 느껴졌다. 확실히 조사할 가치가 있었다. 어쩌면 고대 때부터 세상에 존재해 온 불가사의에 대한 비밀을 알 수 있는 기회가 될지도 몰랐다. 케일은 그런 그에게 다가가 슬며시 말했다.

"그럼 여기서 머무시면서 조사해야 하지 않겠습니까?"

그 말에 에르하벤보다 라온이 반응했다.

"여기서 실습하자!"

에르하벤은 라온을 가뿐히 무시하며 케일을 물끄러미 바라봤다. 케일은 어색한 미소를 지었다. 그가 보기에 이 고룡은 다 알면서도 넘어가 주는 편이었다. 고룡은 케일의 어색한 미소에 피식 웃으며 고개를 끄덕였다.

"그러지. 참, 자네는 맹랑해. 네 부하들도 여기로 데려오고 싶은 것 같은데?"

"이왕이면 다 같이 실습을 하는 게 좋지 않겠습니까?"

에르하벤은 자신의 레어가 아닌 이곳에서 훈련을 진행하고 싶어하는 케일의 마음이 빤히 다 보였다.

"네 부하들은 여기 오도록. 하지만 나는 여기 머물기 싫다."

라온이 그 말에, 정원 분수대에 물을 채우고 있다가 고개를 홱 돌렸다.

"금 용아! 네가 없으면 어떡하나! 난 네가 필요하다!"

에르하벤이 한숨을 흘렸다. 그 반응에 라온이 분수대에서 에르하벤 옆으로 날아왔다.

"금 용아, 너도 같이 있자!"

"하, 참 나."

에르하벤이 기가 차다는 듯 라온을 쳐다봤다.

"꼬맹아, 너 용 맞냐?"

"……시비 거는 건가?"

두 용 사이에 있던 케일이 말을 꺼냈다.

"텔레포트 설치하시려고요?"

"어, 좌표를 알면 쉬우니까."

케일의 질문과 에르하벤의 답을 지켜보던 라온이 슬그머니 분수대로 다시 날아갔다. 그리고 괜히 분수대의 물을 찰박찰박 두드리며 모른 척했다.

"허이구, 내 팔자야. 말세야, 말세."

에르하벤은 탄식을 했지만 이를 지켜보는 케일은 마음이 콩닥콩닥 설렜다.

'골드 드래곤 레어와 직통 연결 텔레포트가 생겼네.'

영지에 무슨 일이 생기면 부탁하기 정말 딱 좋을 것 같은 위치의 텔레포트였다. 하지만 케일은 아무것도 아니라는 듯 담담하게 물었다.

"그럼 에르하벤 님, 레어 좌표는 아실 테니 바로 여기 좌표를 알아내 텔레포트를 설치하면 되겠네요. 일행도 바로 텔레포트로 오면 되겠고요."

"그렇지. 귀찮으니까, 얼른 해치워야겠어."

귀찮으니 빨리한다는 에르하벤을 케일은 따스히 바라봤다. 이 드래곤도 사서 일하는 편이었다.

"나도 같이 한다!"

"제, 제가 뭐 도울 건 없습니까?"

케일은 라온과 힐스만까지 나서서 일하는 것을 느긋한 마음으로 지켜봤다. 그는 곧 모일 일행에 대해 생각했다.

'이왕 수련을 할 타이밍이면.'

좀 열심히 하게 해주면 좋겠지?

자극이 필요할 것 같다.

모두 모였다.

5층 저택의 넓은 1층 홀. 연회장을 방불케 하는 그 공간의 중심에 케일의 동료들이 자리하며 주변을 둘러보고 있었다.

케일은 부단장 힐스만에게 시켜 부집사 한스와 늑대족 10명도 이곳에 오게 했다. 그리고 에르하벤이 텔레포트를 설치한 후, 엘프 펜드릭을 제외한 나머지 일행을 모두 이곳으로 불러 모았다. 엘프 펜드릭은 현재 레어에 남아 레어를 지키고 있었다.

주변을 둘러보던 일행은 이 공간을 향한 감탄을 감추지 못했다. 케일이 이를 보며 느긋하게 말했다.

"편하게 둘러보고 2, 4층에 알아서 본인 방 정하도록. 5층은 내 방이야."

"이곳에서 계속 생활하는 겁니까?"

"그래."

부집사 한스의 눈동자에 생기가 흘러넘쳤다.

냐아아옹.

냐아옹.

온과 홍이 케일에게 다가왔다. 당연히 그 둘 옆에는 라온도 있었다. 라온이 케일을 올려다보며 말했다.

"그럼 우리 방은 5층인가?"

"……왜 우리 방이지?"

언제부터 내 방이 평균 8세들 방이 된 거지?

"응? 인간, 우리 방이 그러면 다른 층인가?"

"……알아서 해라."

케일은 의아해하는 라온을 비롯한 평균 8세들과의 대화가 귀찮아서 대충 답했다. 어차피 5층은 넓으니 애들이 같이 써도 상관없을 것이다. 케일은 어린 녀석들에게서 시선을 돌려 주위를 둘러보았다.

비크로스는 계단 손잡이의 먼지를 손가락으로 쓱 닦아보고는 바로 흰 장갑을 꺼냈다. 알 수 없는 비장함이 그에게서 흘러나왔다.

케일은 일행이 저마다 1층과 다른 층으로 이어지는 계단으로 올라가는 것을 보며 최한에게 다가갔다. 일행 중 특히 최한이 제일 감탄해 마지않았다.

"……어둠의 숲에 이런 곳이 있는 줄은 몰랐습니다."

최한이 한탄을 내뱉듯이 말했다. 케일은 그와 로잘린 사이에 서며 최한의 심정을 이해했다.

'하긴 어둠의 숲에서 수십 년 이상 살면서 고생을 있는 대로 했던 놈이지.'

그러니 어둠의 숲에 이런 호화로운 공간이 있었다는 게 조금 분할 수 있었다. 케일은 옆에 선 로잘린의 소감을 들을 수 있었다.

"어떻게 만 년이 지났는데 이렇게 그대로죠? 한 1년 정도 방치된 집 같아요."

"그렇죠. 로잘린 씨 말대로 고작 1년 방치된 집 같습니다. 마치 시간이 멈췄던 공간 같지 않습니까?"

"맞아요. 공자 말대로 그런 것 같네요."

시간이 멈췄다. 그 표현이 정확했다. 로잘린은 밝은 미소와 함께 케일의 말에 동의를 표했고, 그런 그녀에게 케일은 흘러가듯이 말을 건넸다.

"로잘린 씨, 이곳이 어떤 공간인지 아십니까?"

"땅의 힘을 얻은 곳이죠?"

"맞습니다."

케일은 다시 한번 주위를 둘러보았다.

에르하벤은 저 멀리 서 있었고, 비크로스와 론은 계단을 올라가고 있었다. 그 외의 다른 이들도 케일의 눈동자 안에 담겼다.

'어쨌든 다들 내 목소리가 들릴 범위 안에 있네.'

확인을 끝낸 케일은 자극을 줄, 일행의 마음속에 불을 지를 말을 시작했다.

"이곳에서 얻은 땅의 힘을 사용했던 주인은 수호자라 불리는 이더군요."

1층의 조각품을 구경하던 늑대족 아이들이 케일의 말에 귀를 기울였다.

"고대 전설에 나왔던 이로, 그는 이 동북부 땅을 지킨 수호자라고 합니다."

"그래요?"

로잘린 옆에 있던 라크와 최한, 계단을 올라가던 비크로스도 그 말에 흥미를 보였다. 저택의 주인에 대한 이야기였으니까.

"그는 대륙에 어둠이 내렸을 때 망설이지 않고 제일 앞에서 수많은 사람들을 수호한 사람이라고 합니다."

"대단한 사람이네요."

"그렇죠? 그 사람이 이 저택을 저한테 남기면서 말하더군요."

이런 휘황찬란한 저택을 남기면서 했다는 수호자의 말. 다들 호기심이 자연히 일어났다. 케일은 집중된 시선을 느끼며 담담히 말했다.

"지켜라."

보호해라. 희생해라.

그 말도 했지만 굳이 일행에게 말할 필요는 없었다. 필요한 것만 말하면 될 일이었다. 케일은 씁쓸한 미소를 입가에 그렸다.

"그 말을 듣는데, 왜 요즘이 떠오르는지."

"아."

로잘린의 입에서 작은 탄식이 흘러나왔다.

케일이 말하는 '요즘'은 적들이 나타나고, 대륙의 정세가 혼돈으로 빠져들 거라 예상되는 때였다.

"……케일 님."

최한이 꽤나 비장한 얼굴로 케일을 불렀다. 케일은 피식 웃어주며 시선을 마주했다.

"뭘 그리 봐?"

"아뇨, 그게."

최한은 뭐라 답해야 할지 난감한 표정이었다. 케일은 그를 스치듯 보고는 그 옆의 늑대 소년 라크와 시선을 마주했다.

"뭐, 아무튼 전 집주인의 말을 들으니 다들 여기서 지내면 좋겠다는 생각이 들더라고."

시니컬한 표정과 퉁명스러운 말투였다. 하지만 그 말의 의미를 모두가 알아들었다.

'지켜라.'

자신들을 불러 모은 케일의 마음. 그 마음은 굳이 대놓고 말하지 않아도 닿을 수 있는 부분이었다.

"……공자도 참."

로잘린은 미소를 그리며 어쩔 수 없다는 듯 케일을 바라봤다.

'왜요?'

자신이 무슨 말 했냐는 듯 쳐다보는 케일의 시선에 그녀의 웃음은 조금 더 짙어졌다. 다른 이들 역시 반응이 비슷했다. 특히 에르하벤은 뭐 이런 박복하고 불쌍한 인간이 있냐는 듯 쳐다봤다.

"뭐, 어쨌든."

현재 제국은 위퍼 왕국과 자잘하게 부딪치며 곧 본격적인 전투를 치를 태세였다. 국경의 성 몇 개를 두고 벌어지는 규모의 전쟁이기에 늦어도 가을쯤에는 승패가 결정 날 것이다. 또한 북쪽과 암은 아직 조용했다. 마치 제국의 전쟁 결과를 기다리는 것 같았다.

시간이 많이 남지 않았다. 이를 모두가 알고 있다.

케일은 어깨를 으쓱이며 담백하게 말을 이었다.

"앞으로 꽤 어려운 시간이 오겠지만."

최한은 제 어깨 위에 올려진 케일의 손을 볼 수 있었다. 케일은 최한의 어깨 위에 손을 올린 채 1층 구석구석을 바라봤다. 그의 담백하기 그지없는 목소리가 홀을 채웠다.

"믿는다."

잠깐의 정적이 내려앉았다.

최한은 생각했다.

'이런 상황에서 믿는다는 말을 이렇게 태연하게, 무겁지 않게 할 수 있는 사람이 몇이나 있을까.'

아마 케일뿐일 것이다. 하지만 최한은 그 어조와 달리 제 어깨를 꽉 잡는 케일의 손힘을 느꼈다. 그의 무거운 마음이 느껴졌다.

물론 케일은 평소대로 최한의 어깨를 짚고 서 있을 뿐이었다. 그때, 정적이 가득한 홀에 한 존재의 목소리가 울려 퍼졌다.

"나 강해진다!"

라온은 날개를 파닥이며 용맹하게 말했다.

"인간, 걱정 마라! 위대한 내가 더 강해지면 더 위대해진다!"

조금의 망설임도 없는 씩씩한 목소리였다. 그 말을 듣는 순간, 최한은 제 주먹을 꽉 쥐었다. 늑대 소년 라크와 늑대족 아이들도 마찬가지였다.

순간, 찰나지만 케일의 입가에 미소가 그려졌다가 사라졌다. 그는 주위를 둘러보았다. 신나 있던 일행 사이에 조금은 결연한 분위기가 흘렀다. 그 분위기를 만끽하던 케일은 나직이 말했다.

"나는, 무력이 모자라다."

"맞다! 약한 인간, 너는 괜히 피 토하지 말고 가만히 있어라!"

라온이 강하게 수긍했다. 너무 강한 수긍에 케일은 기분이 묘해졌지만, 자신을 쳐다보는 일행에게 평소처럼 말했다.

"그렇기에 내가 할 수 있는 일은 단 하나. 너희들을 위해 내가 할 수 있는 모든 지원을 할 것이다."

라온이 외쳤다.

"난 혼자서도 아주 잘한다! 그래서 위대하다!"

아, 자꾸 분위기 깨지게.

케일은 기껏 비장한 분위기를 만들려고 했지만 라온 때문에 힘들다는 것을 깨달았다. 가만히 듣고만 있던 최한의 입이 열렸다.

"더 강해질 겁니다. 그래서 모두 지킬 겁니다."

케일은 최한의 어깨를 두드렸다. 그 행동으로 최한은 자신을 향한 케일의 신뢰를 느낄 수 있었다.

꽉 쥔 주먹과 일렁이는 눈동자, 상기된 얼굴, 또렷한 눈빛. 동료들은 저마다 결심에 가득 찬 눈빛을 보였다. 이를 보며 케일은 생각했다.

'강해지면 나도 지켜주겠지.'

일단 불은 붙여놓았다.

그리고 그 불은 케일의 생각보다 동료들 마음속에서 과하게 타올랐다. 조금 심하게, 많이 타올랐다.

이틀 뒤, 케일은 피와 흙먼지가 난무하는 훈련장을 보며 후회했다.

"크윽!"

"이대로 쓰러질 건가?"

"아니! 난 쓰러지지 않아!"

소년 만화 주인공 같은 대사를 읊으며 최한과 라크가 대련 중이었다. 광폭화한 라크의 온몸엔 상처가 가득했다. 또한 최한은 온몸에 쇳덩이들을 매달고 라크에게 외쳤다.

"와라! 더 강해지려면 쓰러져서는 안 된다!"

"으아아아!"

기합 가득한 외침과 함께 라크가 최한에게 달려들었다. 그와 비슷한 광경이 곳곳에서 펼쳐졌다. 다들 죽자 살자 훈련 중이었다. 피와 흙먼지, 땀과 상처들이 여기저기서 나타났다.

'이 정도까지 바란 건 아닌데.'

다들 너무 열심히 훈련해서 케일은 살짝 당황했다.

'이래도 되나?'

이러다가 다들 엄청 강해질 것 같았다.

이놈들이 이상해졌다.

케일은 분수대 근처 벤치에 앉아 가만히 공터를 둘러보았다.

먼저 최한.

"……."

그는 가부좌를 틀고서 바위 위에 올라가 눈을 감고 명상 중이었다. 그의 몸에서 검은 오러가 피어오르고 있었다.

'무협인 줄.'

케일은 입을 열었다.

"한스, 저 녀석 지금 몇 시간째 훈련 중이지?"

"19시간째입니다. 공자님, 정말 자랑스럽지 않으십니까? 크, 저 열정!"

……전혀. 자랑스럽기보다는 무서운데.

케일은 고개를 돌렸다. 한스와 눈이 마주쳤다.

"……넌 언제까지 그러고 있을 거냐?"

"글쎄요?"

최한은 부집사 한스에게도 요즘 훈련을 시켜주고 있었다. 집에 늘 있는 사람이니, 기본적으로 방어는 할 줄 알아야 한다나.

'그렇다고 기마 자세를–'

덜덜 떨리는 한스의 다리가 케일의 시야에 담겼다. 케일의 떨떠름한 시선을 느낀 것인지 한스가 어색하게 웃어 보였다.

"하하, 그래도 공자님, 제가 꼭 강해져서 지키겠습니다. 그것이 집사의 사명 아니겠습니까."

"……그래. 믿는다."

케일은 딱히 할 말이 없어서 그리 대답했다.

"네! 실망시키지 않겠습니다!"

잔뜩 기합이 들어간 한스의 대답이 울려 퍼졌고, 케일은 그냥 시선을 돌렸다. 그러자 다른 광경이 보였다.

저택 옆, 쇠사슬로 칭칭 감긴 돌기둥. 그 돌기둥 근처에 에르하벤이 있었다. 에르하벤과 라온은 생각보다 함께 있는 시간이 없었다. 케일이 이를 의아하게 여겼고, 그 의문을 느꼈는지 에르하벤이 명쾌하게 답해주었다.

'길만 잡아주면 스스로 자기 방식대로 가는 게 용의 방식이야.'

라온은 현재 케일의 방, 5층에서 수련 중이었다. 때려 부술 일이 없는 수련이라고 해서 5층을 내어주었다.

'인간, 나는 가을 전까지 1차 성장한다. 나의 위대함을 늘 알고 있겠지만, 더욱더 강하게 알게 될 것이다!'

라온은 자신만만했다. 케일은 자신만만하게 5층으로 날아가던 검은 용의 뒷모습이 떠올라 한숨을 삼켰다. 하지만 곧 흐뭇한 미소를 입가에 머금었다. 지금 보이는 광경 때문이었다.

냐아아아옹.

냐아아옹.

아직 아기 고양이인 홍, 그리고 이제 곧 성장기로 접어들 온. 두 고양이가 에르하벤 옆에 슬그머니 다가가 치댔다.

"크흠, 크흠."

고룡은 연신 헛기침을 하며 모른 척했지만, 슬슬 입꼬리가 올라갔다. 케일은 그 모습을 보며 다가올 미래를 반쯤 확신할 수 있었다.

'곧 온과 홍도 가르쳐 주겠네.'

에르하벤이 흘러가듯이 한 말을 케일은 기억하고 있었다.

'분명 온과 홍이 순혈이지만 돌연변이라고 했지.'

묘족에 대한 지식이 많아 보이는 에르하벤이었다. 하긴 천 년가량 산 고룡이 그런 지식이 없겠는가. 정보가 부족한 묘족 아이들은 에르하벤에게 맡기면 될 것 같다.

'그리고 푸른 늑대족 아이들도.'

케일은 공동 한쪽을 쳐다봤다.

"으아아아악!"

"으아악!"

"이이이익!"

저마다 괴성을 지르며 늑대족 아이들이 피 말리는 훈련을 하고 있었다. 쟤들 중 몇몇은 첫 광폭화를 할 때가 되어갔다. 그러면 더 강해질 터.

'라크는 비크로스, 론과 대련 중이고.'

케일은 늑대족 아이들이 성장 드라마 주인공처럼 열심히 하는 모습을 멍하니 바라봤다.

"케일 공자."

그의 곁으로 한 사람이 다가왔다.

"로잘린 씨."

로잘린이 한스를 힐끗 보다가 벤치로 다가가 케일 옆에 앉았다. 그녀는 공동 안을 둘러보며 입을 열었다.

"다들 열심이네요."

"그렇죠. 대단하죠. 로잘린 씨는 잘되고 계십니까?"

로잘린은 현재 연구에 집중하는 중이었다. 한발만 내디디면 최상급 마법사에 도달하는 그녀였다.

"그럭저럭요. 아무래도 가장 훌륭한 선생님이 계시니까요."

로잘린이 씨익 웃어 보였다. 라온과 에르하벤. 둘이 있는 이상, 그녀는 대놓고 배움을 구하지 않아도 어깨너머로 배울 것들이 많았다. 명석한 그녀이기에 이 순간을 잘 이용하고 있었다.

"그렇죠. 훌륭한 선생님이죠."

케일은 고개를 끄덕이며 말을 이었다. 이제 간단한 안부 인사가 끝나고 본론이었다.

"타샤에게서 연락이 왔습니까?"

다크엘프 타샤, 그녀가 메리를 데리고 이곳으로 오고 있었다. 메리가 도착하는 순간, 케일은 다시 움직여야 했다.

"네. 그리고 타샤 씨와 제가 함께 전할 말이 하나 더 있습니다."

"전할 말이요?"

케일의 표정이 미묘해졌다. 타샤는 왕세자의 전령이었고, 로잘린은 브렉 측의 전언이나 다름없었다. 그 둘이 동시에 전할 말은 하나뿐이었다.

케일의 입이 열렸다.

"다 모이기로 했나 봅니다?"

"……역시 공자라면 바로 알아차릴 줄 알았어요."

로잘린은 미소와 함께 고개를 끄덕이며 말을 이었다.

"브렉과 로운 왕국, 그리고 정글. 모두 회담을 가지는 것에 동의했습니다. 하지만 문제가 하나 생겼습니다."

"……위퍼 왕국이 답이 없습니까?"

회담의 당사자 중 하나인 위퍼 왕국이 언급되지 않았다. 그렇다면 문제는 뻔히 위퍼 왕국일 것이 분명했다.

이 회담에는 위퍼 왕국이 필요했다. 케일은 솔직히 위퍼 왕국이 없어도 괜찮았으나, 위퍼까지 합세하면 제국이 동부 해안가로 나갈 길이 막힌다. 그럼 적어도 제국이 동대륙으로 접근하는 것을 차단할 뿐만 아니라, 고래족의 운신이 한결 편해진다.

"아뇨, 위퍼 왕국에서 답이 왔습니다. 툰카 대장군이 직접 답을 하더군요."

위퍼 왕국은 툰카가 결국 왕국의 뜻이나 다름없었다. 물론 툰카 곁에는 헤롤 참모장이 있었다.

"뭐라고 합니까?"

"공자."

"네?"

"공자와 이야기를 하고 싶답니다."

"……툰카가요?"

"네."

케일의 얼굴에 의문이 그대로 드러났다.

'나를 왜?'

하지만 로잘린은 다른 말 더 하지 않고 의뭉스러운 미소를 지어 보였다. 그녀가 보기에는 툰카의 그 행동이 꽤 이해됐다.

'툰카와 헤롤은 로운 왕국은 물론이거니와 다른 왕국들과 별다른 접촉을 해보지 않았어. 그런 상황에서 믿을 만한 이를 통해 세상을 보는 것도 나름의 방편이지.'

툰카에게 믿을 만한 로운 사람은 케일 공자뿐이리라. 정글의 여왕이 케일에게 일의 시작을 맡겼듯이 말이다. 로잘린은 의아해하는 케일에게 말했다.

"바로 통신 연결하면 될 것 같아요. 어떻게 할까요?"

"뭐."

케일은 자리에서 일어섰다. 살짝 다리가 저려왔다. 꼭두새벽부터 사람들이 훈련하며 내뱉는 괴성에 일찍 일어나는 바람에, 할 짓이 없어 계속 벤치에서 훈련을 구경했다. 소년 만화 같고, 성장 드라마 같아서 구경하는 재미가 쏠쏠했다.

"……공자, 다리 괜찮아요?"

"계속 앉아 있었더니 저리네요. 어쩌 갈수록 약해져 가는 거 같습니다."

스트레칭이라도 아침저녁으로 해야 하나? 귀찮은데.

케일은 탐탁지 않은 표정으로 가볍게 다리를 풀었다. 그에게 로잘린의 말이 귓가에 닿았다.

"공자의 이런 모습이 얼마나 힘이 되는지 몰라요."

"네?"

"아니에요."

로잘린은 고개를 가로저으며 아무것도 아니라는 듯 케일에게 웃어 보였다. 그녀는 훈련장을 둘러보았다. 다들 알게 모르게 케일을 쳐다보고 있었다. 케일은 이른 새벽부터 벤치에 앉아서 식사 때를 제외하고는 훈련 모습을 쳐다봤다.

모두 안다.

고대의 힘은 성장 가능성이 없는 힘이라는 것을. 그저 습득하고 사용하면 끝이라는 것을 모두 안다. 그래서 케일이 훈련할 것이 없다는 점도 알고 있었다.

그렇기에 벤치에 앉아 자신들의 훈련을 바라보는 케일의 마음을,

동료들은 모두 십분 이해했다. 그래서 훈련장에 기합 가득한 외침이 끊이지 않았다.

"가죠."

케일이 저택 쪽을 가리켰고 로잘린이 그 뒤를 따랐다.

으아아아!

케일은 흠칫했다. 다시 우렁찬 외침들이 들려왔다. 그는 참 무시무시하다 생각하며 얼른 저택으로 향했다.

케일은 영상통신구로 툰카와 마주하는 건 처음이었다.

─오랜만이다.

의외였다.

"너 혼자군."

─그래.

툰카의 곁에는 헤롤도, 어떠한 수하도 보이지 않았다. 그는 홀로 케일과 마주하고 있었다.

'뭐, 위퍼 왕국이니만큼 영상통신구를 소지하는 게 들키면 안 되니 주위에 사람이 적은 건 이해하지만.'

영상통신구를 쓰려면 마법사가 필요하다. 왕세자가 보낸 마법사와 그가 소지한 영상통신구. 현재 위퍼 왕국은 그것으로 다른 왕국들과 연락 중이었다.

그럴 만큼 현 정세는 급한 사안이었으니까. 그 정도 융통성은 헤롤도, 툰카도 있었다. 다만 지금 이 자리에 헤롤이나 참모 한 명 없이 툰카 홀로 있는 게 이상했다.

영상통신구 위로 펼쳐진 화면에 툰카의 얼굴도 선명히 잘 드러났다. 케일의 눈가가 미묘하게 틀어졌다.

"얼굴색이 별로군."

케일의 말에 툰카는 살짝 멈칫했다.

툰카의 안색이 좋지 못했다.

현재 제국군과 위퍼군은 국경에서 크고 작은 간보기식 접전만 일어나는 중이었다. 위퍼 왕국은 아예 국경을 뚫어 제국 수도까지 쳐들어갈 생각이 아니라 국경 인근 성 몇 개만 노리는 중인데, 그 싸움이 생각보다 화끈하게 진행되지 않고 있었다.

툰카 성격에 그런 전투 형태를 원할 리 없다 생각하던 케일은 툰카의 안색에서 대충 짐작할 수 있었다.

'이 무식한 놈이 이렇게 침울한 이유는 뻔하지.'

케일은 말을 못 하고 우물쭈물하는 툰카를 보며 입을 열었다.

"배신자를 찾았나?"

툰카는 흠칫하더니 이내 괴로운 표정을 지었다.

―그래.

"네가 이럴 정도면 네 직속 수하인가 보군."

―……그래.

케일은 툰카의 심복을 떠올렸다. 그의 왼팔 격인 펠리아, 그녀는 창술과 지략이 뛰어난 편이었다. 그리고 오른팔 격인 호타, 무력이 뛰어난 이로 툰카와 비슷했다.

─……호타가 그런 놈일 줄 몰랐다.

툰카는 괴로움을 토해내듯이 말했다.

─제국의 수작에 넘어가다니! 그놈이 내 자리를 원하고 있었을 줄은!

툰카는 배신감에 손이 떨려왔다. 동시에 허무함이 찾아왔다. 그는 이 감정을 어딘가에 말하고 싶었다.

문득 그는 케일이 떠올랐다.

헤롤 참모장이 배신자를 찾아냈다. 그가 어떻게 찾았는지는 모른다. 다만 호타의 품에 마법 장치가 하나 있었고, 그것이 영상통신구는 아니지만 비슷하게 신호를 보내는 장치임을 알아낼 수 있었다.

툰카는 이 과정을 케일에게 한탄처럼 말했다. 이를 듣고 있던 케일은 속으로 혀를 찼다.

'제국도 헤롤이 마나를 느낄 줄 아는 반쪽짜리 마법사인 줄은 몰랐나 보군.'

그래서 제국 측도, 호타도 대범하게 행동했을 것이다. 그러나 마법 장치를 소지한 호타를 헤롤이 느끼지 못할 리 없었다.

─그래서 어젯밤. 어젯밤, 호타를 참수시켰다.

케일은 비로소 툰카가 왜 제국을 공격하는 행동이 굼떴는지 알았다.

"배신자인 걸 안 것은 어제보다 더 전이지?"

─……일주일 전에 알았다.

고민했네.

케일은 툰카가 호타를 두고 고민했음을 깨달았다. 그 때문에 위퍼 측이 소극적인 태도를 보였고.

─나는 적어도 호타는, 부족민들은 내 마음에 동조할 줄 알았다. 내가 저를 얼마나 믿었는데.

툰카는 케일을 보던 시선을 내려 제 두 손을 내려다봤다. 호타의 목을 친 것은 툰카 자신이었다. 그래야 할 것 같았다. 그의 귓가로 케일의 목소리가 들려왔다.

"많이 힘들었을 텐데, 고생했다."

툰카는 그 말에 살짝 주먹을 쥐었다. 지금껏 대장군인 그에게 고생했다고 말해주는 이는 없었다. 그는 이어지는 케일의 말에 저도 모르게 귀를 기울였다.

"네 덕에 수많은 병사들이 살았다."

이는 사실이었다. 케일은 툰카가 정에 따라 행동하지 않았음을 꽤 높이 사주고 싶었다.

툰카는 천천히 고개를 들었다. 영상통신구 너머 두 사람의 시선이 부딪쳤다. 케일은 특유의 여유로운 미소를 띠며 말했다.

"그리고 내 말을 믿어줬군. 내 말을 믿어서 배신자를 찾도록 헤롤에게 지시한 것 아닌가?"

케일은 툰카가 자신의 말을 믿고 이렇게 행동할 거라 예상했지만 실제로 겪으니 기분이 조금 묘했다.

"내 말을 믿어준 건 꽤 고맙네."

케일은 툭 던지듯 말했지만, 그 말은 툰카의 귓가에 크게 와닿았다. 동시에 배신자였던 호타의 얼굴이 떠올랐다. 하지만 이어진 케일의 말에 호타의 모습이 사라졌다.

"하지만 나를 믿지 마. 나는 네 편이 아니거든. 착한 사람도 아니고."

케일은 저를 쳐다보는 툰카에게 사실을 말했다. 그는 툰카의 편이 아니었다.

물론 이제는 지금 위퍼와 제국 간의 전쟁도 위퍼 왕국이 승리하는 것으로 끝나길 바라지만, 완전한 승리를 거두길 바라지는 않는다.

로운, 브렉, 정글, 그리고 위퍼. 현재 상황에서 위퍼 왕국이 제국과의 전쟁에서 대승을 거둬 버리면 4세력 간 힘의 균형이 꽤 난감해진다. 그렇기에 위퍼 왕국이 적당히 승리하길 바랐다.

'그런 생각을 지닌 사람이 착한 사람은 아니잖아?'

케일은 슬슬 영상통신을 끊어야 할 때가 왔다고 생각했다.

"툰카, 지금 네 모습은 너답지 않아. 제국을 쓸어버리려던 것 아닌가?"

케일을 멍하니 바라보던 툰카의 눈썹이 꿈틀거렸다.

─……맞다. 쓸어버려야지.

제국이 괘씸했다. 툰카는 제국이 더욱더 증오스러웠다. 툰카의 눈동자가 완전히 본래의 빛을 띠었다. 케일은 그 눈동자를 응시하며 말했다.

"너답게 살아."

나답게.

툰카의 입꼬리가 조금씩 올라갔다. 단순하다 여겨질 만큼 본래의 호탕한 미소가 그의 입가에 지어졌다. 그는 자리에서 일어섰다.

─그래, 나답게 살자고.

툰카는 케일을 쳐다봤고 케일이 고개를 끄덕였다. 툰카의 미소가 더 짙어졌다. 그 순간, 케일이 한마디를 더 건넸다. 여전히 무심한 목소리였다.

"그래도 네 병사들도 조금 신경 쓰면서 해. 내가 약한 사람이라 그런지 몰라도, 약한 사람이 죽는 게 마음 아프더군."

툰카는 그 말을 들으며 속으로 생각했다.

'자신은 착한 사람이 아니라고? 이런 말을 하는 놈이?'

툰카는 제 방식대로 살기로 다시 마음먹었다. 제 방식은 결코 약자를 돌아보지 않는다. 하지만, 툰카는 대답했다.

―생각해 보지.

케일은 살짝 흠칫했다.

'생각이라고? 툰카가 생각을 한다고?'

케일은 그가 아예 자신의 말을 무시하거나, 싫다고 대번에 말할 줄 알았다. 케일이 놀라거나 말거나 툰카는 한마디를 남기며 영상통신 종료를 알려왔다.

―헤롤 참모장이 나 대신 회담에 나갈 거다.

케일은 고개를 끄덕였다.

이것으로 위퍼도 회담에 참가하게 되었다. 대표로 헤롤 참모장 정도면 적당했다. 위퍼 왕국은 전쟁 중이지만, 어차피 헤롤은 지략보다는 툰카와 함께 비마법사 무리를 이끌던 상징성으로 참모장에 있는 것이니, 그가 잠시 빠져도 상관없을 터.

"그래. 고생했는데 푹 쉬고."

―크하하하, 푹 쉬라고? 그래, 알겠다.

갑자기 툰카가 호탕하게 웃었다. 케일은 극과 극을 오가는 태도에 미간을 찌푸렸다. 그러거나 말거나 툰카는 마지막 인사를 남기고 영상통신구를 끊었다.

―다음에 보지.

케일은 뚝 끊긴 영상통신구를 보며 생각했다.

'다음에 보긴 뭘 봐?'

썩 보고 싶지 않았다.

케일은 한숨을 내쉬며 앉아 있던 소파 등받이에 몸을 기댔다. 영상통신실 문을 두드리는 소리가 들려왔다.

똑똑똑.

"케일 공자."

로잘린이었다. 그녀의 목소리가 이어졌다.

"타샤 씨와 메리 씨가 왔어요."

케일은 자리에서 일어섰다. 이제 반쪽짜리 성자와 가짜 성녀에게 가야 할 시간이었다.

달칵. 문이 열렸고, 케일은 로잘린과 마주했다.

"……공자."

"로잘린 씨, 왜 그러시죠?"

로잘린은 참으로 음흉한 미소를 짓고 있는 케일을 볼 수 있었다. 영문을 알 수 없었지만 로잘린도 미소를 지었다. 케일과 비슷한 미소였다.

"일 무사히 마치시고 돌아오세요."

"감사합니다. 덕분에 잘 다녀올 것 같네요."

그때, 5층에 있던 라온이 내려왔다.

"인간, 인간! 응?"

라온은 케일과 로잘린의 미소를 보며 말했다.

"또 뭔 짓을 하려고 그렇게 웃나, 인간?"

뭔 짓은.

케일은 별다른 일을 할 생각이 없었다.

"그저 나는 아픈 이를 치료해 주러 가는 것뿐이야."

그러나 아무도, 심지어 라온도 그 말을 믿지 않았다.

케일은 곧바로 지하 공동 안으로 메리와 타샤를 불러들였다. 케일은 메리와 오랜만에 마주했다.

"어, 음. 여전하구나."

여전히 메리는 발끝부터 머리끝까지 모두 검은 로브로 가린 채였다. 하지만 자주 봐서 그런지 케일은 저 멀뚱히 서 있는 검은 존재가 기뻐하는 게 느껴졌다.

"반갑습니다. 다시 만나 기쁩니다."

여전히 내비게이션을 떠올리게 하는 딱딱하고 감정 없는 목소리였다. 그러나 저 시꺼먼 로브 위로 몽글몽글한 분위기가 흘러나오고 있었다.

"나도 기쁘다! 착한 메리야, 네 뼈들은 내가 가끔씩 가서 살펴봤다!"

메리를 가장 많이 반기는 이는 검은 용 라온이었다.

"감사합니다."

"그래. 정글은 처음이지? 내가 다 알려준다. 나는 가봤다."

"대단하십니다. 정글의 하늘도 아름답습니까?"

"당연하지! 그리고 정글 가려면 바다도 지난다. 이번은 힘들지만 다음에 기회 되면 범고래 아치 등에 타서 바다 구경하자!"

"기대됩니다."

케일은 심드렁한 얼굴로 라온과 메리의 대화를 지켜봤다. 그때 그의 옆구리를 툭 치는 손길이 있었다. 꽤 센 손길이라 케일은 미간을 찌푸리며 고개를 돌렸다. 그러나 이어 보인 광경에 그 거친 손길을 이해했다.

"이, 이게 무슨."

다크엘프 타샤는 당황과 혼란의 소용돌이에 휘말린 사람처럼 연신 어쩔 줄을 몰라 했다. 그녀의 시선은 당연히 라온과 조금 떨어진 곳에 서 있는 에르하벤에게 닿아 있었다. 에르하벤이 라온과 메리 사이에 서서 대화하고 있었다.

"오랜만에 보는 네크로맨서군."

"금 용아, 다른 네크로맨서 만나 봤나?"

"내가 너 같은 꼬맹이인 줄 아나?"

"메리야, 저 금 용의 꼬맹이라는 말은 들을 필요 없다."

용답지 않은 유치한 대화였으나, 다크엘프에게 그게 무엇이 중요하겠나. 케일은 혼란에 가득 찬 타샤의 어깨를 부드러이 토닥였다.

"타샤 씨."

"공자─ 지금 이게."

당황한 그녀의 귓가에 케일은 속삭였다.

"정령과의 맹세 기억하지요? 왕세자 저하께는 비밀이다."

여전히 반존대와 존대가 뒤섞인 어투였다.

타샤의 어깨가 살짝 흠칫했다. 당황으로 가득 찼던 타샤의 시선이 진정되며 케일을 똑바로 바라봤다. 케일은 씩 웃으며 그 시선을 마주했다.

"저번은 라온에 대한 맹세니, 에르하벤 님도 넣어서 다시 맹세하는 게 더 믿음직하겠네요. 어서 맹세하세요."

타샤의 입가에 시원한 미소가 어렸다.

"공자는 그대로네."

"맹세할 거지?"

"해야지요."

타샤로선 맹세를 안 한다고 할 수도 없었다. 자신과 케일이 대화를 나눌 때 에르하벤이라는 드래곤의 눈길이 자신을 스쳐 지나갔으니까. 그리고 이어진 케일의 말에 안심할 수 있었다.

"잘 생각했어. 왕세자 저하껜 언젠가 말할 생각이니, 걱정 마."

"내가 공자는 믿고 있죠."

타샤는 고마움을 담아 케일을 바라봤다. 그녀가 메리를 다시 만났을 때, 어딘가 사람답지 않고 딱딱하기만 하던 메리가 못 본 새에 달라져 있었다.

'케일 공자님도 라온 님도, 모두 다 좋습니다. 또 가고 싶습니다. 재밌습니다.'

재미있다.

타샤는 메리의 입에서 그런 말이 흘러나오리라곤 꿈에도 생각지 못했다. 그래서 그녀는 케일이 고마웠다. 왕세자 알베르처럼 메리도 자신에게는 조카와 다름없었다.

"뭘 그리 봐?"

케일의 퉁명스러운 물음에 타샤는 엷게 웃음을 터뜨렸다. 케일은 저 혼자 당황했다가 비장했다가 흐뭇해하는 타샤를 떨떠름하게 바라보다가, 에르하벤의 곁으로 다가갔다.

"에르하벤 님, 메리 보니까 어떻습니까?"

"펜드릭에게 이 아이 치료를 맡기려 했다고?"

"네."

"흐음."

에르하벤은 무언가 고민에 잠긴 듯했다. 케일은 그의 눈치를 살피며 슬쩍 입을 열었다. 허약한 펜드릭을 치료한 이도 에르하벤이라 들었다.

"에르하벤 님."

"어."

"펜드릭 능력으로는 조금 긴가민가하지요?"

"그렇지."

"위대하신 에르하벤 님은 다른 네크로맨서도 보셨으니, 메리의 상태도 잘 아시지 않겠습니까?"

메리를 쳐다보던 에르하벤의 눈동자가 케일 쪽으로 향했다. 케일은 아부도 청탁도 아니고, 말투만 은근슬쩍이지 아예 대놓고 자신에게 저 네크로맨서 아이 치료를 떠넘기려고 했다.

'문제는 그런 행동이 싫지가 않단 말이야.'

에르하벤은 그런 케일의 모습이 걸리적거리지 않았다. 그리고 그 이유를 곧 알 수 있었다.

'본인을 위한 일은 없군.'

케일이 에르하벤에게 부탁하는 일 중 자신을 위한 일은 없었다. 땅 속성 고대의 힘이야, 그건 라온의 통보였고. 그가 부탁한 나머지 일들은 동료를 강하게 해달라는 것이나 이 땅을 위험하게 할지도 모를 불길한 돌기둥에 대한 조사였다.

'웃긴 놈.'

제 인생이 박복하건만 늘 투덜거리면서도 남을 위해 움직였다. 이러니 미울 수가 없었다. 자신은 독선적인 용이지만, 그렇기에 이타적인 존재가 기꺼워 보이는 법이었다. 에르하벤은 저를 쳐다보는 케일에게 퉁명스레 답했다.

"딱히 네 녀석 말 때문이 아니라, 내가 궁금해서 한번 저 아이를 살펴보도록 하지."

"감사합니다."

크흠. 에르하벤은 헛기침을 하며 케일을 외면했다. 하지만 케일은 그 모습에 메리의 통증에 대한 치료는 이제 한시름 놓아도 되겠단 생각을 하며 고개를 돌렸다.

"……공자."

그리고 그는 타샤의 뜨거운 눈빛과 자신의 앞으로 다가온 검은 로브를 볼 수 있었다.

"왜?"

둘을 향해 케일은 차갑다 싶을 정도로 무심히 말을 건넸지만, 타샤는 감동스러운 눈빛을 감추지 않으며 그에게 다가갔다.

"공자는 참으로 따뜻한 사람이에요."

"감사합니다. 케일 공자님은 착하고 의로운 사람입니다."

뒤이어 메리의 딱딱한 어조가 이어졌다. 케일은 대충 고개를 끄덕였다. 그로선 메리가 통증을 견뎌내고 더 강해지길 바랄 뿐이었다.

'그래야 나중에 북 3국과의 전투에서 메리가 제대로 일을 해낼 수가 있어.'

어둠의 숲 위를 날아올 와이번 기사단. 그 기사단과의 전투에서 메리는 핵심 요소 중 하나였다.

전투에선 초반 기선 제압이 중요한 법이었다. 북 3국이 그들의 영역을 벗어나 로운 왕국과 브렉 왕국으로 다가오는 순간. 케일은 로운 왕국의 북 최전방인 자신의 영지에서 아주 박살을 내버릴 작정이었다.

'개박살을 내야지.'

그냥 박살로는 부족했다. 개박살을 내야 북 3국뿐만 아니라 제국과 암도 주춤할 것이다. 케일과 왕세자는 그 후 이어질 그들의 반응에 따른 계획을 세워두었다. 그랬기에 케일은 우두커니 서 있는 검은 로브에게 말했다.

"고마우면 얼른 나아서 강해져."

"네. 반드시 그러겠습니다."

메리의 음성은 기계적이었지만 열정도 조금 느껴졌다. 케일은 그 열정에 속으로 흐뭇해하며 고개를 돌렸다. 그리고 멈칫했다. 소리 소문 없이 한 사람이 곁에 다가와 있었다.

시종 론이었다.

"도련님, 저번처럼 하면 되겠지요?"

케일은 갑자기 든든함이 밀려왔다. 이번 일행 중 솔직히 론이 가장 든직했다. 케일은 론을 보며 부드러이 말했다.

"척하면 척 아니겠어?"

"그렇지요."

케일과 두 용, 그리고 론. 더불어 네크로맨서 메리와 다크엘프 타샤. 이렇게 케일은 다시 처음 겪어보는 조합으로 정글로 향했다.

"여기가 공자의 땅이라고요?"

"뭐. 그렇지."

케일은 평범한 인간으로 변신한 타샤의 물음에 대수롭지 않게 답하며 정글 1구역 해안가에 발을 디뎠다. 타샤는 멍하니 풍경을 쳐다보다가 뒤따라 배에서 내렸다.

일행은 배를 타고 정글 1구역으로 왔다. 용이 두 마리 있지만 정체를 밝힐 수도 없었으니 비행 마법보다는 배를 택했다. 더불어 케일은 타샤와 메리의 정체도 최대한 숨기기로 일행에게 말을 해둔 상태였다. 물론 타샤는 상황을 봐 정체를 드러내기로 했다.

"케일 공자님."

케일은 해안가에 자신을 마중 나온 이를 보며 어색한 미소를 그렸다. 정글의 지배자 리타나는 자신의 수족을 케일에게 보내주며 성의를 표했다. 리타나의 가장 충직한 수하이자 무장 격인 빈이 케일에게 정중히 고개를 숙였다.

"오랜만이군."

케일은 빈의 인사를 받으며 힐끗 옆을 쳐다봤다.

"크르르르."

흑표범이 송곳니를 드러내며 제 나름대로 반갑다는 듯이 웃어 보였다.

'제길.'

리타나는 제 가장 가까운 벗인 흑표범 텐을 빈과 함께 보내 케일을 맞이했다. 그만큼 그녀가 케일을 중요시 여기고 있음이 드러났으나, 케일은 다시 흑표범을 타고 싶지 않았다.

─인간, 나도 흑표범 타보고 싶은데. 나는 숨어 있어야 하지?

그는 라온의 말은 가뿐히 무시하며, 리타나의 수하 빈에게 물었다.

"……말들을 데려왔군. 모두 승마를 하고 가야 하나?"

"마차도 하나 있습니다."

"그렇군. 그럼 나는–"

"크르르르."

흑표범 텐이 낮은 울음소리와 함께 케일의 다리에 머리를 비비며 나름 애교를 부렸다. 전사 빈이 무뚝뚝한 얼굴에 희미한 미소를 그렸다.

"텐이 공자님을 뵙고 싶었나 봅니다. 여왕 폐하께서도 텐이 공자님이라면 태울 것이라고 말씀하시더군요."

"⋯⋯그렇군."

결국 케일은 마차와 말에 일행을 각각 나눠 태운 뒤, 본인은 텐의 위에 올라탔다.

"크르르르."

텐은 흥이 났는지 계속 그르렁거렸고, 케일은 텐의 털을 꽉 움켜쥐었다. 그리고 전사 빈에게 물었다.

"어디로 가면 만날 수 있지?"

누구를 만나냐고 물을 필요가 없었다. 케일이 만날 이는 성자와 성녀였다.

"두 분은 정글 7구역에 계십니다."

정글 7구역.

정글은 총 15구역으로 나뉜다. 그중에서도 7구역은 정글의 중심으로, 거대한 강이 구역을 가로지르는 곳이었다. 더불어 대대로 정글의 우두머리인 왕의 궁이 그곳에 있었다.

케일은 빈을 보며 장난스레 말을 건넸다.

"램프 아래가 가장 어둡다는 건가?"

"그런 셈이지요."

리타나는 쌍둥이를 확실히 잘 보호하고 있었다. 케일은 빈에게 말했다.

"얼른 가지."

"알겠습니다."

빈의 말이 앞장섰다. 흑표범 텐이 그 뒤를 따랐다. 케일은 그 속도에 흠칫하며 텐을 꼭 붙들었다.

그렇게 최대한 빠르게 이동했음에도 정글 7구역까지는 몇 날 며칠이 걸렸다. 하지만 7구역에 당도하자마자 케일은 감탄을 흘렸다.

'정글에 도시라는 이름은 어울리지 않을 줄 알았는데. 이 정도면 정글 도시네. 엄청난데.'

건물과 나무들이 마치 한 몸처럼 뒤섞여 있었다. 그러면서도 결코 왕국이나 제국의 여타 다른 건물에 비해 건축 기술이 떨어져 보이지도 않았다.

"어떻습니까?"

전사 빈이 7구역 안의 길을 가로지르며 케일에게 감상을 물었다. 케일은 나무를 타고 넘는 동물과 정글인들, 그들 사이로 보이는 건물을 보며 솔직히 답했다.

"멋있군."

"맞습니다. 멋있습니다."

빈에게서는 자부심이 보였다. 그는 수많은 나무들로 우거진 7구역의 중심을 가리켰다.

"지금은 나무에 가려 안 보이시겠지만 저곳이 왕궁입니다."

"폐하는 저녁에 뵐 건가?"

"네. 그리고 그 전에, 으음."

빈이 말을 못 이어도 케일은 알아들었다.

"도착하면 바로 그들부터 보지."

"네."

빈이 케일과 일행을 7구역의 중심으로 안내했다. 곧 7구역의 중심, 왕궁이 모습을 드러냈다.

"음. 훌륭하군요, 도련님."

마차에 타지 않고 있던 론이 케일의 곁으로 다가오며 솔직한 감상을 전했다. 케일은 그 말에 공감했다.

'자연이 곧 궁이고, 궁이 곧 자연이라는 건가.'

몇백 년은 되었을 것 같은 나무들이 왕궁을 타고 자라나 있었다. 왕궁은 그 나무들을 사이에 두고 특이한 배치로 지어져 거대한 산을 이뤘다.

─인간, 이런 집도 좋다! 이런 집을 한번 구해보면 어떤가?

케일은 라온의 헛소리는 무시하며 빈에게로 시선을 돌렸다.

"따라오십시오."

빈은 궁으로 다가갔다. 궁 앞의 전사들이 빈을 보자 길을 텄고 케일 일행은 별다른 막힘없이 정글의 중심, 궁 안으로 들어설 수 있었다.

"자연을 훼손시키지 않으면서 궁을 만들기 위해 이백여 년간 공사를 진행했지요. 그래서 각 궁 건물은 여러 특이한 형태로 지어져 있습니다."

빈의 안내를 들으며 케일은 왕궁의 후편으로 향했다.

거대한 나무 두 그루가 나타났다. 수백 년은 자랐을 것 같은 나무 두 그루가 점점 자라 마침내 하나의 줄기가 되었다. 그리고 그 줄기 아래, 아주 작은 궁이 위치하고 있었다.

빈이 멈추자, 케일은 목적지에 도착했음을 알 수 있었다.

"이 궁 아래입니다."

"들어가지."

케일의 말에 빈은 작은 궁으로 다가갔다. 궁 앞을 지키는 전사들은 다른 곳에 있는 이들보다 더 무예가 깊어 보였다. 그들은 빈의 손짓에 궁문을 열었다.

"일행분들 다 같이 가십니까?"

"그래."

케일은 마차와 말에서 내린 일행이 자신의 뒤에 서자, 궁 안으로 들어섰다.

작은 궁은 하나의 홀만이 존재했다. 그 홀 안에서 전사들이 경계를 서고 있었다. 확실히 리타나는 쌍둥이 보호에 신경을 쓰고 있었다. 홀 중앙에는 지하로 향하는 문이 존재했다.

끼이이익.

전사 빈은 그 문을 열었다. 지하로 향하는 길은 깔끔했다. 그리고 밝았다.

"여깁니다."

케일은 고개를 끄덕이며 빈과 함께 안으로 들어섰다. 타닥. 타닥. 케일은 자신과 일행이 돌계단을 밟고 내려가는 소리를 들으며 이 계단이 꽤 길다는 사실을 알 수 있었다.

"이 궁은 지하가 중심인가?"

"그렇습니다. 두 나무에 피해를 주지 않기 위해 궁 아래에 거대한 지하를 파두었지요. 지금 지하에는 시종 한 명과 최상급 전사, 그리고 두 분만 계십니다. 원래는 저도 있었죠."

확실히 이 정도면 안전한 축이었다.

"한참 내려온 것 같은데, 아직 멀었나?"

"이제 다 와 갑−"

빈의 말이 끝나기도 전이었다. 저 아래. 지하에서 소리가 들려왔다.

"끄, 으아아아악!"

비명 소리였다. 한 여자의 숨이 넘어갈 것 같은 비명이 들려왔다. 모두가 걸음을 멈췄다.

툭.

케일의 어깨 위에 무언가가 올라왔다. 고개를 돌린 케일은 흠칫했다. 어깨에 올려진 검은 소매와 그 너머 검은 로브가 그의 시야에 담겼다. 검은 로브에서부터 목소리가 들려왔다. 드물게 감정이 드러나는 목소리였다.

"발작입니다."

"뭐?"

"위험합니다. 죽은 마나 중독 중기로 들어서는 징조입니다. 아주 아픕니다."

"으아아! 크윽, 아악!"

비명이 끊임없이 들려왔다. 메리는 빠르게 말했다.

"한계가 온 것 같습니다."

소드 마스터 하나가 한계에 달했다. 케일은 메리의 말에 답하지 않고 고개를 돌려 빈에게 명령했다.

"서둘러."

타닥. 타닥. 타닥. 서둘러 돌계단을 내려가는 소리가 공간을 가득 채웠다. 하지만 간간이 들려오는 소드 마스터 하나의 비명이 일행의 귓가를 더 자극했다.

"빈, 분명 초기라고 하지 않았나?"

케일의 물음에 빈이 다급히 답했다.

"네. 분명 어젯밤 전령을 받을 때만 해도 중독 초기였습니다."

케일은 물론이거니와 리타나도 최상급 포션을 다량으로 조달해 소드 마스터 하나가 최대한 중독 초기 상태에서 버틸 수 있도록 지원했다.

케일의 등 뒤에서 다크엘프 타샤의 목소리가 들려왔다.

"중기에 들어서는 징조이지, 아직 중기는 아닙니다. 물론 위험하지만요."

그녀의 목소리에 조급함이 담겨 있었다. 케일은 지하로 내려가며 지난번 나눴던 메리와의 대화를 떠올렸다. 정글로 오는 배 안에서 케일은 그녀에게 물었다.

'방법이 있다고 했지?'

'네. 소드 마스터라면 가능합니다.'

'……메리, 나는 그저 숨만 붙어 있길 원하지 않아.'

'압니다. 살립니다.'

메리의 대답은 확고했다. 케일은 메리가 조금 맹해 보여도, 적어도 헛소리는 하지 않음을 알고 있었다.

타닥. 타닥. 드디어 지하 계단 아래 문이 모습을 드러냈다. 그 문은 열려 있었다. 그 탓에 비명이 계단까지 흘러나왔다. 지하로 들어서는 거대한 문에서 시종이 문을 닫지도, 열지도 못하고 어쩔 줄 몰라 했다.

"무슨 일인가?"

"아, 빈 님!"

시종의 안색이 확연히 밝아졌다. 케일은 곧바로 빈과 함께 문으로 향했다. 열린 문틈 사이로 복도가 보였고, 그곳에 또 다른 방문이 하나 존재했다.

"으아아악!"

그 문 사이로 비명이 흘러나왔다.

저곳이다.

시종이 다급히 빈에게 보고했다.

"대략 두 시간 전부터 손님께서 발작을 일으키고 있습니다. 호위께서 현재 방 안에 들어가 혹시 있을지도 모를 비상사태에 대비 중이시고, 저는 보고하러 어디로 가야 할지를 몰라서."

손님. 소드 마스터 하나를 가리켰다. 케일은 타샤의 감탄이 서린 탄식을 들을 수 있었다.

"……두 시간이나 버티다니. 인내심이 엄청난데."

케일은 타샤를 보려다가 검은 로브와 시선이 닿았다.

"간신히 버티는 겁니다. 얼른 들어가야 합니다."

케일은 답하지 않고 시선을 돌렸다. 문가에서 빈과 시종이 대화를 나누고 있었다.

"현재 발작이 심해서 도저히 진정시킬 수가-"

"비켜."

"……네?"

시종과 빈 사이로 한 사람이 들어섰다. 시종은 놀라서 뒤로 한 걸음 물러섰다. 거부하기 힘든 기세가 남자에게서 흘러나왔다. 그 남자는 케일이었다.

"공자님."

빈이 케일을 부르며 본인이 앞장서려고 했다. 하지만 케일과 눈이 마주친 순간, 잠시 그의 몸이 굳어버렸다. 케일은 두 손으로 거대한 문을 밀었다.

끼이익─ 쾅!

커다란 소리와 함께 문이 활짝 열렸고, 케일이 안으로 들어섰다. 그 뒤를 당연하다는 듯 메리와 타샤, 그리고 용 두 마리와 론이 따랐다. 빈은 잠시 그 모습을 지켜보다가 시종에게 지시를 내렸다.

"폐하께 귀한 손님이 오셨다고 하게."

"아, 네, 네!"

빈은 시종이 떠나는 것을 확인하고는 황급히 케일의 뒤를 따랐다. 케일은 이미 복도 안쪽의 열린 방문 앞까지 도달해 있었다. 케일은 고급스러운 카펫을 밟은 채 문 앞에서 멈춰 섰다.

방문은 활짝 열려 있었다. 밝은 불빛으로 환한 방 안은 내부가 잘 보였다. 케일 뒤로 따라오던 시종 론은 내부를 보고 살짝 미간을 찌푸렸다.

'……끔찍하군.'

론이 보기에도 조금 끔찍한 광경이었다.

"으윽, 으아아아!"

방 안에는 침대가 있었다. 그리고 그 위에서 소드 마스터 하나가 사지를 비틀며 괴로움을 담은 비명을 토해냈다. 사실 그녀인지 알아보기도 힘들었다.

"으아아아!"

온몸에 검은 핏줄이 터질 듯이 불거져 있었다. 코, 눈, 귀, 얼굴의 모든 구멍이라는 구멍에서 피가 흘러나오고 있었다. 동시에 검은 연기가 그녀의 몸에서 피어올랐다.

"아, 아―"

그녀는 쉰 목으로 비명을 질러댔다. 얼마나 비명을 참아냈는지 입술이 다 뜯어져 피가 흘렀고, 눈은 붉게 충혈되어 있었다.

"하나, 하나! 제발, 오, 신이시여!"

그런 하나의 침대 맡에는 기도조차 할 수 없는 성자가 눈물을 흘리고 있었다. 혹시 기도를 했다가 태양신의 힘 때문에 죽은 마나에 중독된 하나가 다칠까 봐 기도도 할 수 없었다.

"제발. 하나, 조금만 더 힘을! 제발!"

성자는 하나를 보며 간절히 말했다. 조금만 더 힘을 내면, 그러면 분명히 살길이 생기리라. 그는 그리 믿고 싶었다.

수십 개는 될 법한 최상급 포션 빈 병이 방 안을 나뒹굴고 있었다. 두 시간 전, 갑자기 하나는 발작을 시작했다. 아무리 최상급 포션을 써도 진정이 되지 않았다.

"으윽, 윽."

성자는 제 쪽으로 향한 붉게 충혈된 눈동자를, 동생을 보며 눈물을 흘렸다. 그의 눈도 붉게 물들어 있었다. 그는 미칠 것 같았다.

'정화를 하고 싶다.'

점점 검은 연기를 토해내는 동생을 보며 그는 오빠로서, 그리고 성자로서 끊임없이 부딪치고 있었다.

치유력만 가지고 있을 뿐이지만 성자로서, 동생을 정화시켜 죽은 마나와 어둠의 속성을 세상에서 지워 버리고 싶었다.

그렇게 되면 동생도 지워진다. 그걸 알기에 그는 제 두 손을 꽉 맞잡았다. 그는 그저 동생의 눈동자를 보며 간절히 말했다.

"하나, 조금만 더 버티면! 그러면!"

"그러면 괜찮아지지."

툭. 성자의 어깨 위에 손이 올라갔다. 그 손길과 동시에 성자는 깨달았다. 제 쪽을 향했다고 생각한 동생의 눈동자는 제 어깨 너머를 보고 있었다. 성자는 익숙한 목소리에 천천히 고개를 돌렸다.

케일 헤니투스였다. 그가 하나를 바라보며 말했다.

"잘 버텼다. 그리고 조금만 더 버텨라."

성자는 그 순간 안도의 숨을 토해낼 수 있었다. 하지만 그 숨을 토해내는 순간 심장을 꽉 움켜쥐는 압박감을 느꼈다. 성자의 시선이 케일 뒤를 향했다.

검은 로브와 한 여자. 두 존재를 보는 순간, 성자는 맞잡은 두 손이 덜덜 떨리기 시작했다. 그의 본능이, 태양신이 내려준 재능이 그에게 저자들의 정체를 알려주고 있었다.

'⋯⋯죽은 마나를 사용하는 인간. 그리고 다크엘프.'

태양신 교단에서만 살아야 했고, 살아온 그에게 가장 큰 적. 그 적들이 눈앞에 나타났다. 치유력밖에 없는 성자였지만 그는 극심한 충동에 휩싸였다.

'⋯⋯없애야 한다. 정화해야 한다.'

그의 신이 내려준 정의가 그를 휘감기 시작했다. 성자의 눈동자가 이전과 다른 의미로 붉게 물들어갔다.

꽈악.

그때, 그의 어깨를 잡은 손이 힘을 주었다. 신음이 흘러나올 정도로 아프게 어깨를 쥔 손에, 성자는 고개를 돌렸다.

케일과 눈이 마주쳤다. 케일은 성자에게 말했다.

"당신의 동생을 살리러 온 분들입니다. 위험을 무릅쓰고 왔습니다."

성자는 담담한 케일의 목소리가 들려왔다.

"하나 씨를, 네 동생을 살리고 싶지 않습니까?"

성자는 제 두 손을 꽉 맞잡았다. 그는 제 입술을 깨물며 천천히 자리에서 일어섰다. 그리고 뒤로 물러섰다. 메리와 타샤 쪽은 쳐다보지도 않고 물러서는 그의 온몸이 떨리고 있었다. 그는 케일에게 말했다.

"참을 수 있습니다."

태양신이 내려준 본능은 참을 수 있다. 성자는 오늘 케일이 처음으로 미소를 그리는 것을 볼 수 있었다.

"버티세요."

짧은 말을 남기고, 케일은 곧바로 메리와 타샤에게 지시했다.

"시작해."

"네."

"네."

두 존재는 곧바로 하나에게 다가갔다. 케일도 침대 가까이로 다가가 여전히 자신을 바라보는 하나를 향해 몸을 숙였다. 그리고 그녀가 잘 들을 수 있도록 귓가에 대고 말했다.

"하나."

지난 번 메리는 그에게 말했다.

'소드 마스터라서 가능해요.'

'죽은 마나를 완전히 제거하는 것은 불가능하지만 그 사람이 가진 오러라면 죽은 마나를 융합시킬 수 있을 거예요. 하지만 융합 후엔 어둠의 속성을 지니게 되고 지속적인 관리가 필요합니다. 후유증이 있을 수도 있습니다.'

'그래도 살 수 있습니다.'

'그 융합은 제가 합니다.'

케일은 하나에게 말했다.

"오러를 최대한 일으켜. 죽은 마나와 오러가 융합되도록 돕는 힘이 있을 거다. 그 힘이 만든 길을 따라가."

"으윽, 윽."

무언가 말하려는 듯 하나는 입을 움직였지만, 그 입에서는 피와 함께 검은 연기가 흘러나왔다. 케일은 그녀를 바라보다가 한마디를 더 건넸다.

"꼭 살자."

그 순간, 하나는 눈을 감았다. 그와 동시에 하나의 몸에서 금빛 오러가 서서히 피어오르기 시작했다.

걷어 올린 메리의 소매 사이, 검은 거미줄 같은 흉터가 가득한 그녀의 손에서 검은 기운이 피어올랐다. 타샤가 하나를 일으켜 앉혔고, 메리의 두 손이 하나의 등에 닿았다. 메리의 목소리가 빠르게 흘러나왔다.

"제가 이끄는 대로 오러를 일으키세요."

그와 동시에 다크엘프 타샤는 하나와 메리를 감싸는 검은 안개를 일으켰다.

케일은 뒤로 물러섰다. 이제 자신이 할 일은 없었다. 메리가 소매를 걷는 순간, 론과 빈은 이미 방 안에 있던 최상급 전사를 데리고 밖으로 나가 문을 닫아두었다.

케일은 방 한쪽 구석으로 시선을 돌렸다. 성자가 덜덜 떨면서 이쪽을 보고 있었다. 그 옆에 에르하벤이 팔짱을 낀 채 서 있었다.

─인간, 황금 용과 내가 이 성자 감시하겠다.

어둠의 속성이 아닌 에르하벤과 라온은 지금 딱히 할 일이 없었다. 케일도 마찬가지인지라, 그는 성자 쪽으로 걸어가 그 옆에 섰다. 성자를 사이에 두고 케일과 에르하벤이 서 있는 형태였다. 에르하벤이 나직이 내뱉는 목소리가 케일의 귓가에 닿았다.

"제대로 된 네크로맨서는 정말 오랜만에 보네."

방 안에는 점점 검은 기운이 가득 차고 있었다. 검은 기운 안에 죽은 마나 독이 담긴 것도 아닌지라, 케일은 별다른 감흥 없이 이를 바라봤으나, 그렇지 않은 존재가 하나 있었다.

"허억. 허억."

성자는 거칠게 숨을 몰아쉬고 있었다. 태양신 성자에게는 힘든 상황일 것이다. 케일은 그를 잠시 보다가 에르하벤을 보며 말했다.

"메리는 최후의 네크로맨서 죽음 뒤에 처음으로 탄생한 네크로맨서죠."

"그렇군. 여하튼 대단하네. 저렇게 다른 사람의 죽은 마나를 이끄는 건 본인한테도 괴로울 텐데."

케일은 에르하벤의 말에 성자가 멈칫하는 것을 볼 수 있었다. 정글로 오는 배에서 타샤는 케일에게 은밀히 다가와 말했다.

'융합 과정에서 메리가 제일 아플 거예요. 그 성녀보다 더 괴로울 겁니다. 하지만 메리가 강경하게 하고 싶다고 했어요.'

'그 아이의 선한 마음을 공자는 아실 거라고 생각합니다.'

케일의 입이 열렸다.

"저 네크로맨서, 메리는 가난한 부모와 함께 '죽음의 사막'을 넘어가다가 죽은 마나에 중독되어 가족도 잃고 홀로 살아남았습니다."

성자의 고개가 천천히 케일에게로 향했다.

"하지만 이미 중독된 상태라 살아남으려면 본인이 어둠의 속성을 지니는 수밖에 없었습니다. 그래서 네크로맨서가 되었지요. 그리고 그녀는 하나 씨를 살리려고 이곳에 왔습니다."

성자는 케일의 말이 천둥처럼 크게 들려왔다. 동시에 검은 로브의 여자가 외치는 목소리가 들려왔다.

"버티세요! 내 쪽으로 죽은 마나 기운을 다 밀어내는 겁니다."

그렇게 외치는 검은 로브 여자의 흉터 가득한 두 손이 심하게 떨리고 있었다. 다크엘프는 그 옆에서 검은 로브의 여자에게 검은 연기를 전해주고 있었다.

성자는 그 광경에서 시선을 떼지 못했다. 그에게 케일의 목소리가 들려왔다.

"성자님, 하나 씨도 어둠의 속성을 지닐 겁니다. 살아남으면요."

케일은 그것까지만 말하고 입을 다물었다.

하나의 비명과 메리의 외침, 그리고 타샤의 간절한 목소리. 그 모든 것들이 뒤엉킨 자리에서 작지만 또렷한 목소리가 케일의 귓가에 닿았다.

"……공자."

성자였다. 그는 케일에게 말했다.

"고맙습니다."

케일은 성자를 바라봤다. 성자는 애써 미소를 지어 보였다.

"저는 선의를 압니다."

그때, 케일과 성자 사이로 에르하벤의 목소리가 들려왔다.

"그게 성자다."

그 말이 성자의 심장을 두드렸다. 그는 두 눈을 감았다. 그리고 두 손을 꽉 맞잡았다. 손톱이 파고들어 피가 났지만 성자는 두 손을 풀지 않았다.

태양신이 내려준 정의. 그것보다 우선하는 것을 그는 이제 알았다. 그때 그의 손에 차가운 기운이 맴돌았다. 성자는 눈을 떴다. 두 손 위에 포션이 흐르고 있었다.

"참는 건 좋은데, 그렇다고 다치면 안 되잖습니까."

케일이 성자의 손 위에 포션을 붓고 있었다. 성자는 치밀어 오르는 감정을 꾹 눌렀다. 그는 고개를 숙이며 말했다.

"선은 다른 곳에 있는 게 아니었습니다."

아주 가까이. 가까이에 있었습니다.

성자는 비로소 자신이 선을 배웠다 생각했다. 그의 마음이 한결 편안해져 왔다. 케일은 성자가 괜찮아진 것 같아 보이자, 다시 하나와 메리 쪽을 바라봤다. 그 순간, 라온의 목소리가 머릿속에 울려 퍼졌다. 우물쭈물하는 목소리였다.

-인간, 미안하다.

'갑자기 뜬금없이 무슨 소리야?'

케일의 미간이 살짝 찌푸려졌다.

-나는 네가 그냥 치료만 한다면서 음흉하게 웃길래 거짓말인 줄 알았다. 인간, 역시 너는 착하다. 조금 이상할 때가 있어서 그렇지 기본적으로 심성이 곱다.

케일은 그 말을 무시했다.

─내가 잘못 생각했다. 그런데 인간, 저 소드 마스터는 낫겠지?

'당연하지.'

하나는, 가짜 성녀는 살려야 한다.

죽은 마나 폭탄에 중독되었지만 결국 그 어둠을 물리치고 살아나 금빛을 뿜어내는 성녀. 그리고 공격력만을 담당하는 성녀와는 반대로 치유력만을 지닌 선한 성자.

이 두 존재가 얼마나 태양신 신도들의 마음을 감동으로 가득 채우겠는가. 성자와 성녀는 진짜가 되어 제국의 근간을 뒤흔들 것이다. 메리의 목소리가 들려왔다.

"그래요. 그렇게 오러로 길을 만들면 돼요."

"힘내세요. 할 수 있습니다."

타샤의 외침이 뒤를 이었다.

케일은 '나올 수 없는 길' 동굴에서 본인이 소드 마스터 하나에게 했던 약속을 떠올렸다.

'널 살릴 수 있는 사람을 데려다줄 테니까 기다리고 있어.'

제국이든, 성자와 성녀든 그 모든 것들을 떠나서. 케일은 적어도 본인이 내뱉은 것은 지키는 사람이었다.

한 시간이 흘렀다.

치이이익─

불에 타는 것과 같은 소리가 방 안을 채웠다.

"으윽, 큭."

네크로맨서 메리의 입에서 신음 소리가 흘러나왔다.

'……저렇게 흉터가 생기는 거군.'

케일은 입술을 깨물었다.

-아프겠다.

라온의 침울한 목소리가 들려왔다. 그 대상은 메리뿐만 아니라 하나도 함께 포함하고 있었다. 하나의 온몸에 터질 것같이 붉어졌던 검은 핏줄이 서서히 가라앉고 있었다. 옷 밖으로 드러난 팔과 얼굴, 목, 종아리, 모든 곳의 핏줄이 진정되고 있었다.

그러나 그 자리에 검은 거미줄과 같은 선들이 서서히 퍼지며, 그녀의 몸에 새겨지고 있었다. 징그러웠다. 흉측했다. 마치 메마른 대지가 쩍쩍 갈라진 모양처럼, 피부 위에 검은 줄들이 끊임없이 새겨지고 있었다.

"……하나."

성자는 그 모습을 눈을 부릅뜬 채 바라봤다.

"끄으, 으."

하나의 몸이 순간 앞으로 고꾸라지려 했다. 놀란 타샤가 하나의 몸을 잡았다. 감겨 있던 하나의 눈이 살짝 뜨였다. 그녀의 눈동자는 초점이 없었다.

"저, 정신-"

메리는 입을 열어 말하려고 했지만, 그녀의 온몸도 떨리고 있어 제대로 말을 하지 못했다. 그녀도 힘에 부쳐 보였다.

치이이익-

하나의 등에 닿아 있는 메리의 두 손은 죽은 마나가 흘러갈 통로를 만들어주는 동시에, 하나의 몸에서 흘러나오는 검은 연기를 흡수하고 있었다.

치이익―

메리의 두 손은 거뭇하게 물들어 타고 있었다. 한 시간 동안 타인의 몸에 죽은 마나가 다닐 통로를 만드는 것. 그것은 어려운 일이었다. 인간 중 유일하게 죽은 마나가 지나가는 통로를 지니고, 알고 있는 메리. 그녀만이 할 수 있는 일이었다. 그때, 목소리가 울려 퍼졌다.

"하나."

어느새 케일은 침대 맡으로 다가가 있었다. 그는 초점이 없는 하나의 눈동자를 보며 말했다.

"정신 차려."

하나의 손가락이 살짝 꿈틀거렸다. 아직 하나는 자신의 몸에서 흘러나오는 금빛 오러를 거두지 않았다. 완전히 정신을 잃은 것은 아니었다.

"……공자."

다크엘프 타샤는 하나를 바라보는 케일의 모습을 바라보며 입술을 깨물었다.

어둠의 속성을 지닌 엘프인 자신은 지금 하나가 통로를 만드는 일을 도울 수 없었다. 도울 수 있었다면 메리가 죽은 마나에 중독되었을 때 진즉 도왔을 것이다. 직접 도울 수 없으니, 어릴 적 메리에게도 책을 건네 그녀가 네크로맨서를 선택할 수 있게 길을 제시해 줬을 뿐이었다.

"하나, 널 지키는 건 너다."

케일의 말에 쓰러지려는 하나를 잡고 있던 타샤의 손에 힘이 들어갔다. 살리고 싶다. 태양신 교단이라 꺼림칙했던 이 여자를 살리고 싶다.

"아."

그때, 타샤의 입에서 탄성이 흘러나왔다.

하나가 눈을 감았다. 그러나 눈을 감기 전, 그 눈동자엔 또렷한 중심이 잡혀 있었다.

우우우우웅–

타샤는 저도 모르게 하나를 잡고 있던 손을 놓았다. 하나의 몸에서 울림이 흘러나왔다.

하나는 다시 꼿꼿이 앉았다. 다 뜯겨진 거친 입술에서 밭은 숨과 함께 목소리가 흘러나왔다.

"……안 죽어."

케일은 입가에 미소를 그렸다. 그는 다시 뒤로 물러섰다.

그 순간.

파아앗!

마치 생애 마지막 불꽃처럼, 눈을 시리게 만드는 금빛이 하나의 몸에서 뿜어져 나왔다. 케일은 에르하벤의 목소리가 들렸다.

"진짜 목숨을 내놓았군."

하나는 가진 모든 것, 목숨까지 내걸고서 마지막 힘을 쏟아내기 시작했다. 케일의 귓가로 메리의 목소리가 들려왔다.

"흐, 하하–"

신음 소리와 뒤섞인 작은 웃음소리였다. 케일은 검은 로브에 감싸여 아무것도 보이지 않았지만, 메리가 기뻐하고 있음을 깨달았다. 모든 힘을 쏟아내는 하나를 보며 메리는 기뻤다. 그에 응하듯 메리의 손에서 타는 소리가 더 강하게 들려왔다.

치이이익–

소름 끼치는 소리였다. 동시에 검은 연기가 메리와 하나 두 사람에게서 더 많이 흘러나왔다. 하지만 케일은 입가의 미소를 지우지 않았다.

'살았어.'

그런 감이 왔다.

하나는 산다.

자신의 감은 틀린 적이 별로 없었다. 케일은 황금빛과 검은 연기, 둘이 뒤섞여 제대로 보이지 않는 침대 쪽을 가만히 응시했다. 그는 옆에 선 성자의 어깨 위로 손을 올렸다.

"흐흑, 윽."

케일은 성자의 어깨를 두드려 주었다.

'참 마음이 약하단 말이야.'

성자도 느낀 것이다. 지금 동생은 고비를 넘기 위해 노력하고 있음을. 그리고 그 고비를 넘을 거라는 것을. 가족이기에 더 선명히 느꼈다.

"감사합니다, 감사합니다."

성자는 누구를 향한지도 모를 감사 인사를 계속해서 내뱉었다. 마치 그 인사가 기도 같았다. 케일은 인사를 들으며 치료가 끝날 때까지 지켜보았다.

마침내 다시 한 시간이 더 흘렀을 때. 케일은 자신을 보며 일어서는 검은 로브를 볼 수 있었다.

"······살았습니다."

하나는 한결 편안해진 안색으로 침대에 누워 있었다. 케일은 메리의 말에 고개를 가로저었다. 그 행동에 침대에서 일어서 케일 쪽으로 다가오던 메리가 멈칫했다. 그때, 케일의 목소리가 그녀에게 향했다.

"메리, 네가 살렸다."

검은 로브 속, 아무도 볼 수 없는 메리의 입가에 미소가 서렸다. 그와 동시에 타샤의 놀란 목소리가 울려 퍼졌다.

"메리!"

메리는 자신의 몸이 기울어지는 것을 느꼈다. 온몸에 힘이 하나도 없었다. 하지만 그녀는 제 몸이 쓰러지지 않았음을 깨달았다. 누군가 쓰러지려는 그녀를 품에 안았다.

툭. 툭. 검은 로브 위를 쓰다듬는 손길이 느껴졌다.

"고생했다. 푹 쉬어."

케일의 목소리에 메리는 망설임 없이 눈을 감았다.

살렸다. 그 단어를 마지막으로 메리는 정신을 잃었다. 케일은 제 품에 안긴 검은 로브를 물끄러미 바라봤다. 잽싸게 앞으로 나가서 쓰러지려는 것을 막기는 했는데.

'······들지는 못할 것 같은데.'

메리를 들기에는 케일 자신의 근력 상태가 그렇게 좋지 못했다. 두 시간 내내 서 있어서 다리도 아팠다. 케일은 슬그머니 시선을 돌렸다. 타샤와 눈이 마주쳤다. 메리를 향해 달려오던 그녀는 멍하니 서 있었다. 케일은 그녀를 보며 입을 열었다.

"타샤."

"네, 네?"

"바람의 정령으로 메리 옮길 수 있지?"

"아, 네."

타샤는 고개를 끄덕였다. 바람의 정령이면 메리 정도는 운반할 수 있었다. 타샤는 자신의 대답에 미소 짓는 케일을 볼 수 있었다. 그는 제 품 안의 메리를 턱으로 가리키며 타샤에게 말했다.

"옮겨."

케일은 옮길 힘이 없었다.

그렇게 치료가 끝난 후 두 명이 정신을 잃었다. 하지만 모두 살았음은 틀림없었다.

"공자님."

케일은 조심스럽게 저를 부르는 목소리에 시선을 돌렸다.

"네, 성자님."

성자가 케일의 대답에 잠시 머뭇거렸다. 하지만 그는 침대에 곤히 잠들어 누워 있는 하나의 얼굴을 보고는 망설임을 지우며 케일에게 물었다.

"그, 네크로맨서분은 괜찮으실까요?"

"네. 괜찮을 겁니다. 타샤 씨가 돌봐줄 테니까요."

"……다행, 정말로 다행입니다."

두 손을 맞잡으며 환하게 미소 짓는 성자의 모습은 실로 성자의 성스러움이 보이는 듯했다. 하지만 이내 그의 입가에는 쓸쓸한 미소가 어렸다.

성자는 동생 하나를 바라봤다. 방 안에는 그와 하나, 잠시 살피러 온 케일만이 있었다.

치료를 진행했던 곳은 난장판이 되어버린 바람에, 하나는 그 옆의 방으로 옮겨져 현재까지 잠들어 있었다. 성자는 정신없던 순간이 지나고 밝은 빛 아래 살아 있는 동생을 마주하자, 감격이 밀려옴과 동시에 앞으로의 고난이 떠올랐다.

하나의 얼굴에는 검은 거미줄 흉터가 자리하고 있었다. 누가 보아도 죽은 마나 중독에서 살아남은 이였다.

'제국을 피해 도망쳐도, 결국에는 사람들 없는 곳에서 살아야 하나.'

교단을 벗어나니 제국이 있었고, 제국을 벗어나면 이젠 사람을 피해 다녀야 했다. 그는 저도 모르게 흘러나오는 한탄을 삼킬 수가 없었다.

"……앞으로도 고난이 많을 것 같습니다."

"그렇게 생각하십니까?"

케일의 물음에 성자는 고개를 끄덕였다. 하지만 풀 죽은 목소리는 아니었다.

"네, 어둠의 속성이나 죽은 마나에 대한 사람들의 혐오감이 심하니까요. 그렇지만 제가 이제 동생을 지켜야지요."

세상의 핍박을 피해 숨어 다녀야 한다면, 이제 자신이 하나를 지킬 것이고 숨겨줄 것이다. 성자의 입가에 쓸쓸함과 기쁨이 뒤섞인 미소가 그려졌다.

"하나의 흉터를 보면 사람들이 속성에 대해 알아차릴 테고 평생을 숨어 다녀야겠지만, 그래도 살았으니 그것으로 된 것 아니겠습니까."

"왜 숨어 삽니까?"

"……네?"

순간 성자는 자신이 케일의 말을 제대로 못 들은 줄 알았다. 그는 하나에게서 시선을 돌려 케일을 바라봤다. 케일은 담담한 얼굴이었지만, 그의 머릿속으로 라온이 말하고 있었다.

─인간, 저 소드 마스터 깨어난 것 같은데?

케일은 가뿐히 그 말을 흘려들으며 제 할 말을 이어갔다.

"죽은 마나는 인간에게 치명적인 독이지요. 그걸 이겨내고 살아남았다는 것은 인간이 만들 수 있는 기적 아니겠습니까."

성자는 하나를 바라보는 케일의 눈빛이 평소와 같음을 느낄 수 있었다. 그래서 순간 이런 생각이 들었다.

'케일 공자니까 네크로맨서와 함께할 수 있는 건가?'

다크엘프, 네크로맨서, 그리고 인공 팔을 단 시종, 모두를 거느린 케일이 새삼 크게 다가왔다. 여전히 케일의 말은 이어지고 있었다.

"원래 역경을 거친 사람일수록 손이 거칠지 않습니까. 이 흉터 또한 그런 거친 흉터일 뿐이라 생각합니다만."

"아."

성자의 입에서 탄성이 흘러나왔다.

"언젠가 사람들은, 세상은 그 역경을 이겨낸 사람들을 알아보고 박수 쳐주지 않을까요? 성자님이 메리에게 고마워하듯이 말입니다."

성자는 마음이 쿵 하고 크게 울리는 것 같은 기분이 들었다. 그는 태양신이 본능에 새겨준 가르침을 어기며 메리를 정화하지 않았고, 그녀에게 고마운 마음을 품었다.

그것은 알기 때문이었다. 메리가 어떻게 죽은 마나에 중독되고 어떠한 힘든 과정 속에서 살아남았는지. 그렇게 살아남았음에도 타인을 살리기 위해 고통을 참았다는 것을 그는 알았다.

태양신은 신도들에게 말했다.

선은 환한 빛과 같다고.

아무리 인간이 어둠 속을 헤매고 있어도 빛 한 줌이 있다면 살아갈 수 있다고.

그저 반쪽짜리 성자로 정해져 교단 안에서 살아가던 성자, 잭. 성자의 머릿속에만 있던 교리가 인간 잭의 마음에 와닿았다.

"공자, 어둠의 속성에 물든다고 해서 그 사람에게 선이 없을 리 없고, 그렇다면 그 사람도 빛나는 것이지요?"

잭은 케일이 답해주길 원했다. 그리고 케일은 기꺼이 그에게 답해주었다.

"성자님, 곧 그 사실을 알아주는 세상이 올 겁니다."

케일의 머릿속으로 라온의 목소리가 들려왔다.

─인간, 봐라! 저 소드 마스터 눈썹이 파르르르 떨린다! 깨어나려는 게 맞았다. 역시 나는 위대하다!

이를 무시하며 케일은 성자에게 말을 이었다.

"우리가 노력하면 그런 세상이 오리라 저는 생각합니다."

"맞아요, 맞습니다."

성자 잭은 고개를 끄덕였다. 그의 마음속에 강한 의지가 가득 채워졌다.

"꼭 그런 세상이 오도록 노력할 겁니다. 하나와 네크로맨서 님, 모두가 그저 어둠의 속성을 지녔을 뿐. 그들도 사람이고 선하게 빛나는 존재라는 것을 사람들이 아는 세상이 오도록. 정말 노력할 겁니다."

성자 잭은 케일이 미소 짓는 것을 볼 수 있었다.

케일은 성자 잭의 어깨 너머 침대를 응시했다. 소드 마스터 하나. 그녀가 눈을 뜨고 있었다. 마침내 눈을 뜬 그녀는 케일과 눈이 마주쳤다. 케일은 그녀를 보며 입을 열었다.

"역경을 이겨낸 이들은 박수 받아야 하죠. 최후까지 살아남은 자는 그럴 자격이 있습니다."

최후까지 살아남는 자. 그 말의 의미를 하나는 제대로 알아들었다.

힘겹게, 하지만 망설임 없이 하나는 케일을 보며 미소를 지었다. 그 미소는 전혀 따스하지 않았다. 살아남았다는 기쁨과 함께 독기, 복수심이 담겨 있었다.

"맞습니다. 정말, 케일 공자는 생각이 깊으십니다!"

케일은 마음이 벅차오른 듯한 성자의 말에 그저 겸손한 미소를 지어 보였다. 그는 진짜가 된 성자와 목적을 잊지 않은 가짜 성녀를 보며 생각했다.

'제국 뒤통수 칠 거 하나는 준비했네.'

제국을 뒤흔들 쇼를 위한 준비가 끝났다.

하지만 쇼는 아직 머나먼 이야기였고, 그 앞엔 산재한 문제들이 많았다.

'물론 내가 해결할 문제는 아니지.'

케일은 여유롭게 정글 특산품이라 불리는 차를 한 모금 머금었다.

현재 케일은 정글의 왕 리타나와 함께 차를 마시며 대화 중이었다. 케일이 찻잔을 차탁에 내려놓는 순간, 리타나가 입을 열었다.

"성자에게 받은 정보에 따르면 연금술 종탑에서 진행하는 연구 중엔 전쟁용과 살상용이 많았어요."

리타나는 종탑에 대해 말하면서 얼굴 가득 혐오감을 드러냈다. 케일은 그 혐오감이 무엇을 뜻하는지 어림짐작이 되었다. 그의 입이 열렸다.

"그런 연구를 하려면 실험을 많이 해야 할 텐데요."

케일이 슬쩍 건네는 말에 리타나는 고개를 끄덕이며 차를 벌컥벌컥 마셨다. 뜨거울 텐데. 케일은 리타나의 입천장이 괜찮을까 생각했다.

탕!

하지만 유리 테이블 위에 거칠게 찻잔을 내려놓은 리타나의 모습에 그냥 아무 말도 하지 않았다. 리타나의 검은 눈동자 가득 분노가 들어차 있었다.

"용서할 수가 없어요. 어떻게 그렇게 많은 동물들과 사람들을 잔혹하게 죽일 수가 있나요!"

케일은 화가 난 리타나를 보며 다시 차를 한 모금 더 마셨다.

연금술이든 마법이든, 전쟁용이나 살상용일 때에는 실험이 불가피하게 이루어져야 한다. 그리고 그 실험은 대부분 몬스터라 칭하는 괴물들 중 인간과 비슷한 종족이 대상이었다.

케일이 보기엔 그것도 썩 좋은 방식이 아니었지만, 이번 연금술 종탑에 대한 정보는 그 방식을 뛰어넘는 잔혹함으로 가득 차 있었다.

제국은 아직 노예 제도를 유지하는 몇몇 국가 중 하나다. 당연히 실험용으로 쓰인 것은 노예들이었다. 또한 동물들도 많이 죽었다. 그렇기에 노예도 없고 동물과 벗을 이루는 정글에서는 분노할 수밖에 없는 내용이었다.

"공자가 보기에도 정말 잔혹하지 않나요?"

"그렇죠."

"맞아요. 그러니 구해야죠."

순간 케일은 찻잔을 든 그대로 멈춰선 채 리타나를 쳐다봤다. 왠지 모르게 그녀의 뜨거운 눈빛에 뒤통수가 서늘해져 왔다.

"공자, 나는 제국 황실과 연금술 종탑에 악감정이 있어요."

정글 1구역을 불태운 것은 황태자와 연금술의 합작이었다.

"하지만 제국의 땅을 노릴 생각도 없고, 제국민들을 죽이고 싶지도 않아요. 그 대가리, 아니, 음음, 여하튼 우두머리만 없애고 싶을 뿐이에요. 그리고 그런 연구를 막고요."

"……이걸 알베르 왕세자 저하께 전달하면 되는 겁니까?"

리타나는 씨익 웃으며 고개를 끄덕였다.

"네. 우리 쪽 의견은 그렇다고 왕세자 저하께 전달 부탁드려요."

케일은 고개를 끄덕였다.

현재 로운 왕국이 중심이 되어 각 왕국들을 연결하고 있었다. 그럴 수밖에 없었다. 아직 케일과 왕세자를 제외하면 지금 이 대륙 형세에 대해 정확하게 아는 이가 없었다.

위퍼, 브렉, 정글. 세 곳은 제국과 북 3국이 협력 관계라는 사실만 알고 있었다. 그 사이에 '암'을 전투단으로 둔 비밀 단체가 존재한다는 것은 오로지 케일과 왕세자 알베르 측의 사람들만이 알고 있었다. 그리고 이 비밀 단체의 존재는 회담 자리에서 밝힐 예정이었다.

케일은 고개를 끄덕이며 찻잔을 내려놨다.

"그렇게 전달하죠. 그런데 리나 씨."

"네."

케일이 찻잔을 내려둔 두 손으로 깍지를 끼며 진지한 얼굴을 했다. 덩달아 리타나도 굳은 얼굴로 그를 바라봤다. 케일의 입이 열렸다.

"이왕이면 아예 종탑을 박살 내버리면 좋지 않을까요?"

"……네?"

"아. 박살이라는 단어는 너무 과격했군요. 무너뜨린다는 말로 바꾸죠."

"네?"

리타나는 순간 잘 이해가 되지 않아 케일을 쳐다봤다. 그는 태평한 목소리로 이어 말했다.

"그냥, 그들의 잔혹함에 그런 생각이 들더군요. 리나 씨도 그런 심정 아닙니까?"

"……그렇죠? 하지만 그게 쉬운 일이 아니니까요."

종탑은 말이 종탑이지, 꼭대기 지붕의 거대한 종을 빼면 마탑보다 더 공략하기 어려워 난공불락의 요새나 다름없었다. 케일은 리타나의 말에 동의를 표했다.

"맞습니다. 쉬운 일이 아니죠."

리타나는 기분이 조금 묘했지만 담담하게 수긍하는 케일의 모습에 다시 찻잔을 쥐며 대화를 이어나갔다.

"몇백 년을 이어온 종탑을 부수는 건 힘들 것 같아요. 그렇게 할 수만 있다면 좋지만요."

"그러네요."

케일은 리타나의 말에 맞장구를 치며 생각했다.

'종탑 부술 때, 정글의 전사도 몇 명 데리고 갈 수 있겠는데.'

이미 케일은 종탑을 박살 낼 생각을 하고 있었다. 그래야만 했다. 그래야 제국을 이루는 기둥이 하나 사라진다.

제국은 연금술과 태양신 교단이 두 기둥이고, 황실이 지붕이라 할 수 있었다. 현재 사람들은 제국의 기둥 중 하나인 태양신 교단이 무너지는 중이라고 말했다. 하지만 케일은 종탑을 무너뜨리며 새로운 기둥을 하나 세울 작정이었다.

바로, 새로운 태양신 교단이었다.

'아니, 기둥보다는 아예 토대라고 보면 더 맞겠네.'

기둥이 세워지는 땅. 그 땅을 새로이 만들면 어떨까 싶었다. 하지만 그 일은 케일이 할 일이 아니었다. 그는 그저 종탑을 남들이 부수게 시키고, 그 뒤에는 방관할 작정이었다. 그러려고 지금 사서 고생 중이었다. 그 고생 중 하나가 리타나의 입에서 흘러나왔다.

"그러면 공자가 성자와 성녀를 보살펴 주시는 건가요?"

케일은 리타나에게 성자와 성녀를 자신이 데리고 가겠다고 말한 상태였다.

"네. 리나 씨가 괜찮으시다면 그러고 싶습니다."

"저야 상관없어요."

진짜 성녀와 성자라면 후에 제국을 압박할 때 도움이 되겠지만 가짜 성녀에, 반쪽짜리 성자다. 리타나는 이미 성자에게 정보도 다 넘겨받은 터라 딱히 둘을 곁에 둘 이유가 없었다.

"그럼, 제가 데리고 가겠습니다."

리타나는 짐덩이, 어쩌면 시한폭탄과 같은 쌍둥이를 떠안으려는 케일을 가만히 바라봤다. 케일은 부드러운 미소를 지어 보였다.

"그리고 검은 로브는. 아시죠?"

"알아요. 비밀은 철저히 지켜야죠."

알베르 왕세자는 리타나에게 죽은 마나 폭탄에 대응할 존재가 있다고 말했었다. 그 존재를 케일이 데려왔고, 이는 당연히 극비로 리타나도 빈과 직속 수하인 전사 몇을 제외하고는 어느 누구에게도 말하지 않았다. 리타나는 빈 찻잔을 보며 자리에서 일어섰다.

"이제 그만 일어나죠."

케일도 더 할 얘기가 없었기에 뒤따라 일어섰다.

"공자, 바로 떠날 건가요?"

"성녀가 괜찮아지는 대로 최대한 빨리 이동하려고 합니다."

리타나는 그 대답에 이럴 줄 알았다는 듯 고개를 끄덕이며 웃었다.

"그래요. 공자 곁이라면 그녀도 얼른 나을 것 같고."

최고의 복수를 할 수 있을 것 같아요.

리타나는 뒷말을 삼켰다. 케일이 말하던 최고의 복수. 행복하게 사는 것. 그것을 케일이라면 쌍둥이에게 알려줄 것 같았다.

'사람이 어찌 이렇게 늘 남을 먼저 생각할 수가 있지.'

그녀는 케일처럼 살 자신이 없었다. 대신에 자신의 자리에서 할 수 있는 최선을 다하고자 했다.

"공자, 나중에 해안가까지 호위는 제가 책임질게요."

"네, 감사합니다."

케일은 리타나의 호의에 굳이 안 따라와도 된다고 말하고 싶었으나, 귀찮아질 것 같아 그러려니 호의를 받아들였다.

'용이 두 마린데.'

호위가 필요 없는 케일의 전력이었다.

덜컹. 덜컹.

흙길을 지날 때마다 마차가 덜컹거렸다. 마차 한 대가 해리스 마을로 향하고 있었다.

달칵. 마부석 쪽의 창문이 열렸다. 마부 역을 하고 있는 론의 얼굴이 나타났다.

"도련님, 며칠 새 비가 내려서 그런지 해리스 마을로 가는 길이 조금 험하니, 이해 부탁드립니다."

"소파가 푹신해서 괜찮아."

케일은 대답하며 주위를 둘러보았다. 그의 맞은편에 에르하벤이 다리를 꼰 채로 창밖을 내다보고 있었다. 마차의 지붕에는 타샤가 앉아 있었다. 마차 자리도 비좁고 도저히 용 두 마리와 함께 타기 버겁다는 이유였다.

그리고 에르하벤과 케일 자신의 옆. 그곳은 케일 눈에 난장판이었다.

우선 소드 마스터 하나는 꽤 넓은 자리를 차지한 채 마차 좌석에 기대어 앉아 있었다. 그녀는 하얀 로브를 뒤집어쓴 채 메리와 손을 잡고 있었다. 두 여자 옆에 성자 잭, 라온이 있었다. 검은 용이 말했다.

"성자야, 너도 어둠의 숲에 가본 적이 없느냐?"

어디 황제가 신하를 대하는 말투였다. 성자 잭은 공손히 답했다.

"네, 드래곤님. 저는 제국 수도 밖도 이번에 도망 나올 때 처음 나와봐서."

"그렇구나! 내가 구경시켜 준다! 마을 구경도 시켜준다!"

가만히 있던 메리가 대화에 참여했다.

"저도 세상 구경을 못 하다가 드래곤님이 시켜주셨습니다. 세상은 좋은 곳이 많습니다."

메리도 그렇고 성자도 그렇고. 세상살이 모르는 맹한 두 사람은 어째 라온과 쿵짝이 잘 맞았다. 속으로 혀를 차며 이 광경을 보던 케일과 잭의 시선이 부딪쳤다. 잭은 케일에게 고개를 숙여 보였다. 그는 두 손을 붕대로 꼼꼼하게 감싸고 있었다.

케일은 성자와 성녀를 짱돌 동굴에 데려가야 하는 만큼, 그들에게 제 일행을 소개시켜 주었다. 그 일행 안에는 용이 두 마리 있었다. 그때 성자는 아주 감격한 목소리로 케일에게 말했다.

'역시 깊은 뜻을 지니신 분 곁에는 빛이 함께하는 것 같습니다.'

케일로서는 썩 달갑지 않은 반응이었다. 반면에 성녀는 꽤 마음에 드는 반응을 보였다.

'잘됐네. 제대로 할 수 있겠어.'

뭘 제대로 할 수 있는지 묻지 않아도 뻔했다. 하나가 용이 두 마리라는 소리에 어찌나 기뻐하던지. 그녀는 분명 복수할 생각에 들떠 있었다. 차라리 그런 반응이 속 편한 케일이었다.

"후우."

케일은 순간 한숨 소리가 들려오길래 모르는 새 자신이 내뱉은 줄 알았다.

하지만 아니었다. 골드 드래곤 에르하벤이 라온을 빤히 쳐다보더니 다시 창밖으로 시선을 돌렸다. 그는 창밖을 보며 중얼거렸다.

"내 참, 용이 가이드 하는 건 용생 처음 보네. 말세다, 말세야."

요즘 에르하벤은 말세를 그렇게 찾아댔다. 케일은 익숙해졌기에 그러려니 하며 소파에 등을 기댔다. 지하 별장에 도착하기 전까지 푹 쉬는 쪽을 택한 그였다.

얼마 지나지 않아 지하 공동에 도착한 케일은 새로운 일행을 데리고 들어갔다. 저택에 남아 있던 이들이 다가와 귀환을 반겼다. 하지만 성자와 성녀를 바라보는 눈빛은 마냥 반가움만을 담고 있지 않았다. 케일은 동료들의 표정을 살폈다.

"오, 새 식구분들이군요!"

아무것도 모르는 부집사 한스만이 밝았고, 늑대족 아이들은 비크로스와 론의 눈치를 봤다. 비크로스가 먼저 입을 열었다.

"식사 준비를 두 명 더 늘려야겠습니다."

비크로스가 넘어가자 늑대족 아이들은 몸에 맺혀 있던 긴장감을 풀었다. 케일의 시선은 최한과 로잘린에게로 향했다. 최한은 담담하게 먼 곳을 쳐다봤고, 로잘린은 케일과 눈이 마주치자 미소를 그렸다.

로잘린과 소드 마스터 하나. 둘은 바다 위에서 이미 한 번 싸웠다. 케일은 두 사람이 싸우면서 나눴던 대화를 떠올렸다.

'이야, 이 언니 너무 강한데?'

'그렇지? 내가 조금 강한 마법사란다.'

'……언니 말고 마법사가 또 있나 봐?'

'우린 비밀 단체라니까?'

금빛 오러가 쏟아지고 마법이 날아다니던 광경이 케일의 머릿속에 선명하게 그려졌다. 케일은 로잘린의 미소에 괜히 어색한 미소를 그렸다.

그때, 하얀 로브가 앞으로 나섰다. 사르르륵. 소드 마스터 하나는 후드를 벗어 내렸다.

"음."

"아."

검은 거미줄 같은 흉터로 뒤덮인 하나의 얼굴이 드러났다. 몇몇 이들은 침음을 흘렸다. 하나는 이를 보며 고개를 숙였다.

"잘 부탁드립니다."

그런 그녀의 앞에 손이 나타났다. 하나는 고개를 들었다. 로잘린이 손을 내밀고 있었다. 하나는 손을 내밀다가 자신의 흉측한 손을 보고 멈칫했다. 그러나 그 손을 다른 손이 냉큼 잡았다. 역시 로잘린이었다. 그녀는 하나에게 말했다.

"환영해요."

로잘린과 케일의 시선이 부딪쳤다. 케일은 로잘린에게 고개를 끄덕여 보였다. 역시 로잘린은 제 뜻을 가장 잘 알아주는 이였다. 케일은 앞으로 나서며 자신을 쳐다보는 동료들에게 말했다.

"피곤하니 일단 쉬자."

일단은 피곤하니 드러눕고 싶었다.

몇 주가 흘렀다.

열대야라는 말이 어울릴 만큼 여름의 절정이 지나가고 있을 때. 케일은 제 바람대로 대리석 위에 드러누워 있었다.

'돌 위가 시원해.'

넓은 5층. 케일은 카펫을 치우고 차가운 대리석 위에서 한가로이 여유를 즐기고 있었다.

"으아아악!"

"우아아!"

여전히 기운 넘치는 목소리가 창을 넘어 실내로 흘러들어 왔다. 현재 훈련이 한창이었다. 물론 케일 자신과는 상관없는 이야기였다.

톡. 톡. 케일은 포도를 하나씩 떼어 먹으며, 심드렁하게 중얼거렸다.

"연락이 올 때가 됐는데."

그 순간, 대리석과는 비교할 수 없는 서늘함이 케일의 뒷목에 내려앉았다. 그의 시선이 곧바로 책상 위로 향했다. 때마침 영상통신구가 붉게 빛나고 있었다.

왕세자다. 저건 알베르의 연락이라는 소리였다.

"하아."

케일은 몸을 일으켰다. 올 줄 알았던 연락이었다. 지금까지 이때를 대비해 뒹굴며 에너지를 모으고 있었다. 이제 그 에너지를 써야 할 때였다.

케일은 영상통신구 연결을 위해 5층 문으로 향했다. 라온이나 로잘린을 불러오기 위함이었다. 하지만 그럴 필요가 없었다.

끼이이익. 힘없는 소리와 함께 문이 열리며 라온이 들어오고 있었다.

"라-"

"말 시키지 마라."

"음?"

케일은 멈칫했다. 날아 들어오는 라온의 어깨가 축 처져 있었다. 날갯짓은 힘이 없었다. 눈꼬리가 아래로 축 내려가 있었다. 라온은 앞발과 뒷발을 힘없이 늘어뜨린 채 둥둥 날아가고 있었다.

'왜 저래?'

케일은 라온의 저런 모습을 처음 보았다. 방으로 한 사람이 더 들어섰다. 아니, 한 용이 더 들어섰다.

"에르하벤 님."

골드 드래곤 에르하벤이었다. 그는 라온을 힐끗 보다가 케일을 보며 입을 열었다.

"크흠, 큼. 내가 가르쳐서 이런 말을 하는 게 아니다."

"네?"

"쟤 꽤 똑똑해. 세 달 배울 걸 한 달 만에 배울 정도야."

갑자기 무슨 소린가.

케일은 에르하벤의 뜬금없는 소리와 라온의 풀 죽은 모습이 잘 이해되지 않았다. 그의 의문 어린 표정은 보이지도 않는다는 듯, 에르하벤은 제 할 말을 했다. 그 역시도 의문 어린 표정이었다.

"그런데 안 커."

"……네?"

이건 또 무슨 소린가?

의아해하는 케일에게 에르하벤은 도통 이해할 수 없다는 듯 말했다.

"1차 성장을 안 해."

케일의 눈썹이 살짝 들썩였다.

"할 때가 됐는데. 왜 저렇지? 빨리 그릇을 만들어놔야 덩치도 크고 그럴 텐데."

케일은 비로소 현 사태의 원인을 에르하벤의 말을 통해 이해할 수 있었다. 그는 고개를 돌려 라온을 쳐다봤다. 라온과 눈이 마주쳤다.

"……인간, 말 시키지 마라."

그러고선 라온은 침대 이불 속으로 꾸물꾸물 기어들어 갔다.

"……난 위대하니까 내 할 일은 한다."

그러면서 영상통신구는 연결해 줬다.

케일은 영상통신구가 라온의 마법으로 푸른빛을 띠며 왕세자를 연결하는 것을 보다가 침대 위로 시선을 돌렸다. 라온 크기만큼 이불 중간이 동그랗게 불퉁 튀어나왔다.

에르하벤은 한숨과 함께 방을 나갔고, 케일은 침대와 꽤 떨어져 있는 영상통신구 위에 떠오른 왕세자의 얼굴을 볼 수 있었다. 왕세자는 케일을 보자마자 툭 내뱉었다.

-표정이 왜 그래? 더위 먹었나?

31장
한밤중에

31장
한밤중에

"저하를 뵈어서 반가운 마음에 이런 표정이 나왔나 봅니다."

케일은 영상통신구 앞 소파에 앉으며 말했다.

−그런 소리를 하는 걸로 봐서는 제정신이군.

케일은 왕세자 알베르의 퉁명스러운 말에도 신경 하나 쓰지 않았다. 대신 알베르의 안색을 자세히 살폈다. 그의 안색은 꽤 좋지 못했다. 그렇다고 전형적인 왕자와 같은 금발 머릿결과 푸른 눈동자의 빛이 바랜 것은 아니었으나, 상당히 피곤해 보였다.

"피곤하신가 봅니다."

−돕겠나?

"약을 지어 보내겠습니다."

알베르는 그 대답에 코웃음을 흘렸다. 그는 손을 들어 눈가를 매만졌다.

현재 로운 왕국 안의 권력 구조는 1년 전과 비교해 상당히 달라져 있었다. 서북 지역의 스텐 후작가가 이제는 3왕자가 아닌 알베르를 지지하게 되었고, 동북 지역 역시 대다수가 알베르를 지지했다.

또한 동북부 해안에 건설 중인 해군 기지가 알베르의 손으로 이루어낸 일이니, 상당수의 권력이 알베르 쪽으로 향하고 있었다. 그리고 국왕을 비롯한 왕실 수뇌부 몇몇은 알베르가 위퍼 왕국의 마법사들을 데려와 제 편에 두었음을 알고 있었다.

'또 이번 회담도 내 손으로 이뤄냈지.'

로운, 브렉, 위퍼, 정글. 네 왕국을 모은 이도 왕세자 알베르였다. 알베르는 서서히 왕국의 권력이 자신의 손안으로 들어오고 있음을 느꼈다.

그리고 그래야만 한다.

'똘똘 뭉쳐야 이겨.'

전쟁과 혼돈에서 살아남으려면 하나가 되어야 한다. 그러기 위한 단계들을 알베르는 차근차근 밟아가는 중이었다.

그래서 신기했다. 알베르의 시선이 케일에게로 향했다.

'다 이놈 덕분이란 말이지.'

스텐 후작가 장남 테일러와의 일을 케일에게 들었다. 아미르 영애에 의하면 해군 기지도 케일의 조언이라고 했다. 위퍼 왕국도, 4국 회담도 이 녀석 덕이 크다.

알베르의 입이 저도 모르게 열렸다.

─너 뭐 하는 놈이냐?

"……제가 노는 것 같아 보이지만 상당히 많은 정보를 모으며 노력 중입니다."

케일은 속으로는 뜨끔했지만, 태연히 자신이 많은 일을 하고 있다고 어필했다. 당연히 왕세자는 그 말을 믿지 않았다. 대신 그는 제할 말을 했다.

─로잘린 씨는 브렉 왕국에서 아직 안 돌아왔지?

"네. 이 주 전에 떠나서 아직 돌아오지 않았습니다."

왕세자는 고개를 끄덕이며 케일에게 말했다.

─곧 회담이 열린다. 너도 나와 함께 간다.

알베르는 통보하듯이 말하면서도 케일의 반응을 슬쩍 엿봤다. 케일은 미소를 짓고 있었다.

"저하와 저의 여행은 처음이군요."

─정말 가기 싫게 만드는 말이군.

케일도 피차일반이기에 묵묵히 고개만 끄덕였다. 그 모습을 본 알베르는 현재 차기 왕으로 유력한 자신에게 이러는 인간은 이놈뿐이겠다 생각하며 입을 열었다.

─너, 준비 다 해놨겠지?

이번 회담은 케일이 정글의 여왕에게 하사받은 땅에서 열린다. 그에 따른 준비는 정글 측, 리타나가 하기로 하였고, 왕세자가 케일에게 말한 준비는 다른 것이었다.

"저하, 걱정 마십시오. 딱 맞춰서 배달하겠습니다."

케일과 알베르, 두 사람의 입가에 비슷한 미소가 어렸다. 알베르는 케일의 말에 기대감을 숨기지 않았다.

─기대되는군. 다들 놀라겠어. 아무튼, 비밀리에 가는 것이니 인원은 최대한 줄여서 은밀히 오도록.

"네. 왕국의 별이신 저하와 함께하며 그 지혜를 배울 생각을—"

뚝.

영상통신이 끊어졌다. 케일은 코웃음을 흘렸다. 역시 왕세자와 시시콜콜한 대화를 안 나누려면 아부가 적격이었다. 그는 끊어진 영상통신구에서 시선을 돌리며 소파에서 일어섰다.

케일은 침대로 걸어가 걸터앉았다. 그러고는 불쑥 튀어나온 이불 위를 툭툭 두드렸다. 이불 안에서 침울한 목소리가 들려왔다.

"말 시키지 마라."

말 시킨 적 없다만.

케일은 라온의 목소리에 힘이 없음을 물씬 느꼈다.

보통 용은 세 번에 걸쳐 성장기를 맞이한다. 그중 첫 번째 성장기는 외부로 드러나는 신체적 변화가 아닌 2, 3차 성장을 위한 용 내부의 토대를 마련한다고 보면 되었다. 그래서 덩치의 변화는 극히 없지만, 마나 유동량이 훨씬 더 늘어난다. 더불어 2차 성장기가 지나야 쓸 수 있는 브레스의 하위 호환을 굳이 쓰려면 쓸 수 있게 된다.

천 년 가까이 사는 용인 만큼, 라온은 일반적인 1차 성장기까지 꽤 시간이 남아 있었다. 하지만 용이 충격을 받거나 강하게 힘을 원하면 성장기가 빠르게 찾아온다.

'라온과 에르하벤은 이 부분을 노렸지.'

에르하벤은 라온이 1차 성장기를 맞이할 수 있도록 지식과 힘을 모두 전수해 주었다. 라온도 본인의 말로는 아주 강하게 힘을 원한다고 했다. 케일은 한숨을 삼키며 대충 이불 위를 두드렸다.

"지금 이 성장 속도가 정상이야. 너는 위대하지만 1차 성장기까지 빠를 필요는 없어."

이불 안에서 움찔하는 움직임이 느껴졌다. 곧이어 말 시키지 말라던 용의 목소리가 들려왔다.

"……그런가?"

"어, 그렇지. 그리고 넌 지금도 위대해."

케일은 대충대충 답했다. 왕세자와의 대화 후 5살짜리 애 달랜다고 시간을 쓰다니. 이제는 기가 차지도 않았다.

라온은 말이 없었다. 케일도 더 할 말이 없어 그저 용의 등을 두드렸다. 한참 만에 라온의 목소리가 들렸다. 아주 작은 목소리라서, 방 안이 조용하지 않았다면 케일도 놓쳤을 목소리였다.

"……다른 싸가지 없는 용과 만나면 어쩌나?"

이 무슨 심장 떨어지는 끔찍한 가정을. 설마 그럴 일이 있겠는가.

'어디 용 만나는 게 쉬운 일인 줄 아나.'

케일은 끔찍한 이야기에 잠깐 일그러졌던 표정을 풀며 실소를 삼켰다. 라온이 뭐로 침울한지 깨달았다. 다른 용과 싸우게 될 상황을 걱정하고 있었던 듯싶다. 저도 모르게 케일의 입이 열렸다.

"똑똑한 줄 알았더니."

이불 안에서 날개가 파닥였다.

"나 똑똑하다……! 아니다. 나는 성장도 못 하는-"

용맹하게 외치던 목소리가 점점 작아졌다. 케일은 라온의 말을 자르고 말했다.

"도망가면 되지."

"……뭐?"

"싸가지 없는 용 만나면 도망가면 돼."

"하지만, 그러면-!"

"살아남는 게 위대한 거야."

반박하려던 라온이 잠잠해졌다. 케일의 목소리가 이어졌다.

"넌 동굴에서부터 살아남아 왔잖아."

이불 안, 두 앞발로 얼굴을 가리고 있던 용은 슬그머니 앞발을 치웠다. 라온은 이불 안보다 더 어두웠던 동굴에서 버텨온 자신을 떠올렸다.

"살아남는 것. 그게 강한 거다."

이불 밖에서부터 케일의 목소리가 들려왔다. 용은 제 앞발을 내려다봤다. 용의 검은 눈동자에 묘한 빛이 감돌았다. 하지만 이를 알 리 없는 케일은 나오는 대로 말을 내뱉었다.

"그리고 말이야. 도망가고 난 뒤에 다시 뒤통수 후려치면 되는 거야."

덜컹.

이불 안의 라온이 덜컹거렸다. 하지만 케일은 이 달래는 행동이 슬슬 귀찮아져 신경 쓰지 않고 말을 이었다.

"결국 살아남은 뒤에, 용이든 뭐든 상대 뒤통수 거하게 때리고. 그러면 이기는 거지."

더 이상 할 말이 없어진 케일은 침대에서 일어섰다. 그는 이불 안에서 잠잠한 라온에게 툭 던지듯 말했다.

"비크로스에게 아이스크림 만들어두라고 할 테니 나와."

"……말 시키지 마라."

케일은 라온의 목소리가 한결 힘이 넘치는 것을 느끼며 미련 없이 5층을 나섰다. 그는 1층 식당에 들어서서 흰 장갑을 끼고 있는 비크로스에게 지시했다.

"아이스크림 하나랑 과일 좀."

케일은 요즘 수련보다 저택 청소를 하느라 진이 빠져 있는 비크로스가 건넨 과일을 하나씩 먹었다. 물론 케일 옆에는 아이스크림이 하나 놓여 있었다.

끼이이익—

식당 문이 아주 천천히 열렸다. 문틈 사이로 작은 용이 들어섰다. 라온은 케일의 눈치를 보더니, 슬그머니 케일 옆자리 식탁 위에 내려앉았다. 당연히 케일은 눈길 하나 주지 않았다. 그 모습에 라온은 슬쩍 아이스크림을 먹기 시작했다.

아삭아삭. 케일의 과일 씹는 소리와 비크로스의 그릇 닦는 소리, 그리고 라온의 아이스크림 먹는 소리가 주방을 채웠다. 하지만 그 소리를 깨는 날카로운 소리가 울려 퍼졌다.

탁.

케일이 과일 접시 위로 포크를 던지듯 올려놓았다. 라온이 슬그머니 눈동자를 굴려 케일을 쳐다봤다. 케일과 라온, 둘의 눈이 마주쳤다. 용이 흠칫했다. 그런 용을 보며 케일은 입을 열었다.

"나랑 좀 나갔다 오자."

"……누구랑 가나?"

"너랑 나. 둘이서만 간다."

라온의 날개가 순간 파닥였다. 용은 코끝을 씰룩이며 덤덤하게 물었다.

"우리 둘이?"

"그래."

"……알았다."

라온은 바닐라 아이스크림을 한가득 입안에 머금었다. 용의 입꼬리가 씰룩였고, 날개는 계속 파닥였다. 그 모습을 무심히 보던 케일은 생각했다.

'뭐, 사람 적게 데려오라고 했으니 용 한 마리 투명화해서 데려가면 되겠지.'

케일은 용 한 마리면 호위로 충분하지 않을까 생각했다. 그래도 4국의 권력자들이 모이는데 자신이 호위를 많이 대동하고 가기도 그렇지 않은가.

그러나 케일의 생각과 달리 회담 장소로 향하는 그에게 한 존재가 더 일행으로 달라붙었다. 아니, 통보했다고 보는 편이 맞았다.

"나도 간다."

"에르하벤 님도요?"

케일은 용이 한 마리 더 함께한다는 소리에 올라가려는 입꼬리를 진정시켰다.

"어. 재밌어 보여서 가고 싶은데. 저 꼬맹이 가르칠 것도 없고."

에르하벤은 살짝 흐뭇함을 담아 분수대에서 고양이들과 노는 라온을 쳐다봤다. 세 달짜리 수업을 라온은 몇 주 만에 습득했다.

'어쩌면 로드가 나올 수도 있겠어.'

고대 이후 사라진 드래곤 로드. 그 압도적인 강함을 지닌 로드 격의 용이 앞으로 나올지도 몰랐다. 그래서 에르하벤은 웬만하면 라온이 가는 곳은 같이 구경 나가고 싶었다.

고룡은 라온에게서 시선을 돌려 케일을 바라봤다. 웃는 것도, 인상을 찡그린 것도 아닌 희한하게 비틀린 입꼬리를 한 케일이 눈에 들어왔다. 그 모습에 골드 드래곤은 생각했다.

'난감한 건가?'

하긴 이번 회담 자리에는 4왕국의 수뇌부들이 모인다고 들었다. 케일 헤니투스는 일개 귀족이기에 그런 자리에서 아무래도 조금 주위 눈치를 봐야 할 터. 아무리 독선적인 용이라도 에르하벤은 그 정도 장단은 맞춰줄 줄 알았다. 그것이 본성을 억누르는 천 년의 지혜였다.

"케일 헤니투스."

"네."

"걱정 마라."

"……네?"

케일은 에르하벤이 삐뚤어진 미소를 짓는 것을 쳐다봤다. 에르하벤이 스스로를 가리키며 입을 열었다.

"나도 눈치가 있지. 평소대로 행동할 생각 없어. 장단을 맞춰주지."

무슨 장단이요?

케일은 그리 묻고 싶었다. 하지만 에르하벤의 말이 더 빨랐다.

"내가 네 호위를 해주지. 나를 호위처럼 대해."

"……네?"

지금 이 용이 뭐라고 했나?

케일은 순간 '호위'라는 두 글자가 머릿속에 크게 박혔다.

에르하벤의 손에서 빛이 흘러나왔다. 그 빛은 점점 검의 형상을 띠었다. 그리고 빛이 사라진 자리에 꽤 고급스러워 보이는 검이 나타났다. 에르하벤은 검 손잡이를 잡고서 이것 보라는 듯 케일을 쳐다봤다. 라온이 그 곁으로 다가왔다.

"금 용아! 검도 쓸 줄 아나?"

"천 년을 살았는데 내가 못 쓰는 무기가 있는 줄 아나? 꼬맹아, 이 몸이 이래 봬도 소드 마스터야."

케일은 두 용의 대화에 다시 올라가려는 입꼬리를 한껏 제어했다. 그 표정을 본 에르하벤은 혀를 차며 말했다.

"제대로 조용히 호위로 따라갈 테니, 걱정 마."

"……에르하벤 님, 어찌 제가 에르하벤 님을 호위로 대할 수가 있겠습니까."

난감해 보이는 케일에게 에르하벤은 고개를 가로저었다.

"그렇게 해. 내가 유희를 한두 번 한 줄 알아? 제대로 호위로 대해."

"……그렇게까지 말씀하신다면."

에르하벤은 순간 케일의 입가에 서서히 미소가 피어오르는 것을 볼 수 있었다. 케일은 미소와 함께 말했다.

"응당 에르하벤 님의 말씀대로 호위로서 대하겠습니다."

에르하벤은 케일이 이리 환하게 웃는 걸 처음 보았다. 그런데 이상하게 찜찜함이 밀려왔다. 그때, 라온이 소리쳤다.

"또 저렇게 웃는다!"

에르하벤은 묻고 싶었다.

'저렇게 웃는 게 뭔데?'

하지만 이미 라온은 휙 돌아 분수대로 향한 후였다. 에르하벤이 같이 간다는 소리에는 그럴 줄 알았다는 반응이었다. 에르하벤은 기분이 미묘해졌지만 이내 이어진 케일의 말에 집중했다.

"그러면 저와 제 호위 기사로 에르하벤 님, 그리고 라온이 투명화해서 가는 것으로 하겠습니다."

"그래."

흔쾌히 고개를 끄덕이는 에르하벤을 보며 케일은 음흉한 미소를 지었다. 용이 알아서 호위한다는데 뭐가 무섭겠는가.

우바르 영지의 동부 해안가. 해군 기지가 모습을 드러내며 완성을 얼마 두지 않고 있었다. 그 해안가에서 케일은 오랜만에 직접 얼굴을 보는 이에게 인사했다.

"왕국의 별이신 저하, 오랜만에 뵙습니다."

로브를 둘러쓴 왕세자 알베르는 여전한 그 인사에 손을 내밀었다. 알베르의 입가에는 대외용 미소가 지어져 있었다.

"오, 우리 왕국의 미래를 빛낼 케일 공자 아닌가. 참으로 오랜만이야."

케일과 왕세자는 끈끈한 사이인 것처럼 정다운 악수를 나눴다.

늦은 밤. 커다란 배 앞에는 케일 일행과 왕세자 일행, 그리고 우바르 영지의 영주와 그녀의 심복 두 명만이 있었다. 우바르 영주는 왕세자에게 다가가 말했다.

"텔레포트는 배 안에 설치했습니다."

이번 이동은 케일이 여행을 가는 것처럼 위장하여 배에 승선, 텔레포트 마법을 통해 이동하는 것이 계획이었다. 케일의 머릿속으로 라온이 말했다.

　-나도 정글에 인간 네 땅 위치 안다! 나 알아서 텔레포트해 간다!

　케일은 그 말을 흘려들으며 왕세자와 시선을 마주했다. 왕세자는 케일 뒤편을 보며 말했다.

　"호위는 한 명이군. 처음 보는 이인데."

　케일은 자신의 바로 뒤에 붙어 있는 호위의 어깨 위에 손을 올렸다. 왕세자는 중성적으로 아름다우면서도 분위기가 비범해 보이는 금발의 기사를 바라봤다. 케일은 그 기사를 왕세자에게 소개했다.

　"네, 제 호위인 하벤입니다. 착하고 충직한 기사죠."

　하벤이라 불리게 된 에르하벤은 케일의 말이 묘하게 찝찝했지만, 본인이 말한 대로 자신의 역할을 잘 해냈다.

　"뵙게 되어 영광입니다, 저하."

　왕세자 알베르는 기품 있으면서도 기세가 느껴지는 에르하벤을 보며 케일에게 말했다.

　"자네는 참 수하를 좋은 이로 잘 두는구나."

　케일은 활짝 미소를 지어 보였다. 그리고 배를 가리키며 말했다.

　"어서 떠나는 게 어떻겠습니까?"

　떠나자는 케일의 말에 왕세자는 동의했고, 모두 지체 없이 배에 올랐다. 그러고는 곧바로 배 안 텔레포트 진 위에 섰다. 우바르 영주가 왕세자를 향해 고개를 숙였다.

　"저하, 무사히 잘 다녀오시길 바랍니다."

　"나중에 보도록 하지."

　우바르 영주는 왕세자의 말에 한 번 고개를 숙여 보이곤, 케일에게도 살짝 미소를 그렸다. 케일은 그녀에게 고개를 숙여 보이곤 마법사가 텔레포트를 작동하는 모습을 지켜봤다.

지지지직-

마법진이 잘게 떨리며 작동을 시작했다.

-인간, 나도 그럼 가 있는다! 금 용 할배한테 네 호위 단단히 잘하라고 말해뒀다! 좀 이따가 보자!

-안녕!

케일은 심드렁하게 라온이 떠났구나 생각하며 텔레포트 진 위에서 빛이 쏟아져 올라오는 것을 바라봤다.

"케일 헤니투스."

"네, 저하."

"넌 평소 하던 대로 해."

"……평소대로요?"

파직, 지지지직-

최장거리용 텔레포트 진이 요동을 치기 시작했다. 케일은 마치 회오리바람 속으로 들어가듯 일그러지는 풍경 대신 왕세자를 쳐다봤다. 왕세자가 씨익 웃어 보였다.

"어. 넌 평소대로만 하면 돼."

그러면 자연히 일이 크게 벌어질 것이고, 뭐가 돼도 잘되겠지. 왕세자는 뒷말은 하지 않았다. 케일은 왕세자의 생각을 모른 채 편안하게 생각했다.

'그럼 평소대로 조용히 있어야겠네.'

아무 생각 없이 가만히 멍 때리는 것. 그게 케일의 주특기였다.

파아아앗!

그 순간, 일그러지던 풍경이 환한 빛을 뿜으며 케일의 시야를 가렸다. 그렇게 몇 초가 지났을까. 케일은 서서히 빛이 사라지는 것을 볼 수 있었다.

빛이 사라진 자리.

철썩. 철썩. 파도가 부딪치는 소리와 함께 짠내가 코끝을 간질였다.

"두 번째로 도착하셨네요."

케일은 미소 짓고 있는 정글의 지배자 리타나를 볼 수 있었다. 왕세자 알베르는 텔레포트 진을 벗어나 리타나에게 다가갔다.

"여왕님, 오랜만에 뵙습니다."

"저번에 제국에서 보고 처음이죠? 왕세자는 변함없이, 음, 조금 피곤해 보이시네요."

왕세자와 리타나는 화기애애하게 대화를 나눴다. 케일은 슬그머니 텔레포트 진 위에서 물러서며 주위를 둘러보았다. 리타나의 친위대나 다름없는 직속 전투원들이 해안가에 진을 형성하고 경비 중이었다. 그리고 정글 소속의 마법사들이 하늘을 향해 알람 장치를 설치하고 있었다.

'저긴가.'

케일은 1년이 지났지만 여전히 불이 휩쓸고 가 황량한 해변가를 바라봤다. 해변가 중심에 온갖 마법 장치가 설치된 천막이 있었다. 하늘은 어두웠지만 마법 등 몇 개가 놓여 있어 근처는 그럭저럭 밝았다.

─인간, 안녕! 나 왔다! 보고 싶었나?

케일은 보이지도 않는 라온에게 대충 고개를 끄덕였다. 그는 정글 전사들 외에 이쪽으로 다가오는 무리를 볼 수 있었다. 그 무리 안에 익숙한 놈이 하나 섞여 있었다.

─저놈 로잘린 동생 아닌가? 물 폭탄 맞은 놈!

브렉 왕국 4왕자이자 막내인 펜. 그가 케일과 눈이 마주쳤다. 케일이 씨익 웃어 보였고 펜은 흠칫하더니 고개를 돌렸다.

'로잘린 씨는 없군.'

4왕자 펜을 제외하면 모두 처음 보는 이들이었다. 케일은 로잘린이 오지 않은 이유를 금방 알 수 있었다. 리타나의 목소리가 들렸다.

"브렉 왕국의 존 왕자님이 제일 먼저 오셨답니다."

브렉 왕국 1왕자 존. 모든 게 평범해 보이는 사람이었다. 그는 브렉 왕국 사람들을 이끌며 이쪽으로 다가오고 있었다. 로잘린은 존에게 힘을 실어주기 위해 이 회담 자리에 오지 않은 것이리라.

'음?'

케일을 향해 존이 부드러운 미소를 지어 보였다. 갑자기 브렉 왕국 1왕자가 웃어 보이자, 얼떨결에 케일도 타인 전용 귀족 미소를 지어 보였다. 가까이 다가온 존이 입을 열었다.

"이렇게 모이게 되어서 기쁘군요."

목소리마저 평범했다. 그런데 문제는 저 평범한 시선이 케일을 향했다는 점이다.

"이분은?"

존의 물음에 케일은 자신의 차례가 왔구나 싶어 입을 열었다.

'반갑습니다. 뵙게 되어 영광입니다. 로운 왕국 북쪽 작은 영지의 귀족 자제인 케일 헤니투스입니다.'

이렇게 소개하고 싶었다. 하지만 케일보다 빨리 입을 열어 그를 소개한 이가 있었다.

"우리 왕국의 보물이지요."

왕세자 알베르였다. 케일은 황당한 눈빛을 애써 감추며 알베르를 쳐다봤다.

'……평소처럼 하라며? 그런데 이렇게 소개하면 어떻게 하라고?'

그러나 더 황당한 소개가 뒤를 이었다. 평소와 달리 조금은 무게 있던 리타나의 목소리가 한층 밝아졌다.

"또한 이분은 우리 정글의 은인이지요. 저는 이렇게 선하고 정중하며, 귀족의 책임과 의무에 투철하신 분은 처음 보았습니다."

아이고.

케일은 리타나의 칭찬에 침음을 삼켰다. 그는 왕세자가 뚫어질 듯 쳐다보는 시선을 모른 척했다. 왕세자가 무슨 이런 말도 안 되는 소리가 있냐는 듯 케일을 쳐다봤다.

―음. 뭐, 약한 인간 네가 착하기는 하다.

라온의 말이야 가벼이 무시한 케일은 이제 자신이 입을 열어야겠다 생각했다. 다들 그를 나름대로 본인 생각 하에 소개했으나 정작 그의 이름은 말해주지 않았다. 케일의 입이 열렸다.

'케일 헤니투스입니다. 뵙게 되어 영광입니다.'

그렇게 말하려고 했다.

"자네가 그 케일 헤니투스군."

하지만 존 왕자가 빨랐다. 케일은 존이 자신의 이름을 알고 있는 건 놀랍지 않았다. 하지만 '그 케일 헤니투스'에서 '그'가 신경 쓰였다.

"누이에게 자네에 대해 많이 들었네. 펜도 자네 이야기를 많이 하더군. 만나서 반갑네."

"만나 뵙게 되어 영광입니다."

케일은 존이 내민 손을 잡으며 정중히 인사했다. 그리고 얼른 손을 놓으려고 했다. 하지만 존 왕자가 손을 계속 붙들고 있었다. 케일과 존의 눈이 마주쳤다.

"누님이 행복해 보이더군. 고맙네."

케일의 입꼬리가 살짝 올라갔다.

-인간! 저 펜인가 벤인가 하는 놈보다 좋은 녀석인 것 같다!

케일은 새삼 로잘린이 1왕자 존을 높이 평가한 이유를 알 것 같았다.

그때, 텔레포트 마법진 위에서 지지직 소리가 들려왔다. 마지막 손님이 당도하는 소리였다.

모든 이들이 마법진으로 시선을 돌렸다. 케일도 존의 손을 놓고 마법진을 응시했고, 곧 환한 빛과 함께 세 사람이 나타났다.

헤롤 코디앙. 위퍼 왕국군 참모장. 그가 빛 속에서 나타났다. 그의 양옆에는 툰카의 수하들이 자리해 있었다. 헤롤은 자신을 바라보는 이들을 향해 고개를 숙였다.

"툰카 대장군님의 대리로 오게 된 참모장 헤롤입니다."

이미 제국에서 펼친 축제에서 한 번쯤 본 사이들이었다. 늘 대장군 툰카 옆에 있던 헤롤이었으니까.

헤롤은 한 명씩 인사를 나누다가 마지막으로 케일 앞에 섰다. 케일 옆에 있던 1왕자 존이 헤롤에게 케일을 가리켰다.

"참모장은 케일 공자는 처음 보지요?"

그는 한 왕국의 대표로 온 헤롤에게 예의상 말을 높여주었다. 서로 싸우는 자리가 아니라 화합을 위한 자리였기에 가능한 일이었다.

"아뇨, 아는 분입니다."

"음? 아는 사이입니까?"

존은 케일과 툰카 사이를 몰랐다. 존은 헤롤이 사무적인 미소가 아닌, 호의가 듬뿍 담긴 미소를 짓는 것을 볼 수 있었다.

"네, 케일 공자님은 제가 존경하는 분이지요."

"허-"

존의 입에서 탄성이 흘러나왔다. 케일은 제 앞에 놓인 손을 떨떠름한 시선으로 쳐다봤다. 헤롤이 케일에게 인사했다.

"공자님, 오랜만에 뵙습니다. 꼭 오랫동안 못 본 친우를 본 기분입니다."

"……반갑습니다, 헤롤 참모장."

"공자님, 평소처럼 편히 말씀해 주십시오."

"……그래."

케일은 대충 고개를 끄덕이며 얼른 헤롤의 손을 놓았다. 동시에 그는 헤롤과 함께 온 툰카의 수하들을 볼 수 있었다.

"반갑습니다, 공자님!"

"공자님, 안녕하십니까!"

커다란 덩치의 부족민들이 어깨를 쫙 펼치고 허리까지 꾸벅 숙이며 잔뜩 기합이 들어간 인사를 했다. 케일은 헤롤을 쳐다봤다.

"툰카 대장군님께서 친우분에게 예의를 차리라고 말씀하셨습니다."

헤롤은 올곧은 학자와 같은 미소를 지어 보였고, 이를 보던 케일은 속으로 혀를 찼다. 그러다 왕세자와 시선이 부딪쳤다. 알베르가 기가 찬 얼굴로 바라보고 있었다. 하지만 그는 곧 주위의 시선을 모으며 말했다.

"얼른 시작하지요. 밤은 짧습니다."

이 밤이 가기 전, 회담을 끝내야 했다.

리타나가 천막을 가리켰고 위퍼, 브렉, 로운, 각 일행을 이끌고 온 수뇌부들이 각각 호위 한 명을 대동하고 천막으로 향했다. 케일은 한 발짝 뒤에 물러서서 그 모습을 쳐다봤다. 머릿속으로 라온의 목소리가 들려왔다.

–약한 인간, 너는 안 가나?

'내가 왜 가?'

케일은 따로 할 일도 있었다. 무엇보다도 국가의 명운을 걸고 하는 대화에 그가 참여해서 뭐 하겠는가?

그리고 애초에 이 회담의 큰 틀은 정해진 상태나 다름없었다. 그런 상황에서 자잘한 이득을 놓고 서로 웃으면서 간 보고 복잡한 이야기나 나눌 회담 자리에 참가하고 싶지 않았다.

'어차피 왕세자 저하가 알아서 잘할 거니까.'

케일은 그저 회담 장소 제공자로서 조용히 찌그러져 있으면 누가 찾겠나 싶었다.

그래, 분명 그리 생각했다.

"케일 헤니투스."

그런데 왕세자가 부른다.

"네?"

"안 들어오나?"

화사한 대외용 미소를 지은 왕세자가 얼른 들어오라고 눈빛으로 얘기했다.

–거봐라! 인간, 너 부를 줄 알았다!

케일은 한숨을 내뱉지도 못하고 삼켰다. 왕세자는 천막 안으로 들어가지 않고 입구에서 케일을 기다리고 있었고, 케일은 그에게로 다가갔다. 둘은 서로를 보며 믿음 가득한 미소를 지었다. 케일은 복화술을 하듯 아주 낮게 중얼거렸다.

"평소처럼 하라면서요?"

"어. 내 뒤에 서서 평소처럼 해."

　왕세자는 그 말과 함께 휙 천막 안으로 들어가 버렸고, 케일은 따라 들어가지 않고 뒤돌아섰다. 에르하벤이 충직한 호위 기사처럼 서 있었다.

"하벤."

"네, 주군."

"문 바로 앞에서 호위하고 있어. 내가 부르면 잽싸게 들어오고. 응?"

"……네, 알겠습니다."

　툭툭. 케일은 호위를 격려하듯 에르하벤의 어깨를 두드리며 천막 안으로 들어가 버렸다. 에르하벤은 그 모습을 보며 기분이 묘했다. 분명 주군과 호위의 관계가 맞고 케일이 제대로 역할을 수행하는데, 무언가 찜찜했다.

　고룡 에르하벤은 투명화한 라온이 케일을 따라 황급히 천막 안으로 들어가며 그를 쳐다보는 시선을 알지 못했다. 라온은 에르하벤을 아주 든든한 호위 쳐다보듯 바라봤다.

케일은 왕세자 알베르의 뒤에 서서 생각했다.

'이럴 줄 알았어.'

한 시간 가까이 회담은 지지부진했다. 일단 제국과 북 3국을 경계하고 서로 간의 협력을 강화해야 하는 점에는 모두 동의했다. 먼저 브렉 측의 존이 주장했다.

"믿을 만한 정보통에게 들은 바로는, 북 3국에서 추진하는 동부 해안가 배 건조가 곧 끝날 거라고 합니다. 이제 여름이 다 지나가니 가을쯤에 수군과 배를 모두 마련할 것이고. 겨울에 북쪽에서 움직일 리 없고, 봄이 되면 바로 넘어올 겁니다. 그러니 로운 왕국과 우리 쪽에서 그에 대한 대비를 해야 합니다."

위퍼 측의 헤롤이 말했다.

"하지만 당장 우리는 제국부터 신경 써야 합니다. 그들이 지금은 죽은 마나 폭탄을 사용하지 않지만 언제 사용할지 모를 노릇이고. 이참에 제국 쪽의 힘을 죽여야 하지 않겠습니까?"

"그 말에 저도 동의해요. 제국의 힘을 죽이는 게 먼저예요."

헤롤의 말에 정글 측의 리타나가 동의하며 덧붙였다.

"그리고 그들의 연금술에 대한 제재 방안을 마련해야 해요."

"그러니 일단."

헤롤이 회담 테이블 위를 손가락으로 짚으며 말했다.

"저희가 이길 수 있도록 하는 게 먼저 아니겠습니까?"

리타나와 존은 잠시 입을 다물었다. 결국 위퍼 측에서는 제국과 싸우고 있는 자신들이 이길 수 있도록 지원을 해달라는 소리였다. 하지만 그렇게 위퍼가 대승을 하면 또 곤란했다.

브렉 왕국은 이번에 로운과 협력하여 마법사 보유수를 늘리고 있었다. 그런 상황에서, 지금은 협력한다고 해도 마법을 증오하는 위퍼 왕국을 강하게 만들어줄 순 없었다.

정글은 로운, 브렉과 닿아 있는 땅이 없다. 연결 창구가 위퍼인데, 이 위퍼가 너무 강해지면 호전적인 그들의 성향상 또 다른 전쟁을 벌일까 싶어 꺼려졌다. 정글은 평화를 원했으니까.

리타나는 잠시의 정적 동안 어떻게 해야 하나 생각하다가 문득 한 곳이 유독 조용하다는 생각이 들었다.

이 회담 자리를 만든 실질적인 주동자. 로운 왕국의 알베르. 그가 너무나도 조용했다. 이를 리타나만이 느낀 것이 아니었다. 그녀는 물론, 존과 헤롤의 시선도 테이블의 한쪽으로 향했다. 헤롤의 입이 열렸다.

"왕세자 저하께서는 아무 말씀이 없으시군요."

금발의 푸른 눈. 왕자라는 이름이 참 잘 어울리는 알베르 왕세자는 부드러이 미소를 지어 보였다.

톡. 톡. 톡. 그의 검지가 테이블을 두드렸다. 그는 지금 때를 기다리고 있었다.

"하고 싶은 말은 많습니다만."

톡. 검지가 테이블에 닿은 채로 움직이지 않았다. 알베르의 목소리가 한 사람에게로 향했다.

"케일 공자, 자네는 할 말이 없는가?"

갑자기 케일을 찾는 알베르의 태연한 모습에 사람들의 시선이 저절로 케일에게 향했다. 그리고 알베르보다 더 태연해 보이는, 아니, 느긋해 보이는 케일을 볼 수 있었다.

케일은 자신의 앞에 등을 보이고 앉아 있는 알베르를 제외하고 모든 이들의 시선이 자신에게 향했음을 알고 있을 터인데, 그럼에도 그의 입에서 흘러나온 말은 태평했다.

"저는 딱히 할 말이 없습니다만."

사실이었다.

케일이 할 말은 없었다. 다만 그는 천막에 달린 회중시계를 바라봤다. 그때 그의 머릿속으로 라온이 말했다.

─인간, 온다.

케일의 입가에 미소가 맺혔다.

"곧 도착이군요."

등 뒤에서 들려오는 말에 알베르의 입가에 미소가 어렸다. 기다렸던 순간이 머지않았다.

"도착이라니요?"

리타나가 의아한 얼굴로 케일을 쳐다봤다. 다른 이들도 마찬가지였다. 그 순간이었다.

위이이이잉─ 위이이이잉─

마법 알림음이 들려왔다. 테이블에 있던 이들의 안색이 달라졌다.

펄럭. 동시에 천막 입구가 열리며 정글의 전사가 황급히 들어섰다. 리타나가 날카롭게 외쳤다.

"무슨 일인가?"

"폐, 폐하. 바다에 설치해 둔 알람이 울렸습니다."

해안가 몇백 미터 밖에 설치해 둔 마법 알람 장치. 그것이 발동했다. 이쪽을 향해 다가오는 존재가 있다는 소리였다. 리타나의 얼굴에 낭패가 서렸다.

"무슨 배지? 국가 깃발이 보이나? 규모는?"

그녀의 입에서 질문이 쏟아졌고 브렉의 존 왕자는 자리에서 일어섰다. 동시에 호위가 그의 옆에 바짝 붙어 섰다. 그리고 헤롤은 케일을 쳐다봤다. 그렇게 정신없는 순간 전사의 목소리가 울려 퍼졌다.

"배가 아니라."

"배가 아니면 뭐란 말이지?"

"그게, 고래입니다!"

순간 정신없던 천막에 정적이 내렸다.

위이이이잉-

여전히 마법 알림음이 울리는 공간. 그 사이로 전사가 외쳤다.

"아주 거대한 고래들이 다가오고 있습니다!"

그 뒤를 이어 한 사람의 목소리가 들렸다.

케일이었다.

"드디어 도착했군요."

그는 천막 입구로 걸어가 입구의 천을 걷어냈다. 그러자 해안가와 맞닿은 바다가 모습을 드러냈다. 전사들이 바닷가 근처에서 진을 형성하고 있었다. 그들의 시선이 밤바다를 향했다.

좌아아아, 좌아악-

어둠이 내려앉은 바다를 가르며 다가오는 거대한 고래 두 마리와 작은 고래 한 마리.

끼이익.

의자 밀리는 소리가 났다. 왕세자 알베르가 일어섰고 그는 천막 안의 사람들을 보며 말했다.

"제국과 북 3국. 그들과 협력하는 비밀 단체가 하나 더 있습니다."

"네?"

"갑자기, 무슨?"

혼란스러운 상황에서 갑자기 쏟아진 정보에 사람들은 당황했다. 침묵하던 헤롤이 놀라며 외쳤다.

"그게 무슨 소립니까?"

"왕세자, 비밀 단체라니요?"

존도 의문을 제기했다. 저 정보가 사실이라면, 저 다가오는 고래가 문제가 아니었다. 하지만 왕세자는 그들에게 설명해 주는 대신 입구 밖을 가리켰다. 손짓을 따라 바닷가로 모두의 시선이 따라 움직였다.

치이이이익—

가장 앞서 있던 거대한 혹등고래에게서 수증기가 피어올랐다. 동시에 그 수증기가 사라진 자리에서 한 사람이 튀어나와, 바닷가를 따라 서 있던 전사들을 가볍게 뛰어넘었다.

"어?"

당황한 전사의 외침과 함께 해안가에 한 사람이 내려섰다. 가볍게 바닥에 내려선 이는 물결치듯 일렁이는 푸른 머릿결을 쓸어 넘겼다.

"……설마 고래족?"

누군가가 중얼거렸다.

고래족. 수인족 중 가장 강하지만 평생에 한 번 보기 힘들다는 종족. 그 종족이 사람들의 머릿속에 떠올랐다.

이 자리에 어울리지 않는 이의 등장에 정적을 이루던 천막 안에서, 한 사람의 목소리가 흘러나왔다.

"위티라, 오랜만이군."

케일 헤니투스가 천막 입구 밖으로 나갔다.

고래족 위티라, 파세톤, 그리고 범고래 아치. 셋이 해안가에 나타났다. 제일 앞에 선 위티라가 미소와 함께 인사했다.

"오랜만입니다, 공자."

케일은 그녀의 인사에 고개를 끄덕이며 천막 안 왕세자 알베르를 바라봤다.

"저하의 분부대로 고래족 후계자분을 초청했습니다."

알베르와 케일은 서로를 보며 미소를 더 짙게 드리웠다.

4국 1종족 간의 회담. 그 큰 틀은 알베르와 케일의 뜻대로 진행될 수밖에 없었다.

해안가에는 잠시간 정적이 내려앉았다. 여전히 참모장 헤롤은 말이 없었고, 브렉 왕국 존 왕자는 수하의 귓속말을 들으며 케일과 고래족을 응시하고 있었다.

그때, 위티라의 입이 열렸다. 그녀는 네 왕국의 수뇌부를 보며 고개를 숙이긴커녕 어느 때보다도 당당해 보였다.

"고래족 대표로 온 위티라입니다. 우리의 은인인 케일 공자의 초청으로 왔습니다. 반가워요."

적당한 예의를 차린 인사였다. 그게 당연했다.

인어족도 손에 쥐어 바다의 최고 권력 집단이 된 고래족이었다. 그 고래족의 차기 왕으로 내정된 그녀가 다른 왕국 수뇌부들에게 예의를 보일 필요가 없었다. 더욱이 드래곤 다음으로 강하다고 알려진 자연계 종족이었다. 사람들의 시선이 위티라의 팔목에 둘러진 물 채찍으로 자꾸만 향했다.

이 모든 장면을 케일은 흡족하게 바라봤다. 그는 위티라에게 부탁했었다.

'분위기 좀 잡아줘.'

위티라는 부탁 때문인지 아주 제대로 강자와 권력자로서의 분위기를 잡아주었다. 그 뒤의 파세톤과 아치도 묵묵히 서서 분위기를 잘 잡아줬다.

전사들에게도, 각국의 일행에게도 고래족이 선명하게 각인되었을 것이다. 그리고 그 고래족을 데려온 로운 왕국에 대한 인상도 잘 각인되었을 터.

'괜찮네.'

케일은 이 분위기를 마음에 들어 하며 천천히 주위를 둘러보았다. 그러다가 멈칫했다. 분명 방금 전까지 당황한 얼굴이던 리타나가 가만히 케일을 보고 있었다.

'음?'

케일로서는 영문을 알 수 없었으나, 그녀는 아주 신기한 것을 보는 듯한 눈빛으로 케일을 보며 생글생글 웃고 있었다. 케일은 그 산뜻한 미소가 영 꺼림칙해서 시선을 돌렸다가 웃고 있는 헤롤과 눈이 마주쳤다. 헤롤도 의미를 알 수 없는 미소를 띤 채로 케일을 빤히 바라봤다.

'이 사람들이 왜 이래?'

케일은 저를 쳐다보는 시선에 도통 영문을 알 수가 없었다.

짝!

가벼운 박수 소리가 울려 퍼졌다. 시선들이 소리가 들린 곳으로 향했다. 알베르 크로스만 왕세자가 다른 이들의 눈빛을 받으며 입을 열었다.

"그러면 들어가서 더 깊은 이야기를 해야겠군요."

존 왕자는 그 말에 동의했다.

"그래야 할 것 같습니다. 한번에 아주 많은 정보들이 쏟아지는군요. 조금 혼란스럽습니다."

혼란스럽다고 말하는 것과 달리 존 왕자의 안색은 평온했다. 그의 뒤에 서 있는 막내 펜 왕자의 당황한 표정과는 상반되었다. 알베르 왕세자는 존의 말에 고개를 끄덕이며 리타나를 바라봤다.

"여왕님, 의자가 세 개 더 필요할 것 같습니다."

리타나는 그 말에 고개를 끄덕였다.

"고래족 세 분이 앉으실 의자죠?"

그녀는 수하 빈을 보며 말했다.

"빈, 의자 챙기는 김에 하나 더 챙겨 와. 케일 공자도 앉게."

"여왕님, 케일 공자 포함하여 셋입니다."

"네?"

리타나는 고개를 돌려 다시 왕세자를 바라봤다. 알베르는 케일 포함 셋이라고 말했다.

'고래족은 두 명만 앉는 건가?'

그녀를 포함하여 다들 그렇게 생각했다. 하지만 그 생각을 깨는 소리가 울려 퍼졌다.

"어?"

누군가의 당황한 목소리가 흘러나왔다.

파지지직.

텔레포트 진 위에서 스파크가 일어나고 있었다. 이 텔레포트 진을 이용하려면 정글 측 마법사가 보낸 암호문이 들어간 마법 주문을 사용하여 위치를 지정해야 했다. 그리고 이 텔레포트를 통해 올 사람은 다 온 상태였다.

텔레포트를 담당하던 마법사는 텔레포트 진 바로 앞에 선 채로 당황을 숨기지 못했다. 그 순간, 마법사의 어깨 위에 손이 하나 올라와 그를 살짝 뒤로 끌어당겼다. 마법사는 고개를 돌렸다.

케일 헤니투스. 그가 마법사를 내려다보고 있었다.

"초청한 분입니다."

"……네?"

파지지직.

스파크는 더 거세게 요동쳤고, 이내 환한 빛이 점점 커지며 사람의 형상을 완성해 갔다. 케일은 고래족만 준비한 것이 아니었다. 그는 점점 해안가에 모습을 드러내는 이를 보며 미소를 그렸다.

오랜만에 보는 이였다. 케일은 손을 내밀었고 새로운 이가 그의 손을 잡으며 텔레포트 진에서 벗어났다.

"케이지 씨, 오랜만입니다."

"그러게요, 공자님."

미친 신관 케이지. 그녀는 케일의 손길을 따라 텔레포트 진 밖에 모래를 밟으며 섰다. 어떠한 신의 문양도 없는 검은 신관복을 펄럭이며 그녀는 인사했다.

"뵙게 되어 영광입니다."

여전히 그녀는 신실한 신관인 척 연기를 잘했다.

정체를 알 수 없는 신관의 등장에 다시 한번 몇몇은 당황했다. 그러나 브렉 왕국 측은 안색이 담담했다. 그들은 케이지를 본 적이 있었다. 케일은 사람들에게 미친 신관을 소개했다.

"죽음의 신을 모시는 신관이지요."

죽음의 신. 그 단어를 내뱉는 순간, 사람들은 자연히 한 단어를 더 떠올렸다.

죽음의 맹세. 죽음의 신 신관이 회담 자리에 나타날 이유는 하나였다. 케일이 입을 닫자, 왕세자가 이어 말했다.

"지금부터 할 이야기는 상당한 비밀이 필요한 일이라— 말이지요."

알베르는 미소와 함께 말했다.

"그러니 믿음이니 신뢰니. 그런 것보다 확실한 약속은 목숨이 아니겠습니까?"

화사하게 웃는 왕세자와 달리 해안가의 분위기는 가라앉았다. 왕세자 알베르는 죽음의 신관과 고래족을 해안가에 있는 모든 이들 앞에서 선보였다. 그 말은 이 자리의 모든 이들이 죽음의 맹세를 해야 한다는 뜻이었다.

"정말로, 정말 말이지요."

한 사람의 목소리가 가라앉은 분위기를 깨며 모래사장 위에 흘러들었다. 헤롤 참모장. 그가 왕세자와 케일을 보며 말했다.

"로운 왕국에는 재밌는 분들이 많으신 것 같습니다. 그리고 그 재밌는 방식이 제 취향이군요."

케일은 순간 선하게 웃는 헤롤과 눈이 마주쳤다.

'왜 날 봐?'

케일이 그런 의문을 지닐 때 헤롤이 시선을 돌려 왕세자를 보며 말했다.

"맞습니다. 믿음보다는 목숨이죠. 좋은 방식입니다."

"저는 일단 들어보고 그 방식을 따를지 정하죠."

존이 헤롤의 뒤를 이어 말하며 한 발 물러섰다. 마지막으로 리타나만이 남았고, 모두의 시선이 그녀에게로 향했다.

"의자 세 개는 고래족 후계자님, 그리고 신관, 마지막은 케일 공자 자리겠군요."

그녀는 빈에게 지시했다.

"오늘 이곳에 온 전사와 마법사들의 명단을 가져오도록."

그녀의 제스처는 죽음의 맹세를 받아들인다는 암묵적 동의였다. 왕세자는 천막 안으로 걸어가며 말했다.

"나머지는 들어가서 이야기하시죠."

한밤중 해안가에서 한바탕 소란이 벌어진 후, 다시 새로운 이들을 더해 회담 자리가 만들어졌다. 케일은 그 회담 테이블 자리에 앉아 생각했다. 회담은 한창 진행 중이었다.

'나는 그냥 저하 뒤에 서 있으면 되지 않나?'

원래 테이블에는 위타라와 신관 케이지만 앉히기로 했었다. 물론 케이지는 신관의 신분이기에 다른 권력자들이 동의할 때 앉기로 했다.

'그런데 그 사이에 내가 왜?'

케일은 의문을 삼키며 무표정한 얼굴로 회담을 지켜봤다. 방금 위타라와 알베르의 입을 통해서 비밀 단체와 그들의 전투 전문 단체인 '암'에 대한 이야기가 펼쳐졌다.

동대륙 뒷세계를 장악한 단체 '암'. 로운 왕국과 태양신 교단에 마법 폭탄 테러를 저지른 존재이자, 엘프 마을을 습격해 세계수 가지를 빼앗으려 했던 단체. 더불어 그들이 인어족을 후원해 동대륙과 서대륙을 잇는 해상로를 지배하려던 일 등등.

몇 가지 증거와 함께 비밀 단체와 '암'에 대한 설명이 이어질수록 회담장의 분위기는 가라앉았다.

"……허."

존 왕자는 제 표정을 수습하지 못한 채 한 손으로 관자놀이 부근을 꾹꾹 눌러댔다. 그는 한탄처럼 말했다.

"그러니까, 그런 단체가 북 3국, 제국과 협력한 관계이며 우리는 이런 것들은 물론이고 그 단체가 서대륙에서 활개 치는 것도 몰랐다는 것 아닙니까?"

존은 기가 찬 심정이었다.

'어떻게 그런 단체가 있을 수 있고, 그걸 몰랐을 수가 있지?'

도저히 이해가 되지 않았다. 하지만 한편으로는 북 3국과 제국이 그들을 도왔다면 충분히 몰랐다는 게 이해되었다. 또한 동대륙 뒷세계를 장악한 단체가 결코 약할 리도 없지 않은가?

그때, 태연한 목소리가 들려왔다.

"아주 간악한 단체군요. 마법 폭탄 테러를 일삼는 곳이라니. 반드시 척살해야 합니다."

헤롤 코디앙, 그의 반응이었다. 케일은 헤롤의 표정을 보려고 시선을 돌렸다가 흠칫했다.

'살벌하네.'

마법을 증오하는 헤롤. 그에게 있어 마법 폭탄 테러는 응당 없어져야 할 존재다. 아마 툰카도 비슷한 반응일 테고.

'잘 날뛰어주겠네.'

케일은 헤롤의 반응이 마음에 들었다. 그래서 무표정하던 그의 얼굴에 살짝 미소가 맺히려 했다. 하지만 그 미소는 리타나와 눈이 마주친 순간, 사라졌다. 리타나가 아주 진지한 얼굴로 케일을 보고 있었다. 케일은 그 시선에 저도 모르게 입을 열었다.

"리나 씨, 하실 말씀이 있으십니까?"

"신기해요."

케일의 머릿속에 물음표가 떠올랐다.

'뭐가?'

이게 무슨 뜬금없는 말인가. 그의 의문에 답하듯 리타나의 말이 이어졌다.

"로운 왕국의 마법 폭탄 테러를 막는 데 크게 공헌한 이가 케일 공자라 들었습니다. 고래족 일도 도우시고. 우리 정글의 불도 꺼주고."

리타나는 정말로 신기했다.

지금 무표정한 얼굴로 회담 자리에 앉아 있는 남자, 케일 헤니투스. '암'에 대한 내용까지 듣고 나자, 그가 도대체 얼마나 선한 사람인지 가늠이 되지 않았다.

"또 엘프 마을도 구하셨다지요?"

도대체 케일 공자는 쉬는 순간이 있을까?

저 담담한 표정을 그린 채로, 얼마나 많은 고뇌를 하며 평화를 위해 노력했을까?

분명 이 사람은 누구보다도 무거운 마음을 안고서, 잠들지 못하는 수많은 밤을 보냈을 것이다.

"그리고 성자와 성녀를 살리려고 아주 노력하셨죠."

리타나는 자신과의 친분, 은인에 대한 마음을 떠나 이 회담 자리에 가장 앉을 자격이 있는 사람이 케일이라 생각했다. 그래서 물었다.

"공자, 공자는 앞으로 어떻게 해야 한다고 생각하나요?"

하나둘 시선이 케일에게로 향했다. 그 시선들을 받으며 케일은 생각했다.

'뭘 어떻게 해? 그걸 생각하는 게 본인들의 일 아닌가?'

물론 케일은 제 나름대로 자신이 할 일을 정해두었다. 그러나 그걸 말할 수도 없었고 말할 이유도 없었다. 그는 자신을 쳐다보는 시선들을 마주하며 입술을 떼었다. 그의 머릿속으로 라온의 목소리가 울려 퍼졌다.

─인간, 우리 또 구하나? 구하는 건 위대하고 좋은 일이다! 아주 뿌듯한 일이다!

케일은 이번에는 라온의 말을 흘려듣지 않았다.

왕세자, 여왕, 차기 후계자, 참모장, 1왕자. 그들 사이에서 일개 귀족가 자제의 목소리가 울려 퍼졌다. 앞으로 어떻게 해야 하냐는 물음에 대한 케일의 대답은 참으로 차분했다.

"서대륙을 구해야 하지 않겠습니까. 대륙의 사람들에게 평화를 안겨다 주어야 하지 않을까요?"

그리되면 덩달아 케일 자신에게도 평화가 올 테니, 좀 집에서 편히 놀고 싶다.

"그걸 여기 계신 분들이라면 하실 수 있을 것 같습니다."

제발 이들이 열심히 해서 나는 좀 움직일 일이 덜했으면 좋겠다. 케일은 제 소망을 그냥 있는 그대로 말했다.

―맞다, 인간! 역시 넌 착하다!

라온의 칭찬은 무시하는 케일이었다. 그는 모든 말을 끝내고 리타나를 응시했다. 천천히 그녀의 입이 열렸다.

"……정말. 공자의 말이 맞아요. 늘 옳은 길만을 가시는군요."

케일은 리타나와 비슷한 눈빛으로 쳐다보는 표정들에 슬쩍 왕세자 알베르를 쳐다봤다. 그리고 살짝 멈칫했다.

왕세자는 아주 따스한 미소를 짓고 있었지만, 그 눈빛은 '이 자식이 또 마음에도 없는 소리 하네' 딱 그런 눈빛이었다. 케일은 제 마음을 알아준 왕세자에게 부드러이 미소를 지어 보였다.

존이 입을 열었다.

"로운 왕국에는 참―"

그는 뒷말을 잇지 못하고 다물었다.

왕세자와 케일. 두 사람이 서로를 바라보는 신뢰 가득한 미소에 존은 무슨 말을 하고 싶었지만 뒷말이 생각나지 않았다. 다만 머릿속에 적의 실체가 조금 더 명확해졌다. 이는 다른 이들도 비슷했다.

리타나의 시원시원한 목소리가 회담 테이블 위에 내려앉았다.

"위퍼 측에 식량을 지원하겠습니다."

이는 정글이 크게 한발 이득에서 물러섬과 동시에, 연금술에 국한된 것이 아닌 조금 더 깊은 개입을 한다는 의사 표시였다. 이에 답하듯 헤롤은 선한 미소로 담담히 말했다.

"추후 마법 폭탄 관련된 일은 저희가 맡고 싶군요. 그런 녀석들은 죽여야죠."

마법을 애증하는 사람다운 살벌한 대답이었다.

케일은 슬슬 다시 활발해지는 테이블을 보며 슬쩍 의자 등받이에 등을 기댔다. 가장 많은 정보를 쥔 알베르 왕세자의 주도로 회담이 잘 진행되어 갔다.

위퍼 측에는 세 왕국이 비밀리에 자금과 식량을 조달하기로 했다. 추후 전쟁 중에 제국군이 위퍼 왕국 국경을 넘는 위험이 발생 시 곧바로 정글에서 정체를 숨긴 전투조를 보내기로 했다.

더불어 죽은 마나 폭탄을 제국에서 사용할 시, 그에 따른 모든 대처 매뉴얼은 로운 왕국에서 제시하되 비용은 온전히 다른 왕국들이 제공하는 것으로 했다.

그 외에도 겨울에 있을 고래족 싸움에 대한 지원과 북 3국의 문제까지. 대략적으로 내년 봄까지 이어지는 계획에 대한 큰 틀이 정해졌다.

"그럼 이제 맹세를 하죠."

왕세자의 손짓에 미친 신관 케이지가 일어섰다.

그렇게 죽음의 맹세가 해안가 모두에게 새겨진 후, 회담은 종료되었다.

케일은 어느새 밤이 지나고 수평선에 해가 떠오르는 것을 보며 텔레포트 진으로 향했다. 그의 뒤를 에르하벤이 따르고 있었다.

케일은 왕세자 일행, 케이지와 함께 텔레포트 진 앞에 서서 차례를 기다렸다. 헤롤 참모장이 먼저 급히 떠나고 있었다.

지지직—

텔레포트 진이 작동했고, 헤롤은 마법진 위에서 점점 흐려져 갔다. 다음 차례를 기다리던 케일과 헤롤의 눈이 마주쳤다. 헤롤이 미소를 지어 보였다.

"케일 공자님, 승리해서 뵙지요."

케일이 미처 대답하기 전에 헤롤은 마법진 위에서 사라졌다. 왕세자가 케일을 보며 물었다.

"또 보고 싶다는데?"

왕세자는 케일의 떨떠름한 표정에서 그 대답을 들었다. 그는 피식 웃음을 흘리며 케일과 마법진 위에 올라섰다.

일행은 곧 우바르 영지에 도착했고, 왕세자는 케일과 헤어지기 전에 말했다.

"겨울까지 할 일도 없겠는데. 푹 쉬어. 승리라는 좋은 소식 기다리면서 말이야."

케일은 당연한 말이기에 담담히 답했다.

"안 그래도 쉴 생각입니다."

하지만 케일은 왕세자의 웃는 얼굴에 기분이 이상해졌다. 왕세자는 이런 실없는 소리는 오랜만이네, 하는 표정으로 웃으며 케일에게 작별 인사를 했다.

"그래. 꼭 그러도록."

그런데 그럴 수가 없었다.

케일은 영상통신구 화면이 꽉 차도록 얼굴을 들이민 툰카를 보며 미간을 찌푸렸다. 그의 침실 창밖에서는 여전히 기합이 잔뜩 들어간 목소리들이 들려왔다.

"으아아악!"

"할 수 있다!"

벌써 가을이 왔건만, 연무장을 가득 채운 목소리들은 지치지도 않았다.

케일은 가을이 된 후 전해진 첫 소식을 듣기 위해 툰카와 얼굴을 마주해야 했다.

"무슨 일이지?"

그간 케일은 왕세자와 론이 이끄는 정보 조직을 통해 위퍼 왕국에 대한 소식을 매일 확인했다.

생각보다 위퍼 왕국은 대등하게 제국군과 싸우고 있었다.

제국 측은 죽은 마나 폭탄을 비롯한 모든 전력을 드러내지 않았다. 거기에 장기전이 될 경우 자금이 부족한 위퍼가 휘청일 것이란 대부분의 예상과 달리, 위퍼 왕국이 자금과 투석기를 비롯한 각종 무기들을 끊임없이 잘 조달했기에 가능한 일이었다.

'하지만 너무 지지부진해.'

오늘 아침까지만 해도 그런 지지부진한 상태라는 보고를 들었다. 그래서 케일이 툰카를 보는 표정은 시큰둥했다.

ㅡ너에게 가장 먼저 말하고 싶었다.

툰카는 말했다.

ㅡ반은 이겼다.

케일의 안색이 변했다.

"뭐라고?"

ㅡ성을 하나 뺏었다! 크하하하하!

웃는 툰카가 영상통신구에서 살짝 물러섰다.

'이런 미친놈.'

케일은 그제야 툰카가 피를 닦은 얼굴을 뺀 온몸에 피 칠갑을 하고 있음을 알 수 있었다.

툰카의 뒤로 수많은 시체가 보였다. 시체들을 쌓아두고 그 한가운데에서 영상통신을 한 것이다. 역시 보통 미친놈이 아니다.

─그리고 네 말대로 했다.

신나게 웃던 놈이 담담하게 한 말에 케일은 의아했다.

"내 말대로?"

─그래. 다친 병사들을 버리지 않고 데려왔다.

정말 툰카가 미친 건가?

케일은 툰카가 병사들을 데려왔다는 말에 기겁했다. 안 하던 짓을 하니 이상했다. 툰카는 꽤 뿌듯한 얼굴로 말을 이었다.

─강자는 약자를 챙길 줄 아는 아량도 있어야 하지.

정말 이놈이 미친 건가.

케일은 심각하게 화면 속 툰카가 진짜 툰카인지 고민했다. 그러나 이어진 툰카의 말과 그의 탐탁지 않은 표정에, 그 고민을 한쪽으로 미뤄두었다.

─하지만 치료는 힘들 것 같다.

케일은 대충 짐작이 갔다. 아무리 위퍼 측에 자금이 늘었어도 비싼 포션으로 모든 병사를 치료할 수는 없었다.

'그리고 신관이 부족하겠지.'

위퍼 왕국은 원래 어느 종교든 약세였다. 마법 강국이었기 때문이다. 그래서 전쟁 시 데려올 신관이 부족했다. 또 참으로 웃기게도 교단 측에서는 자연은 숭배하지만 신은 믿지 않는 부족민들을 야만인이라 생각하였고, 그렇기에 신관을 지원해 주지 않았다.

더욱이 위퍼 왕국은 오랜 내전의 결과로 치유력과 신성력이 없는 일반 치료사들도 적었다. 마법사들이 그들을 집중적으로 공격한 적이 있었기 때문이다.

케일은 툰카의 담담한 얼굴에 서린 아쉬움을 보았다.

−치료할 사람이 부족해. 절반 정도 이긴 상태인데, 여기서 포션을 많이 소비할 수도 없고. 일반 치료사도 적고 신관도 없고.

그 순간 케일은 두 사람이 떠올랐다. 현재 케일의 저택에서 공짜로 먹고 놀며 지내는 사람들이었다.

미친 신관과 반쪽짜리 성자.

그리고 하나 더. 에르하벤의 레어에서 뒹굴고 있는 엘프 하나가 떠올랐다.

"음."

케일은 팔짱을 낀 채로 고민에 빠졌다. 저 셋 하나하나가 웬만한 신관들 몇 명 이상의 몫을 했다. 고민하는 케일의 머릿속으로 라온이 말했다.

−인간, 우리 사람 구하는 건가?

라온의 목소리에 묘한 기대감이 어렸다. 하지만 케일은 일단 툰카를 보며 궁금했던 것을 물었다.

"반만 이겼다는 게 뭐지?"

이기면 이기고, 지면 지는 것이었다. 그런데 반만 이겼다니?

케일의 의문에 툰카는 어색한 미소를 그려 보였다.

−크흠, 적들이 성을 버리고 도망갔다.

"그러면 성을 너희들이 차지한 것이겠군."

성 하나를 툰카가 차지했다는 소리였다.

—크흠. 큼. 차지하기는 했는데. 들어갈 수 없다.

……그건 또 뭔 소리야?

케일의 눈빛을 본 툰카는 머리를 긁적이더니, 영상통신구 화면을 반대쪽으로 돌렸다. 그러자 시뻘건 것이 보였다.

케일은 왜 툰카가 성안이 아닌, 시체 한가운데에서 일반 병사들의 눈을 피해 영상통신을 했는지 알 수 있었다. 라온의 목소리가 머릿속에 울려 퍼졌다.

—인간, 활활 타오른다!

불이 활활 타오르고 있었다. 아주 하늘로 향해 솟아오를 듯한 불기둥이 성을 둘러싸, 성이 보이지 않았다.

—크흠, 갑자기 불기둥이 솟아오르더니 성을 둘러싸고 꺼지지가 않아.

"……안 꺼진다고?"

—그래. 그래서 현재 불기둥을 따라 병사들을 배치해 뒀지. 신기하게 저 불기둥은 성안으로는 퍼지지 않고 그 자리에서만 계속 타오르더군. 마치 성을 보호하는 장벽 같더라고.

툰카는 반쪽짜리 승리에 대해 말하며, 솔직한 심정을 친우에게 토해냈다. 그래도 케일에게 말하고 나자 마음이 편안해졌다.

이전처럼 툰카가 그냥 냅다 싸울 때와 달리 전쟁은 생각해야 할 것들이 참 많았고 해결해야 할 문제도 참 많았다. 성을 둘러싼 불기둥도 그 문제 중 하나였다.

—도대체 제국이 무슨 수작을 부린 것인지 알 수가 없어. 그래도 반드시 해결을 내서— 음?

툰카는 케일을 보며 말을 멈췄다. 하지만 곧이어 그답지 않게 걱정스레 물어보았다.

—무슨 일 있나?

케일의 표정이 일그러져 있었다. 케일은 툰카의 말은 무시한 채 영상통신구 속 불을 쳐다봤다. 그의 머릿속으로, 해맑은 것은 물론 신이 난 라온의 목소리가 들려왔다.

—인간, 저거 우리가 본 그 불 아닌가?

케일은 일 년도 더 전에 보았던 불기둥을 떠올렸다. 정확히 정글 1구역만 태운 채로 더 퍼지지 않고, 비가 와도 형세를 유지하던 불기둥.

'제기랄.'

케일은 목걸이를 매만졌다. 지배하는 물이 담긴 목걸이였다. 그의 미간에 깊은 골이 파였다.

'아무래도 저 불. 저거 내가 꺼야 할 것 같은데.'

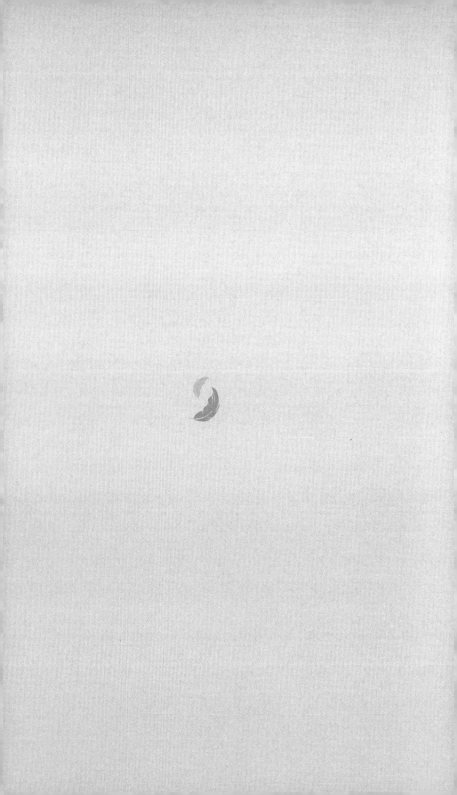

32장

아쉽잖아?

32장
아쉽잖아?

"후우."

케일의 입에서 한숨이 흘러나왔다. 툰카는 그 한숨에 바로 반응했다.

-그렇게 걱정할 필요 없다. 내가 누군가? 툰카 대장군이다. 방법을 찾을 테니, 내 걱정은 하지 않아도 된…….

"좌표 불러."

-……뭐? 좌표?

툰카는 두 손으로 얼굴을 쓸어내리는 케일의 복잡한 표정을 볼 수 있었다. 그는 곧 짜증 가득한 얼굴로 퉁명스레 말하는 케일을 마주했다.

"지금 네가 있는 곳 좌표 불러 달라고. 갈 테니까."

-……왜?

어병한 툰카의 물음에 케일은 짜증이 왈칵 치밀어 올랐다.

'그러게 말이야. 나도 내가 왜 가야 하는지 모르겠다.'

그렇다고 안 갈 수도 없다. 위퍼 왕국이 제국의 성을 차지해야 제국의 세가 줄어들지 않겠나?

'……제국의 생각은 모르겠지만.'

케일은 제국이 왜 굳이 이번에 이런 번거로운 짓을 하고 내뺐는지 알 수 없었다.

물론 제국에서 성의 병력을 빼 툰카 측에서 노리는 다른 두 성으로 병력을 분산하면 그쪽의 방어에 더 집중할 수도 있었고, 성을 둘러싼 불을 끄려고 노력하는 위퍼군을 기습하려 할 수도 있었다.

즉, 모든 건 직접 가야 파악할 수 있을 문제였다. 케일은 멍청한 얼굴로 눈만 껌벅이는 툰카에게 말했다.

"왜긴 왜야. 신관 조달하고 불기둥 끄러 가야 할 거 아냐."

―……네가?

의문을 드러내던 툰카는 이내 입을 다물었다. 삐딱하게 앉아서 저를 쳐다보는 케일 헤니투스. 그라면 허튼소리를 할 리가 없었다.

―그래. 너라면 그냥 빈말을 할 리가 없겠지.

"그러니까 좌표 불러. 빨리 가게."

빨리 가서 불만 끄고 도로 와야지. 케일은 그리 마음먹었다.

툰카는 주섬주섬 케일이 깃펜과 메모할 종이를 챙기는 모습을 지켜봤다. 좌표를 받아 적으려는 태세였다. 그 모습에 툰카는 기분이 묘했다. 케일 헤니투스에게 신관이 있고 불을 끌 방법을 안다고 해도 굳이 이곳에 올 이유는 없었다.

아직 완전히 전쟁이 끝난 것도 아니고, 어느 누구도 항복을 외치지 않았다. 대치가 계속되고 있을 뿐이었다. 그래서 언제라도 위험해질 수 있는 곳이 바로 이 전장이었다. 그곳으로 흔쾌히 오려는 케일이 선뜻 이해되지 않았다.

동시에 그 마음이 조금 이해되었다.

'착한 놈.'

툰카는 케일에 대한 평가를 다시 한번 확고히 다지며 좌표를 불러 주었다.

─로운 왕국에서 보낸 마법사에게 네가 온다고 말해두겠다. 텔레포트 진을 설치해서 다시 좌표를 제대로 불러주겠다.

"그래. 빨리빨리 해."

─알겠다. 오랜만에 보겠군.

케일은 툰카의 말에 고개를 끄덕이다가 입을 열었다.

"아, 그리고 말이야."

어서 말하라는 듯 툰카는 히죽 웃고 있었다. 그 얼굴 꼴이 보기 싫어 케일은 화면을 외면하며 입을 열었다.

"나 변장해서 간다."

─뭐?

"끊는다."

뚝.

케일은 제 손으로 영상통신을 끊었다. 지금 툰카와 더 얘기할 것도 없었다. 나중에 텔레포트 진의 좌표 위치만 연락받으면 될 일이었다.

그는 자리에서 일어섰다. 라온이 허공에서 불쑥 나타나 케일의 옆으로 날아왔다.

"인간! 변장이 무슨 말이냐?"

라온의 동글동글한 눈빛이 심하게 반짝이고 있었다. 하지만 케일은 가볍게 무시하며 5층 방문을 열어 4층으로 내려갔다. 그는 4층 가장 안쪽 방문을 두드렸다.

똑똑똑.

"들어오세요."

안에서부터 아주 선량한 목소리가 들려왔다. 케일은 문고리를 돌렸다.

달칵. 문이 열리자 방 안의 모습이 드러났다.

"……공자님?"

성자 잭이 벌떡 일어나 케일을 반겼다.

4층 가장 안쪽 끝 방과 그 옆의 방. 온갖 보호 마법과 알람 마법으로 도배가 된 이 두 방이 성자와 성녀가 지내는 방이었다.

"안녕하십니까, 공자님."

벌떡 일어선 미친 신관 케이지가 용병처럼 넙죽 케일에게 인사해 보였다. 케일은 두 사람을 가만히 바라보다 입을 열었다.

"성자님, 하나 씨는 수련 중입니까?"

"아, 네. 메리 씨에게 어둠의 속성 다루는 법을 배우고 있습니다."

"그렇습니까?"

"네. 로잘린 씨와 최한 씨도 함께 있다고 들었습니다."

"그렇군요."

미친 신관 케이지는 벌컥 문을 연 것과 달리 잠잠한 케일이 이상했다. 그런 생각을 한 것을 알아차린 것인지 케일이 고개를 돌려 케이지를 쳐다봤다. 그 시선에 케이지는 흠칫 한 발자국 뒤로 물러섰다.

"케이지 씨."

"네, 네?"

"계속 저택에 머무르실 겁니까?"

케이지는 현재 케일의 저택에서 숙식을 하며 머무는 중이었다. 그녀가 케일의 저택을 벗어나려고 하면 죽음의 신이 꿈에 나와서 울먹였기 때문이다.

얼굴도 볼 수 없는 신이 우는 소리를 해대는 게 얼마나 듣기 싫은지 모른다. 그래서 뜻하지 않게 케이지는 상극인 태양신 교단의 성자와 친분을 쌓게 되었다. 그녀는 케일에게 답했다.

"네, 공자님만 괜찮다고 하시면 그러고 싶습니다."

성자 잭이 옆에서 거들었다.

"케이지 님이 함께해 주셔서 얼마나 좋은지 모릅니다. 저도 공자님만 괜찮으시다면 케이지 씨가 이곳에 더 머물러 주셨으면 합니다."

케이지의 존재 덕에 성자 잭은 힘을 억누를 수 있었다. 그 결과로 성자는 메리와 동생 하나에게 조금 더 편히 다가갈 수 있었다. 물론 여전히 동생과 악수 한 번 할 수 없는 신세였지만, 그것이 살아 있는 동생보다 중요하지는 않았다.

케일은 선선히 고개를 끄덕였다.

"저도 케이지 씨가 머물러 주셔서 좋습니다. 그래서 말인데요."

케일은 반쪽짜리 성자와 미친 신관에게 말했다.

"사람 좀 살리러 갑시다."

"네?"

성자는 멍하니 되물었고, 케이지는 담담하게 질문했다.

"어디로 가나요?"

케이지의 반응에 케일은 미소를 그리며 답했다.

"전쟁터요."

"네?"

이번엔 케이지도 되물었다. 하지만 케일은 그 물음에 답하기 전에 두 사람을 빤히 바라보다가 툭 던지듯 말했다.

"그리고 변장 좀 합시다."

"네?"

"……무슨 말씀이신지?"

문 앞에 선 케일의 등 뒤에서, 들어오지 못하고 이리저리 고개를 내밀며 얼쩡거리던 라온이 외쳤다.

"얘네들도 변장하나?"

그 말에 케이지가 멈칫하며 물었다.

"……공자님도 변장하시나요?"

"네. 변장이라고 해봤자 다들 머리색만 바꾸는 정도일 겁니다."

"……머리색요? 공자도요?"

케일은 시큰둥하게 답했다.

"네. 전 웬만하면 성스러워 보이는 걸로요."

"성, 뭐요?"

케이지가 황당한 얼굴로 쳐다봤지만, 케일은 무심히 라온에게 지시했다.

"로잘린 씨 좀 오라고 해. 최한도."

"그 둘도 변장하나?"

"보고. 일단 데려와."

"알았다, 인간!"

라온은 아주 신난 얼굴로 로잘린이 있는 곳으로 날아가 버렸다.

케일은 무슨 미사일 날아가듯 날아가는 라온을 쳐다보며 한숨을 내쉬었다.

'변장이라니.'

별수 없었다. 케일은 이미 제 얼굴을 툰카 병사들에게 보였다.

위퍼 왕국군과 모고르 제국군이 부딪치는 전장. 현재는 제국군이 없다지만, 그곳에 로운 왕국의 귀족 자제가 나타나면 상황이 복잡해질 것이 뻔했다.

"저, 공자님."

"왜 그러십니까, 성자님?"

"성스러운 색으로 하얀색을 추천합니다."

케일은 고개를 돌려 성자 잭을 바라봤다. 순진무구한 얼굴로 말하는 잭은 케일에게 의견을 하나 낼 수 있어 기뻐하는 것 같아 보였다. 케일은 대답을 바라는 맹한 얼굴을 보며 입을 열었다.

"……참고하죠."

하이고, 내 팔자야. 케일은 에르하벤처럼 제 팔자를 찾아보았다.

탄내와 피비린내가 코끝을 찔러댔다. 하지만 전쟁터가 익숙한 이에게 그런 냄새는 아무런 자극이 되지 못했다. 대신 새로운 자극이 꽤 강하게 다가왔다.

툰카는 군 진영을 세운 곳에서 꽤 떨어진 천막 안에 비밀리 설치한 텔레포트 진을 쳐다봤다. 진 위에는 총 다섯 명의 사람이 서 있었다.

그중 한가운데 서 있는 남자. 툰카는 멍하니 그 남자를 보며 중얼거렸다.

"⋯⋯너 꼴이 왜?"

남자는 그 말에 특유의 삐뚤어진 미소를 그리며 머리칼을 쓸어 넘겼다. 흰색에 가까운 장발이 손길을 따라 부드러이 흘러내렸다.

케일 헤니투스. 그는 아무 문양도 없는 새하얀 신관복만큼이나 흰 머리칼로 변해 있었다. 하얀 머릿결에서 희미한 빛까지 나오는 듯해 꼭 은발 같아 보이기도 했다.

케일은 툰카의 얼빠진 반응은 무시하면서 헤롤 참모장을 바라봤다.

"내 모습 어떤가?"

"다들 공자님을 못 떠올릴 것 같군요."

헤롤은 대답을 하며 케일의 손에 들린 가면을 바라봤다. 눈가 근처만 가리는 가면이었다.

"거기다가 그 가면까지 쓰시면 아무도 못 알아볼 것 같습니다."

푸른 눈동자로 변한 케일이 부드러운 미소를 지어 보였다. 그 모습에 헤롤은 저도 모르게 감탄을 흘렸다.

"진짜 신관 같아 보입니다."

"그럼 성공이고."

미리 좌표를 따라 혼자 텔레포트해 천막 한쪽에 웅크리고 있던 라온이 투명화한 채로 케일의 머릿속에 외쳤다.

-역시 내 역작이다! 인간, 네가 진짜 성자 같다!

이번 변장은 모두 라온의 솜씨였다.

로잘린과 최한은 서로의 머리 색깔을 바꿨다. 로잘린은 검은 머리칼에 검은 눈동자, 그리고 최한은 붉은 머리칼에 붉은 눈이었다. 미친 신관과 성자는 각기 평범한 갈색으로 염색했다. 모두 케일처럼 가면을 들고 있었다.

케일은 헤롤에게 말했다.

"환자들은 어디 있지?"

"바로 치료를 시작하시려는 겁니까?"

케일은 하얀색 가면을 썼다. 그는 신관복을 펼치며 답했다.

"아픈 이들이 있는 곳, 도움이 필요한 이들이 있는 곳을 찾아가는 것이야말로 신의 뜻이 아니겠는가?"

아주 성스러워 보이는 모습에 헤롤은 헛웃음을 흘렸지만 이내 진중히 답했다.

"안내해 드리겠습니다."

위퍼 왕국 병사들은 불안한 눈동자로 불기둥을 바라봤다. 특히 성을 둘러싼 불기둥을 따라 경계를 서고 있던 병사들은 더욱더 그러했다.

어젯밤부터 오늘 새벽까지 비가 왔다. 그러나 이 불은 꺼지지 않았다. 그 기이함이 사람들을 두렵게 만들었다. 불기둥에 조금만 가까이 다가가려고 하면 열기에 피부가 아파왔고 숨이 막혔다.

병사 한 명이 주위를 둘러보며 제 옆 동료에게 속삭였다.

"이 불이 정말 제국군이 한 짓일까?"

"내가 어찌 알아."

"아니, 이런 불을 만들 줄 알면 우리도 이렇게 타 죽는 거 아냐?"

"예끼! 이 사람이 지금 무슨 그런 헛소리를 하는가!"

동료는 놀라며 병사에게 호통을 쳤다. 주변에 높은 이들이 없어서 다행이었다. 하지만 동료는 이내 병사의 표정을 보고 미간을 찌푸렸다. 병사는 두려움에 떨다가 참지 못하고 꺼낸 말이었다.

"아니, 이게 헛소리인 건 아는데. 갑자기 제국군들이 다 도망가고 이 불기둥만 남겨두니까. 그러니까 마음이 뒤숭숭해서 그래."

전쟁은 길어지지, 거기다가 이상한 불기둥을 지키고 있어야지.

마법을 증오하던 위퍼 왕국 출신인 병사는 불기둥을 보며, 예전 마법사들의 그 흉포했던 마법이 떠올라 심장이 쿵쾅거렸다.

"예끼! 그래도 대장군님이 아픈 이들도 다 끌어안고 오시지 않았는가. 심한 이들에게는 그 귀한 포션도 조금이지만 주시고."

동료의 질책 어린 말에 병사의 표정이 조금 풀어졌다.

대장군 툰카. 그는 예전 왕국 내전 때와 달리 이번 전쟁 땐 부상자들을 버리지 않았다. 하지만 이내 그 표정이 다시 굳어졌다.

"……그 이들도 다 죽어가고 있잖은가."

결국 포션도 부족해졌고 힐 능력이 없는 치료사가 하는 치료는 한계가 있었다. 고국에 돌아가지 못하고 죽어가는 병사들의 신음 소리를 듣는 것도 이들에게는 공포였다.

"왜 그런 안 좋은 말만 하는가. 곧 대장군님과 참모장님이 길을 찾아주실 걸세."

병사는 동료의 말에 씁쓸한 미소를 지었다. 한창 마법을 없애야 한다는 생각에 열이 올라 전쟁에 참여했지만 갈수록 현실이 보였다. 그의 입에서 회의감 가득한 목소리가 흘러나왔다.

"과연 그럴— 어?"

그는 말을 끝맺지 못했다. 저 멀리, 군 진영 중심으로 향하는 하얀 무리가 보였다.

하얀색 신관복에 하얀 가면을 쓴 사람들. 총 다섯 명이 툰카 대장군과 함께 환자들이 있는 천막으로 향하고 있었다. 그들의 정체는 당연히 케일 일행이었다.

케일은 환자들이 있는 천막으로 향하며 주위를 둘러보았다. 진영 분위기가 영 좋지 못했다.

—인간, 저 불기둥 보이나? 저것도 쓸어버리나? 저번 정글 때처럼 하다가는 이 성도 부숴 버릴 텐데!

모고르 제국과 위퍼 왕국이 맞닿은 국경에 있는 대표적인 세 성 중 하나인 마이플성.

'성을 부수긴. 미쳤다고 이 귀한 걸 부숴.'

케일은 이번에는 얌전하게 일을 처리하고 갈 생각이었다. 그는 주변을 둘러보다가 병사 한 명과 눈이 마주쳤다. 환자들이 모인 천막 앞을 지키던 병사였다. 케일은 그에게 부드러운 미소와 함께 물었다.

"안으로 들어가도 되겠습니까?"

"네, 네?"

병사는 기품 있는 모습에 당황했다. 그 순간, 대장군 툰카가 담담히 말했다.

"천막을 걷어라."

"네, 네!"

케일과 눈이 마주친 병사와 그 옆의 병사들이 황급히 천막을 걷어냈다. 각종 약초 냄새와 부상으로 인한 냄새가 흘러나왔다. 그 안으로 케일은 천천히 들어섰다. 그 뒤를 다섯 사람이 따랐고 이를 지켜보던 병사는 문득 떠오른 단어를 중얼거렸다.

"……신관님."

병사는 백발의 신관 뒤를 따르는 두 신관의 손에서 피어오르는 검은색과 황금색 빛을 보았다. 치유의 힘이었다.

죽음과 아픔의 기운으로 가득하던 천막 안. 환자와, 환자를 돌보던 치유 능력이 없는 일반 치료사들, 그리고 치료를 돕던 병사들의 시선이 다섯 신관에게 향했다.

케일은 입을 열었다.

"힘든 싸움을 하시는 여러분들을 돕고자 하늘의 뜻에 따라 오게 되었습니다."

아.

누군가가 탄성을 흘렸다. 케일은 손을 들어 보였다.

"시작하죠."

미친 신관 케이지와 성자 잭이 왼쪽과 오른쪽 병상에 각각 나뉘어 움직였다. 그 뒤를 로잘린과 최한이 한 명씩 따랐다.

성자 잭이 환자의 팔에 손을 올렸다.

싸아아아-

찬란한 금빛과 함께 급격하게 상처가 아물기 시작했다.

"내, 내 팔이-"

아무는 자신의 팔을 보던 부상자의 눈물 섞인 탄성과 함께 치료가 시작되었다.

최한과 로잘린은 마법 주머니에서 포션을 꺼내 두 신관의 치료를 보조했다. 케일은 이 광경을 지켜보다가 툰카와 눈이 마주쳤다. 툰카가 일렁이는 눈동자로 말했다.

"너 포션도 이렇게나 많이- 정말, 고맙다."

케일은 병사와 치료사들의 시선을 느끼며 대충 기품 있는 인사로 답했다.

포션은 왕세자가 선뜻 사비로 제공해 준 것이다. 케일은 이곳으로 오기 전 왕세자 알베르와 나눴던 대화를 떠올렸다.

'정글 때처럼 불을 끈다고? 비밀 단체 '암'의 복장을 하고서 말이지?'

케일, 로잘린, 최한. 세 사람은 품이 넓은 신관복 안에 업데이트한 비밀 단체 옷을 입고 있었다. 알베르 왕세자는 크게 웃음을 터뜨렸다.

'하하하! 제국은 분명 어딘가 숨어서 위퍼군을 지켜보고 있겠지. 제국과 비밀 단체에게 제대로 혼란을 줄 수 있겠어.'

'내 사비로 지원해 주마. 가서 제대로 성자 행세하다가 오도록.'

케일은 치료가 행해지는 천막 안을 보며 생각했다.

'이왕 왔는데, 그냥 불만 끄면 아쉽잖아?'

하지만 불을 끄는 일은 오늘 바로 당장 할 일이 아니었다. 케일은 천막 입구를 일부러 활짝 열어두었다. 당연히 오가는 병사들이 보라고 그리해 두었다.

-인간, 인간.

라온의 목소리가 머릿속에 들려왔다. 케일은 그 말을 흘려들으며 중환자보다는, 가벼운 타박상과 인대 등을 다친 이들에게 다가갔다.

"타박상이 많으시군요."

"네, 네. 신관님."

가벼운 환자라 천막 한구석에 앉아 있던 병사는 얼떨결에 답했다. 케일은 포션을 꺼내 천에 적셨다. 그리고 그 천으로 상처 부근을 지그시 눌렀다. 천이 지나간 자리의 가벼운 타박상들이 사라져 갔다.

"가, 감사합니다."

병사는 자신의 인사에 부드럽게 미소 짓는 백발 신관을 볼 수 있었다. 그는 다른 말 없이 다른 사람에게 다가가 가벼운 부상들을 치료해 주었다.

─인간, 착하다!

케일은 언제나처럼 라온의 말을 가벼이 무시하며 작은 부상을 입은 환자라도 한 명, 한 명 포션으로 치료했다.

병사들은 작은 상처라도 가벼이 보지 않고 포션까지 사용하며 하나하나 치료해 주는 백발 신관의 모습에 묵묵히 고개를 숙이며 감사한 마음을 표했다. 케일은 그 인사를 대충 받으며 생각했다.

'역시 공짜 포션은 막 써야 제맛이지.'

케일은 왕세자가 사비로 준 포션을 아낌없이 썼다. 역시 남의 포션을 써서 그런지 쓰는 재미가 아주 철철 넘쳤다.

"감사합니다, 신관님."

케일은 왕세자 사비를 쓴다는 생각에 절로 미소를 지었다. 그는 병사의 감사 인사에 대충 신관처럼 답했다.

"별말씀을. 아픈 이들을 돌보는 것이 신관이 할 일이지요."

케일은 제 주위의 가벼운 환자들만 일단 해결하고, 일행이 있는 곳으로 움직였다. 사경을 헤매는 이들의 곁에 케이지와 잭이 있었다.

'열심히 하네.'

성자 잭. 그는 땀을 뻘뻘 흘리며 환자들을 돌보고 있었다. 현재 잭이 치료의 힘을 사용하는 환자는 옆구리가 깊이 베여 사경을 헤매고 있는 이였다.

파아앗.

잭의 손에서 연신 금빛이 흘러나오며 병사의 상처를 치료하였다. 케일은 그 광경을 보며 생각했다.

'치유력만큼은 최고네.'

미친 신관 케이지도 뛰어난 신관이었다. 하지만 그녀와는 비교할 수 없는 아우라가 지금 이 순간 잭에게서 흘러나오고 있었다. 그런 그에게로 천막 안의 시선들이 모인 것은 당연한 일이었다. 케일은 이를 흐뭇하게 바라봤다.

'나중에 제국에서 써먹어도 되겠어.'

이 흰 신관복과 흰 가면 그대로 제국에서 날뛰면 아주 난장판을 만들 수 있을 것 같아 케일은 괜히 조금 설렜다.

"끄으으, 윽."

신음을 흘리며 사경을 헤매던 병사는 성자 잭의 치료를 받으며 점점 안색이 밝아졌다. 마침내 잭이 환자의 옆구리에서 손을 뗐다.

"흐아."

잭은 병상 근처 의자에 걸터앉으며 깊은숨을 토해내었다. 환자의 옆구리를 본 케일은 살짝 주먹을 쥐었다. 상처가 벌어져 내장이 보이는 것을 넘어 썩어서 고름이 흘러넘치던 옆구리가 흉터 하나 없이 아주 깨끗하게 치료되었다.

"허."

"와."

그걸 본 위퍼 왕국 사람들은 경탄을 감추지 못했다. 케일은 힘겨
운지 숨을 헐떡이는 잭의 곁으로 다가갔다. 그는 힘이 없어 보이는
잭을 천막 구석으로 데려가 앉혔다.

"괜찮으십니까?"

케일의 물음에 잭은 미소를 지어 보였다. 그는 떨리는 손으로 이
마의 땀을 닦아내며 입을 열었다.

"공자님."

"네."

"공자님을 따라오길 잘한 것 같습니다."

갑자기 뭔 소린가. 케일은 순간 이해가 되지 않아 잭을 바라봤다
가 흠칫 어깨를 떨었다. 잭은 아주 행복하다는 듯 환하게 웃고 있었
다. 그는 케일에게만 들리게 아주 작은 목소리로 속삭였다.

"교단에 있을 때, 저는 늘 몇몇 높은 사람만 치료하며 살아야 했
습니다. 정말 신의 손길이 필요한 이들은 돌보지 못했지요. 그리고
지금."

성자의 눈동자는 언제 지쳤냐는 듯 생기가 흘러넘치기 시작했다.

"저는 제가 해야 할 일이 무엇인지 비로소 깨달았습니다. 공자님,
웃긴 이야기 하나 해드릴까요?"

"······무엇입니까?"

잭은 주먹을 쥐었다가 펼쳤다. 손의 떨림이 사라졌다.

"치유력이."

그는 이제야 신의 뜻을 알 것 같았다.

"공자님, 치유력이 더 커지는 것 같습니다."

이야. 케일은 그 말을 듣자마자 속으로 감탄했다. 다 죽어가던 사람을 살리는 것만으로도 놀라운 치유력이건만, 더 커진다고?

'성자네.'

잭은 진짜 성자였다. 케일은 치료를 할 수 있어 아주 행복해 보이는 잭의 어깨를 두드리며 격려했다.

"잭 님을 믿습니다."

잭은 그 말에 두 주먹을 꽉 쥐었다. 케일 덕분에 동생을 살렸다. 그런 그가 도움이 필요하다고 해서 함께 왔다. 그런데 여기서 하는 일이 또 누군가를 살리는 일이었다.

잭은 고개를 들어 케일을 바라봤다. 케일은 자신의 앞에 서서 환자들을 둘러보고 있었다. 그의 눈빛은 어느 때보다도 진지해 보였다.

'진작에 이렇게 살았어야 하는데.'

잭은 후회가 밀려왔지만 이를 꾹 누르며 자리에서 일어섰다. 그는 다시 환자들에게 다가갔다.

케일은 잭이 다시 치료를 시작하는 것을 보며 천막 안을 둘러보았다. 잭이 지난 삶을 후회하게 만든 그 눈빛이 천막 안 모습을 담고 있었다. 눈빛의 주인공은 생각했다.

'오늘 밤새워야겠는데.'

환자용 천막은 몇 개 더 있었다. 이를 모두 둘러보려면 밤을 지새워야 할 듯싶었다. 하지만 밤을 새운다고 해도 케일은 그저 자리만 지키면 되었다. 그는 케이지와 잭에게 포션을 건넸다. 밤을 새우며 가장 많이 고생할 이를 위한, 심심찮은 위로였다.

다음 날. 위퍼 왕국군의 시선이 밤새 환하게 불을 밝히며 환자들을 치료하는 신관들이 있는 천막으로 모였다.

치료가 끝난 병사들이 살아났다는 기쁨을 보이며 다른 천막으로 이동되고, 또 다른 중환자들이 천막으로 옮겨지고를 반복하고 있었다. 그리고 지금. 또 한 사람이 눈물을 흘리며 감사를 표하고 있었다.

"감사합니다, 감사합니다. 정말로."

"아닙니다. 그저 할 일을 했을 뿐입니다."

다리를 절단해야 할지도 몰랐을 병사는 성자 잭의 손을 잡고서 눈물을 흘리고 있었다. 잭도 벅찬지 병사의 손을 꼭 마주 잡았다. 이런 광경이 하루 동안 벌써 몇 번이나 반복되고 있었다.

천막으로 들어오던 툰카는 처음 보는 광경에 멈칫했다. 그의 옆에 헤롤이 섰다.

"대장군님."

"……그래."

툰카는 묘한 표정으로 살아난 병사를 바라봤다. 그는 오늘 아침, 진영의 분위기가 한결 밝아져 있음을 깨달았다. 전쟁에서 승리를 할 때와는 다른 활기였다.

"오셨습니까, 대장군님."

익숙한 목소리가 모른 척 말을 건넸다. 케일이었다.

툰카는 신관 행세를 하는 케일이 자신에게 다가오는 것을 보다가 주변의 케일 일행을 둘러보았다. 모두 밤을 새우며, 땀을 흘리며 병사들을 치료하고 있었다.

툰카는 가까이 다가온 케일과 시선을 마주했다. 케일은 툰카에게 다가와 속삭였다.

"오늘 밤. 불 끌 거니까, 자료 다 들고 와."

차가운 어조였지만 툰카는 입가에 미소를 그렸다.

"그래. 알았다."

케일은 어제부터 한숨도 자지 못했기에 히죽 웃어 보이는 툰카의 얼굴이 썩 보기 싫었다. 그래서 뒤돌아 천막 안으로 돌아갔다. 물론 케일은 '심장의 활력' 덕에 하루쯤 자지 않아도 아주 말짱했다.

"고맙다."

등 뒤로 들리는 툰카의 목소리를 케일은 무시했다.

오늘 밤은 그믐이었다.

케일은 마이플성 위 창공에서 아래를 내려다봤다.

'불기둥과 진영을 빼면 완전한 어둠이네.'

그믐이었기에 더더욱 성을 둘러싼 불기둥이 잘 보였다. 케일은 헤롤이 보고서를 건네주며 했던 대화를 떠올렸다.

'성에 정말 사람이 없는 게 맞나?'

'네. 저에게도 마법사가 셋 있지 않습니까? 그들을 통해 저와 심복들이 성안으로 들어가 확인했습니다.'

영상통신 및 긴급 상황을 대비해 로운, 브렉, 정글에서 보낸 마법사들이 툰카 측 참모의 시종으로 위장해 있는 중이었다.

　케일은 이제는 마법사를 거리낌 없이 이용하는 헤롤을 꽤 신기하다는 듯 바라봤다. 그 시선을 느낀 헤롤은 말했다.

　‘대를 위해 소를 희생해야지요. 나중에 마법을 모두 없애려면, 적인 마법사도 이용해야 하지 않겠습니까.’

　융통성이 생긴 미친놈의 눈빛을 케일은 깔끔히 무시했다. 그는 헤롤이 건넨 정보에만 집중했다.

　‘사람뿐만 아니라, 쓸 만한 물건도 없고. 마법 장치도 하나 없더군요. 말 그대로 텅 빈 성이었습니다.’

　‘마법사들이 마법 장치 확인을 했다고?’

　‘네, 아무런 마나 반응이 느껴지지 않았습니다.’

　최소한 저 성안에 현재 서대륙에서 일반적으로 통용되는 마법 장치는 없다는 소리였다. 개량형이면 모르겠지만.

　케일은 입을 열어 지시했다.

　“내려갑시다.”

　“네, 케일 님.”

　“네, 그러죠.”

　최한과 로잘린이 답했고 라온의 목소리가 머릿속에 울려 퍼졌다.

　─성 꼭대기에 내려주면 되나?

　케일 일행은 아주 은밀하게, 소리 없이 불기둥으로 둘러싸인 성에 내려앉았다. 동시에 그들의 투명화도 풀렸다.

　불기둥을 둘러싼 채로 경비를 서고 있는 병사들은 케일 일행의 이런 움직임을 전혀 눈치채지 못했다. 이는 헤롤과 툰카가 경계 단계를 낮췄기에 더 그리했다.

"뜨겁네."

케일은 성 꼭대기 테라스에 서서 감상을 내뱉었다. 불 때문인지 꽤 더웠다.

케일은 최한과 로잘린을 쳐다봤다. 최한이 가슴팍에 매달린 자수를 문질러 대고 있었다.

하얀 별 하나와 이를 둘러싼 붉은 별 다섯 개를 새긴 자수.

한층 섬세해지고 기동성이 증가한 가짜 비밀 단체 복장은 여전히 진짜보단 조잡했지만, 부집사 한스와 비크로스의 솜씨가 닿아서인지 이전보다는 덜 조잡해 보였다.

"공자, 어떻게 할 건가요?"

"일단 일 층까지 내려가면서 마법 장치가 있는지 한 번 더 확인하죠. 로잘린 씨와 라온이면 더 자세히 살필 수 있을 테니까요. 그리고 제국의 속셈도 알아보고."

모두 맞는 말이라, 최한과 로잘린이 고개를 끄덕였다. 케일은 헤롤이 건넨 성 지도를 보며 말을 이었다. 성은 지하 1층까지 있었다.

"혹시 보물이나 귀한 물건이 있나 찾아보고."

두 사람이 멈칫했다. 라온이 공중에서 나타나 외쳤다.

"역시 인간, 너라면 그리 말할 줄 알았다!"

아주 신나서 답했다. 최한은 로잘린을 쳐다봤다. 그는 로잘린이 미소 짓는 것을 볼 수 있었다.

"돈이나 식량 말고 보물 말이죠?"

"네. 로잘린 씨, 잘 아시네요."

돈이나 식량은 병사들을 위한 몫으로 놓아두고, 케일은 더 귀한 것을 찾았다.

"열심히 할게요."

"네, 로잘린 씨만 믿습니다."

"인간, 나는?"

"너도."

최한은 케일과 로잘린, 라온이 대화를 나누며 아래로 내려가는 것을 멍하니 쳐다보다가 뒤따랐다.

곧바로 마이플성 조사에 착수한 케일 일행은 시작하고 얼마 지나지 않아 별다른 것을 발견하지 못했다. 성에는 조사할 것도 별로 없었다.

"음, 지금까지는 마법 장치 반응이 없네요."

"그렇습니까?"

"네."

성의 1층 홀에 모인 케일 일행은 아무런 소득을 얻지 못했다.

"그래도 지하까지 보죠."

케일의 말에 로잘린이 고개를 끄덕였다. 케일과 로잘린 두 사람은 이제 보물을 떠나, 의구심을 드러냈다.

'제국이 그냥 이렇게 불기둥만 피우고 갔다?'

말이 안 되었다. 그러면 제국에게 너무 손해지 않은가?

로잘린이 입을 열었다.

"지하를 바로 보러 갈까요?"

"아뇨. 잠시 불기둥 상태부터 확인하고 가죠."

1층인 만큼 불기둥을 가까이에서 볼 수 있었다. 불은 대략 7m의 폭을 이룬 기둥 형태였다. 그랬기에 1층 문을 열어도 병사들은 케일을 볼 수 없었다. 케일은 1층 홀의 입구로 향했다.

'공자님, 1층 문을 열면 바로 불기둥이 보입니다.'

헤롤의 말이 떠올랐다.

"공자, 조심해요."

"케일 님, 제가 열겠습니다."

로잘린의 걱정 어린 말과 함께 최한이 케일보다 앞서서 입구 문으로 향했다. 최한은 거대한 정문 옆에, 그 반 정도 되는 크기의 작은 문 앞에 서서 케일을 쳐다봤다.

"열어."

케일의 명에 최한이 문을 열었다. 천천히 열리는 문 사이로 케일의 눈앞에 조금씩 그 불기둥이 모습을 드러냈다.

"음."

케일은 저도 모르게 침음을 삼켰다.

화르륵. 불이 타오르는 소리와 함께 그에게로 숨 막히는 열기가 훅 밀려왔다.

"케일 님, 물러나셔야 할 것 같습니다. 많이 뜨겁습니다."

케일은 최한의 말에 고개를 저으며 한 발 더 입구로 다가갔다. 고대의 힘 '심장의 활력' 덕에 뜨거웠지만 버틸 만했다. 그의 표정은 꽤 심각했다.

"저번보다 강한데."

정글 1구역을 태우던 불보다 규모가 작아 화력도 약할 줄 알았다. 하지만 가까이 다가가니 열기가 정글보다 더 강한 것을 느낄 수 있었다.

'……이번엔 과한 물벼락은 힘든데.'

저번처럼 해일을 일으킬 생각이 없는 케일의 미간이 찌푸려졌다. 그 순간 바람이 입구로 불어왔다.

화르르르륵-

뜨거운 열기가 케일을 스쳐 지나갔다. 절로 숨이 막히게 만드는 열기였다. 그 열기에 케일은 뒤로 물러서려고 했다. 아무리 심장의 활력이 있다고 해도 화상은 아프지 않은가?

-희생하려는 것인가?

그때였다.

'음?'

케일은 뒤로 물러서려던 것을 멈췄다. 그의 머릿속에 목소리가 울려 퍼졌다.

-희생하고 보호할 것인가?

짱돌 주인의 목소리였다.

'이게 갑자기 왜 튀어나와?'

땅 속성을 얻은 후, 그 힘에 대해 조금도 신경 쓰지 않고 있었다. 쓸 일도, 쓸 생각도 눈곱만큼도 없었기 때문이다. 그러나 갑자기 들려온 짱돌 주인의 목소리에 케일의 머릿속이 복잡해져 왔다. 그 순간 그의 팔을 잡는 손이 있었다.

"케일 님."

최한이었다. 하필 머릿속이 복잡한 순간 그를 잡은 최한에게 케일은 차갑게 되물었다.

"왜?"

"저기-"

최한은 어정쩡한 표정으로 한 곳을 가리켰다. 케일의 시선이 손끝을 따라 움직였고, 최한의 목소리가 계속해서 들려왔다.

"라온이 이상합니다."

그러고 보니 평소와 달리 불에 다가가는 케일을 보며 라온이 아무 말도 없었다. 아니, 1층에 온 후로 라온은 아무 말이 없었다. 케일은 마침내 최한이 가리킨 곳에 있는 라온을 볼 수 있었다.

"……왜 저래?"

황당함을 담은 목소리가 케일의 입에서 흘러나왔다.

쿵쿵.

라온이 1층 바닥에 얼굴을 묻고서 코를 쿵쿵거리고 있었다. 케일은 이건 또 뭔가 싶어 라온을 쳐다봤다. 그때 라온이 고개를 휙 들어 올렸고 케일과 라온의 눈이 마주쳤다. 검은 용은 1층 바닥을 탕탕 두드렸다.

"냄새가 난다, 냄새가 나!"

냄새?

"검은 늪 근처에서 맡았던 냄새가 난다!"

검은 늪?

케일은 순간 무슨 말인가 했다. 하지만 짧은 순간, 그의 눈빛이 변했다.

검은 늪. 드래곤 뼈와 고대의 힘 '지배하는 아우라'를 얻었던 곳. 그리고 비밀 단체가 인어족에게 죽은 마나 액체를 조달해 줬던 장소.

검은 용 라온이 케일을 보며 말했다.

"그 죽은 용의 죽은 마나 냄새가 난다!"

케일의 입꼬리가 올라갔다.

성자와 성녀는 죽은 마나 폭탄이 액체 형태라고 했다. 제국이 그 액체를 어디서 얻었나 했더니, 예전에 비밀 단체가 인어족에게 가져다준 검은 늪의 죽은 마나가 제국에도 들어간 듯싶었다.

케일의 입이 열렸다.

"지하로 간다."

마이플성 지하 1층. 그곳에 케일이 꽤 탐내는 물건이 있다.

지하 1층. 헤롤의 말로는 노예가 살던 장소와 감옥이 있던 곳으로 추정된다고 했다.

지하 1층으로 향하는 돌계단을 내려가던 케일 일행 사이에 별다른 말은 없었다. 뻔히 모르는 이들도 아니고, 죽은 마나 냄새에 그들이 떠올릴 단어는 하나였다.

"죽은 마나 폭탄이라니."

로잘린은 탄식이 흘러나오는 것을 참지 않았다. 케일은 지하 1층으로 향하는 계단의 마지막 하나를 남겨두고 멈췄다.

"로잘린 씨, 빛을 안쪽까지 비춰주십시오."

"네."

로잘린은 여러 개의 광구를 띄워 지하 1층 곳곳으로 흩어 보냈다. 곧 지하 1층의 전경이 드러났다.

"감옥이군요."

최한의 말에 케일은 고개를 끄덕였다.

철창으로 가득한 공간은 여러 갈래로 길이 나누어진 채 모두 감옥으로만 구성되어 있었다. 최한은 단순하면서도 복잡한 구조를 보며 입을 열었다.

"꼭 미로 같습니다. 케일 님, 제가 먼저 내려가 볼까요?"

"죽고 싶어?"

"……네?"

최한은 케일이 피식 웃는 것을 볼 수 있었다. 케일은 최한에게 가만히 있으라는 듯 손짓하고는 제 옆을 쳐다봤다.

킁킁.

아까 전부터 라온은 계속 킁킁거리고 있었다. 용의 모습이라기엔 상당히 위엄이 없어 보이는 모습이었지만 케일은 그저 흐뭇하게 바라봤다.

한창 킁킁거리던 라온과 케일의 시선이 마주쳤다. 라온은 따스한 케일의 눈빛에 냄새를 맡던 것도 멈추고 고개를 갸웃거렸다. 그 순간 케일은 지하 1층을 가리키며 라온에게 말했다.

"가라, 라온!"

잠시 멍하니 두 눈을 깜박이던 라온이 이내 고개를 끄덕였다.

"알았다, 인간! 내 뒤만 따라라!"

킁킁.

라온이 다시 냄새를 맡기 시작했다. 자연계 마나와 달리 죽은 마나는 숨겨져 있을 경우, 어둠의 속성이 아니면 탐지하기가 힘들었다. 그나마 죽은 용으로 인해 탄생한 죽은 마나라서 라온이 익숙한 냄새를 따라 찾는 게 가능했다.

"응?"

라온은 뒤를 돌아봤다. 케일이 안 따라오고 있었다. 케일은 팔짱을 낀 채로 계단 벽에 몸을 기댔다.

"다 찾으면 말해."

휘이휘이. 케일의 손짓에 라온은 일단 고개를 끄덕이고 앞으로 나아갔다. 최한이 그 모습을 안절부절못하며 바라봤다. 그때, 로잘린이 비행 마법으로 제 몸을 살짝 공중에 띄웠다.

"공자, 이렇게 하면 저는 라온 님 뒤를 따라가도 되겠죠?"

"네. 잘 다녀오십시오."

로잘린이 싱긋 웃으며 떠났다. 그녀는 라온이 괜찮다며 지나간 길을 작은 마나구로 하나하나 살짝 어루만지며 2차 확인 작업을 이어 나갔다. 그 모습을 지켜보던 최한이 입을 열었다.

"케일 님, 혹시 우리가 라온을 따라 걷다가 라온이 미처 냄새를 맡지 못해 지나친 곳에서 폭탄을 건드려 다칠까 봐 여기 있기로 하신 겁니까?"

케일은 대답하지 않고 그저 밝아지는 지하 1층을 응시하고 있었다. 로잘린이 몇 개 더 만든 빛의 구 덕분에 지하는 환하게 밝아졌다. 최한은 미소를 그리며 케일의 옆에 호위하듯이 시립했다.

'역시, 말이 투박해서 그렇지 다 챙긴단 말이야.'

최한이 그리 생각할 때, 케일은 생각했다.

'역시 가만히 있는 게 최고야.'

로잘린과 라온에게 일을 시키고 편하게 여유를 즐기는 케일이었다. 하지만 그 여유도 얼마 지나지 않아 끝났다.

"찾았다!"

지하 1층의 중심. 구불구불한 지하 감옥 통로들이 모두 겹치는 중앙. 꼭 광장처럼 생긴 모든 길들의 중심에서 라온이 외쳤다.

"따라오시면 돼요."

중앙에서부터 걸어온 로잘린의 말을 따라 케일과 최한은 라온이 가리킨 곳으로 향했다. 지하 1층 중심 지역, 광장처럼 생긴 곳 안으로 들어서자 라온이 앞발로 바닥을 가리키고 있었다.

"여기서 냄새가 난다! 아주아주 많이 난다!"

케일은 통로 바닥을 내려다봤다. 철창으로 된 감옥과 달리 통로 바닥은 석판이었다.

"석판을 들어내야 할 것 같은데."

케일은 고개를 돌렸다. 최한도 석판을 보다가 고개를 돌렸다. 케일이 최한을 응시하고 있었다. 로잘린도, 라온도 최한을 쳐다보고 있었다.

"크흠."

최한은 허리에 걸어둔 검을 풀어 옆에 두고는 양 소매를 걷었다.

"제가 석판을 들어내겠습니다."

라온의 해맑은 목소리가 들려왔다.

"내가 하면 금방인데?"

검은 마나가 커다란 석판으로 향했다. 총 네 개의 석판이 검은 마나에 감싸였다. 달캉. 달캉. 석판이 살짝살짝 들렸다. 최한은 멈칫했다. 그 순간, 아주 가볍게 석판 네 개가 들렸다. 케일은 라온을 보며 말했다.

"역시 넌 위대해."

라온이 히죽히죽 웃으며 최한을 쳐다봤다. 최한은 한숨을 내쉬며 로잘린을 바라봤다.

"로잘린, 흙을 살짝 들어내야 할 것 같은데."

"아, 그건 내가 하지."

최한과 로잘린 사이에 케일이 나타났다. 그는 바람의 소리를 약하게 사용했다.

사아아아–

봄바람이 불듯 얕은 바람이 석판이 드러난 자리를 지나갔다. 흙이 조금씩 파였다. 아주 섬세한 작업이었다. 최한은 시선을 옆으로 돌렸다. 케일은 저를 쳐다보는 최한의 눈빛에 미간을 찌푸렸다.

"왜 그렇게 쳐다봐?"

"……아닙니다."

최한은 주섬주섬 검을 챙겼다. 로잘린은 작게 웃으며 케일의 작업을 도왔다. 아주 조금씩 흙을 치우는 일이었지만 별달리 힘들 것 없는 지루한 작업이었다. 케일은 조금씩 파이는 흙을 보며 생각했다.

'짱돌이 왜 그랬지?'

케일은 아까 전 짱돌 주인의 무서운 목소리를 생각했다.

'희생하려는 건가.'

그 말에 케일은 섬뜩했다. 중후한 음성 사이로 환희가 느껴졌기 때문이다. 무슨 다치고 아픈 게 좋은 사람도 아니고, 어서 희생하라는 듯이 구는 짱돌 주인의 목소리에 케일은 소름이 돋았다.

'짱돌 힘은 어떤 건지 감이 안 잡힌단 말이야.'

그 힘을 얻고 난 후, 한 번도 써보지 못했다. 그리고 쓸 생각도 없었다. 짱돌에 대한 내용을 봤던 오래된 서책에도 그 힘에 대한 묘사는 없었다.

그저.

'짱돌은 강했다.'

'그는 제 몸을 앞세워 모두를 지켰다.'

이런 내용뿐이었다. 곰곰이 생각하던 케일은 결국 결론을 내렸다.

'무시하자.'

그깟 목소리쯤 미친 소리라고 생각하고 무시하면 그만이다.

'희생하라고? 내가 왜?'

케일은 그럴 생각이 없었다.

"인간, 인간!"

라온이 케일을 불렀다.

"아."

케일은 곧바로 바람의 소리 힘을 거뒀다. 어느 정도 파인 흙구덩이 안에서 기다리던 물건이 나타났다. 그리고 한 줄기 소리가 들려왔다.

째깍째깍.

초침이 흘러가는 소리였다. 라온이 외쳤다.

"이거 맞다! 여기서 나는 냄새가 맞다!"

로잘린이 쪼그리고 앉아 흙구덩이에서 나타난 물건을 관찰하기 시작했다.

얇은 유리로 된 구. 그 구를 중심으로, 그녀에게는 낯선 장치들이 자리해 있었다. 무엇보다도 유리구 안에 들어찬 액체가 그녀의 시선을 사로잡았다. 구 안에 검은 액체가 가득했다.

"……이거 이상한데요."

그녀는 침음을 삼키며 말했다.

"……맞다. 이상하다. 이 액체는 뭐지?"

어느새 로잘린 옆에 내려선 라온이 구덩이 안을 보며 인상을 찡그렸다.

검은 액체의 구를 중심으로 한 폭탄이 열 개가량 있었다. 그 옆에, 처음 보는 마법 폭탄과 함께 보라색 액체가 담긴 구슬이 존재했다.

이 보라색은 무엇이란 말인가?

로잘린과 라온은 보라색 액체를 쳐다봤다. 용이 먼저 입을 열었다.

"이건 일반적인 자연계 속성이 아닌 것 같다. 구슬을 깨서 저 안의 액체를 봐야 제대로 알 것 같다."

"맞아요. 라온 님, 이건 조사를 해봐야 해요."

하지만 말과 달리 마법사와 용은 대충 짐작이 가는 표정이었다. 둘은 서로를 보다가 케일을 올려다봤다. 눈이 마주친 케일은 둘에게 말했다.

"불이겠지."

역시. 고개를 끄덕일 뿐, 마법사와 용도 그 말을 부정하지 않았다. 로잘린의 입이 열렸다.

"제국은 불기둥을 세워뒀지만 결국에는 성안으로 툰카를 비롯한 위퍼 왕국군을 끌어들일 심산이었나 봐요."

"맞다! 위대한 내가 봐도 제국에서 이 죽은 마나 폭탄과 이 보라색 액체를 터뜨려 다 죽이려던 것 같다! 그리고 이 보라색 액체가 불기둥의 원료인 것 같다!"

"그렇죠. 불이 나면 결국 모든 것들이 타서 검게 변할 테니, 죽은 마나 폭탄을 터뜨린 흔적도 감추기 쉬울 테니까요."

"그렇다! 성안을 조사한 헤롤은 아무것도 발견한 게 없으니 결국 이 성에 병사들을 들일 테고. 그 뒤에 이 성은 뻥!"

뻥!

라온이 앞발로 커다란 원을 그렸다.

"폭탄이 다 터지면 다 죽는 거나 다름없다!"

"맞아요. 다 죽지 않더라도 수뇌부 중 죽은 마나에 감염되는 이가 나오면 그것으로 득이겠죠. 그러면 마법사가 없는 툰카 측은 결국 감염이 된 상태로 불기둥을 빠져나와야 할 텐데."

"그건 툰카 무식한 놈 빼고 힘들다!"

라온이 거기까지 말하고는 케일을 올려다봤다. 툭툭. 앞발로 케일의 종아리를 살짝 두드렸다. 케일은 라온의 동그란 머리를 쓰다듬었다.

"잘했어."

히히. 라온이 히죽거리며 뿌듯해했다.

"역시 나는 위대하고 똑똑하다! 1차 성장 느려도 위대하다!"

"그럼, 그럼."

케일은 맞장구를 쳤다. 그 순간에도 소리가 계속 들려왔다.

째깍 째깍 째깍.

케일의 시선이 마법 폭탄으로 향했다. 일반적인 마법 폭탄이 아니었다. 마법 폭탄 위에 새로운 장치가 하나 달려 있었다. 요동치는 마나가 담긴 구슬이 매달려 있는 기계 장치. 그리고 점점 줄어가는 시간.

27 : 13 : 44.

로잘린의 입이 열렸다.

"아무래도 연금술사와 마법사들이 함께 개발한 마법 폭탄 같아요. 마법 폭탄을 터뜨릴 마법사의 마나를 안에 미리 담아둬서 원하는 시각에 터뜨리는 장치인 듯해요."

통상적으로 마법사가 터뜨려야 하는 번거로움이 있는 마법 폭탄. 눈앞의 마법 폭탄은 기존에 알던 것과 달랐다.

"교묘하게 아주 적은 마나만을 구슬 안에 가둬두어서, 상급 마법사는 돼야 탐지 가능할 것 같네요."

구슬 안의 마나는 요동치는 것과 달리 그 양이 아주 적었다.

"물론 이 구 안의 마나 양으로 보아, 마법 폭탄의 폭발력은 아주 미미할 것 같습니다. 어른 머리만 한 바위를 부술 정도네요."

하지만 지금 눈앞의 새로운 마법 폭탄은 그 정도 위력이면 충분했다.

"어찌 되었든 이 마법 폭탄은 바로 곁에 있는 죽은 마나 폭탄에 불을 피울 만큼의 폭발력은 돼요."

째깍 째깍 째깍.

27 : 12 : 07.

로잘린과 라온, 최한은 케일을 쳐다봤다. 케일은 아주 뿌듯한 얼굴로 미소 짓고 있었다.

"일단 다 챙기죠."

라온은 당연히 그럴 줄 알았다는 듯 주섬주섬 아공간에 죽은 마나 폭탄을 넣었다. 로잘린은 보라색 액체가 담긴 구를 들어 라온에게 건넸다. 로잘린이 마법 폭탄을 만지려다가 멈칫하며 케일에게 물었다.

"이 타이머는 어쩌죠? 혹시 이 타이머를 빼냈다가 수정구와 함께 마법 폭탄이 폭발할지도 모르는데."

케일은 여전히 웃는 얼굴로 말했다.

"그럼 터뜨리죠, 뭐."

"네?"

짝. 케일은 박수를 한 번 치며 시선을 모았다.

"태풍을 일으킬 건데, 폭탄 하나 같이 터뜨리는 게 어려운 일도 아니잖아요?"

"맞다! 터뜨리자! 그리고 타이머 장치는 챙기자!"

라온이 활짝 웃으며 좋아했다. 케일은 아주 제 생각과 꼭 맞는 답을 하는 라온의 머리를 쓰다듬으며 지시했다.

"최한, 로잘린 씨. 시작합시다."

이제 불을 끌 차례였다.

"하암, 밤에 보초 서는 게 제일 힘들단 말이야."

"그래도 싸우는 것보다는 낫지 않은가?"

"그렇긴 하지."

마이플성 불기둥을 따라 보초를 서고 있던 병사들 중, 위퍼 왕국군 진영 동쪽 방면에 있던 병사들은 잠도 깨울 겸 짧게 대화를 나눴다. 한 병사는 아직까지 환하게 밝은 환자용 천막을 보며 입을 열었다.

"참 좋으신 분들이야."

"그렇지. 대장군님과 안면 있는 사이라고 했던가?"

"어, 그러더라고. 지나가시는 길에 치료할 겸 들렀대."

두 사람이 말하는 '그분들'은 다섯 명의 신관이었다.

"오늘 밤부터는 번갈아가면서 치료하신다고?"

"어. 어제 모두 밤을 새운 게 힘드셨나 봐."

"그렇겠지. 참, 얻는 것도 없으실 텐데 고마운 분들이야."

병사는 동료의 말에 고개를 끄덕이며 뒤돌아 불기둥을 쳐다봤다.

가까이 다가가만 가도 숨이 막히는 불이 여전히 타오르고 있었다.

"그러니까. 이제 이 불만 어떻게 꺼지면 좋겠는데- 어?"

불기둥을 쳐다보던 병사는 멈칫했다. 자신의 말소리 외에도 들려오는 소리가 있었다.

화르르르.

불타는 소리. 그 소리 외에도 하나의 소리가 더 들렸다.

우르르르.

꼭 천둥 벼락이 치기 전의 그 소리. 병사는 저도 모르게 황급히 고개를 들었다.

그믐. 하지만 별빛은 있던 밤하늘이 달라져 있었다. 별이 보이지 않는 밤하늘은 검은 구름으로 뒤덮여 있었다. 우르르르. 천둥이 치기 전의 소리가 병사의 귓가를 두드렸다.

"어?"

그 밤하늘 위로.

콰아아아앙!

빛들이 부딪치며 폭발이 일어났다.

"저, 저게 무슨!"

벼락이 아니었다.

검은 복면과 검은 야행복을 입은 두 사람이 붉은빛에 휩싸인 채 공중에 떠 있었다. 불기둥보다 더 높은 곳에 떠 있던 두 사람 중 한 사람이 하늘을 향해 불덩이들을 쏴 올렸다.

콰앙, 쾅!

불덩이들이 부딪치며 소리를 냈다.

"하하하-!"

그들의 커다란 웃음소리가 병사에게 들려왔다. 병사는 옆의 동료에게 말했다.

"자, 자네, 어서 가서 보고하게!"

"알았네!"

동료 병사는 진영을 향해 뛰어갔다. 하지만 그럴 필요가 없었다.

파앗, 팟.

천막 곳곳에서 불이 켜졌다. 곧 수뇌부와 병사들이 모습을 드러냈다. 병사는 그 모습을 보며 창을 세게 쥐었다.

우르르르—

점점 밤하늘이 더 심하게 요동치기 시작했다. 검은 구름에서 작은 스파크들이 일어났다. 폭풍이, 태풍이 불어올 것 같았다.

"하하하하!"

여전히 웃음을 터뜨리며 위협적인 마법을 쏘아대는 이들. 증오의 대상이면서 두려움의 대상이던 마법. 이를 다시 마주하는 병사들의 눈동자에 공포와 분노가 동시에 서렸다.

그리고 마법을 쏘아대는 이를 쳐다보던 또 다른 한 사람. 마이플 성의 꼭대기에서 성보다 더 높이 솟아오른 불기둥을 쳐다보던 케일은 로잘린과 최한을 쳐다봤다.

"이야, 역시 로잘린 씨가 잘하네. 최한도 그냥 웃는 것 정도는 잘하고."

로잘린이 마법을 쏘아대고 최한이 최대한 크게 웃어댔다. 전형적인 미친 악당 같아 보였다. 케일은 하늘을 쳐다봤다.

딱, 마이플성 일대에만 자리한 비구름. 금방이라도 폭풍이 몰아칠 것 같았다.

휘이이이─

거센 바람이 조금씩 더 강하게 불어왔다.

"라온도 대단하네."

케일은 짧은 감상을 끝내고 살짝 손을 펼쳤다. 우웅─ 케일의 목에 걸린 목걸이에서 푸른빛이 맴돌고 있었다.

지배하는 물. 그 물들이 서서히 현실에 나타나기 시작했다.

한 방울. 한 방울. 검은 구름이 있는 상공에 수많은 물방울들이 생겨나기 시작했다. 케일은 물방울들을 늘려가며 말했다.

"시작하지."

─알았다.

라온이 타이머를 제거했다.

째깍, 째깍, 째깍─!

타이머가 멈췄다. 라온은 마법 폭탄을 로잘린과 최한이 있는 곳보다 더 위로 보내 버렸다.

잠시 뒤.

콰아앙!

커다란 폭발음이 하늘에서 울려 퍼졌다. 터진 마법 폭탄 사이로 굉음과 함께 벼락이 내리쳤다. 벼락은 사람들이 없는 곳으로 향했다.

동시에 케일은 눈을 떴다.

투둑. 투둑. 한두 방울 비가 내리기 시작했다. 그 비는 곧 시야를 가려 버렸다.

쏴아아아아─

거친 바람과 벼락을 동반한 '지배하는 물'이 마이플성 일대에 쏟아졌다. 거센 폭풍우가 마이플성을 휘감았다.

병사들은 저도 모르게 뒤로 물러섰다. 곧 그들에게 서릿발 같은 명령이 내려앉았다.

"모두 물러나!"

대장군 툰카였다. 병사들은 황급히 마이플성에서 멀어졌다. 툰카는 전사들에게 지시했다.

"마법 내성 전사들이 앞서도록!"

마법 내성을 지닌 부족민들이 병사들보다 앞에 서며 진을 형성했다. 그 행동은 신속했지만 묘하게 어색했다. 그럴 수밖에 없었다.

우르르르.

쏴아아아아-

벼락과 장대비, 거센 바람. 그 모든 것들이 휘몰아치는 마이플성. 적막한 그믐 속에서 그곳이 폭풍의 중심이었다. 그러나 그런 것들보다 더 시야를 사로잡는 것이 있었다.

취이이이익-

"부, 불이-"

병사는 저도 모르게 창을 세게 거머쥐며 중얼거렸다.

불이 꺼지고 있었다. 하늘에 닿을 듯 성보다 더 높이 치솟아 있던 불기둥이 점점 낮아졌다. 비와 수증기, 그 모든 것들에 뒤섞여 병사들은 마이플성이 점점 제대로 보이지 않았다.

"이, 이런 괴이한!"

부족 출신 전사가 탄성을 흘렸다.

'마법인가?'

그는 오로지 마이플성만을 휘감은 폭풍우를 보며 두려움과 함께 전율이 일었다. 전사는 고개를 높이 들었다.

비 사이로 공중에 뜬 채 서 있는 두 사람. 검은색으로 휘감은 두 사람이 서서히 아래로 내려갔다. 저절로 전사의 시선도 그들을 따라갔다.

"아."

전사의 시야에 성 높이보다 줄어든 불기둥이 보였다.

펄럭펄럭. 모고르 제국의 깃발이 나부끼는 지붕이 모습을 드러냈다. 그 지붕은 마이플성에서 가장 높은 기둥 위를 덮은 붉은 지붕이었다. 바로 그 지붕 위에 깃발이 묶인 깃대를 잡고 서 있는 한 사람이 있었다.

검은 야행복으로 모든 것을 까맣게 물들인 사람.

전사는 깃대를 잡지 않은 그의 손을 멍하니 바라봤다.

휘이이잉─

거대한 바람이 그 남자의 손에서부터 시작되어 하늘로 이어지고 있었다. 마치 이 비구름을 저 사람이 조종하는 것 같았다. 제국의 마법사나 기사들을 만났을 때와는 다른 위압감이 저 사람에게서 느껴졌다. 그 순간 전사는 한 존재가 생각났다.

자연.

자연을 믿는 부족민이었기에 전사는 자연의 힘을 알고 있었다. 마법 따위, 인간 따위 전혀 신경 쓰지 않고 그저 한낱 미물로 만들어 버리는 자연의 지배력.

주춤. 전사의 걸음이 뒤로 밀려났다. 그때 전사는 자신의 어깨를 한번 잡고는 앞으로 나서는 이를 볼 수 있었다.

대장군 툰카였다.

전사는 그제야 손에 힘이 들어갔다.

대장군 툰카. 그는 어릴 때부터 모든 자연과 맞서며 살아온 강한 인물이었다. 그렇기에 부족민들은 자연에 굴하지 않는 그를 따랐다.

"너희들은 누구냐!"

대장군 툰카가 거침없이 목소리를 높였다. 그 목소리를 들은 지붕 위의 사람, 케일은 생각했다.

'목소리 하나는 우렁차네.'

비바람에 케일은 으슬으슬 추워졌다. 심장의 활력도 추위를 사라지게 하지는 못했다. 케일은 이제 슬슬 끝내야겠다고 생각했다.

"누구냐!"

툰카가 한 번 더 외쳤다. 순간, 부드러운 목소리가 울려 퍼졌다. 음성 마법으로 변조된 목소리.

"그러게. 우리가 누굴까?"

로잘린이었다. 그녀의 놀림 가득한 목소리가 위퍼 왕국군에게 닿았다. 케일은 역시 로잘린이 연기를 잘한다고 생각하며 한 손으로 주섬주섬 마법 주머니 안을 뒤졌다. 그때, 최한이 외쳤다.

"우리는 비밀 단체다!"

오러가 실린 기합 가득한 목소리.

최한이 잘했냐고 묻듯 케일을 쳐다봤다. 이번엔 케일이 시켰다. 케일은 적당히 어색하지 않게 잘해낸 최한을 외면하며 한숨을 삼켰다. 그리고 툰카 쪽을 내려다봤다.

"뭐? 비밀 단체?"

툰카가 미간을 찌푸리는 연기를 펼쳤고 병사들이 술렁였다. 전사들은 병사들을 진정시켰다. 그러면서도 갑자기 나타난 괴이한 이들에게서 시선을 놓지 않았다.

"어?"

병사가 눈을 크게 떴다. 갑자기 지붕 위 깃대를 잡고 있던 사람이 움직였다.

"헉!"

전사는 저도 모르게 경악을 내뱉었다.

찌이익-

마이플성 꼭대기에서 펄럭이던 모고르 제국 국기. 그 제국기가 깃대에서 잘렸다. 지붕 위의 남자는 깃대에서 제국기를 잘라낸 단검으로 모고르 제국 상징을 꿰뚫었다. 그리고 제국기를 꿰뚫은 채로 단검을 툰카 쪽으로 던졌다.

휘이이이-

소용돌이와 함께 단검은 빠르게 툰카에게로 날아왔다.

"대장군님!"

전사 중 몇이 놀라 툰카를 불렀다. 하지만 툰카는 요지부동으로 지붕 위의 사람만을 응시했다.

푸욱.

단검이 땅에 박혔다. 툰카 바로 앞이었다. 그 광경을 놀라서 지켜보던 이들에게, 제국기를 잘라 버린 남자의 변조된 목소리가 들려왔다.

"불은 꺼졌다."

취이이익-

불기둥이 완전히 사라졌다.

투둑. 투둑.

비가 조금씩 내렸다. 바람에 실린 물방울들이 병사들의 뺨에 닿았다. 병사들은 툰카의 목소리를 들을 수 있었다.

"크하하하하!"

폭풍우가 멈춘 자리를 채우는 웃음소리였다.

좌아아악.

툰카가 두 손으로 모고르 제국기를 찢었다. 찢긴 제국기는 바닥에 짓밟혔다. 툰카의 담담한 목소리가 울려 퍼졌다.

"성으로 진군해라."

불이 꺼졌다.

"저 녀석들도, 제국도, 남아 있는 것들도 모조리 잡아라."

툰카가 명령했다. 그리고 그는 가장 먼저 달렸다. 툰카의 싸움은 늘 그러했다. 그는 수증기가 서서히 사라져 가는 마이플성으로 달려갔다. 그리고 성의 1층 문, 나무로 만들어진 가장 큰 정문을 손에 들린 쇠몽둥이로 내려쳤다.

콰아아앙―

문이 부서졌다. 오러 따위 없어도 되었다. 타고난 신력이면 충분했다. 부서진 문 안으로 성 내부가 드러났다.

"다들 움직여라! 앞으로 나아가라!"

툰카가 외쳤고 그의 왼팔 격인 펠리아가 창을 높이 들었다. 뒤이어 툰카의 수족이나 다름없는 전사 몇이 앞으로 뛰쳐나갔다.

"우아아아!"

펠리아를 비롯한 전사들이 성 정문으로 뛰어갔다.

휘이이―

다시 한번 거대한 바람이 불었다.

"크윽!"

펠리아를 비롯한 전사들을 뒤로 밀리게 만든 거센 바람이 마이플 성을 휘감았다. 그 바람을 맞으며 멀쩡한 이는 툰카뿐이었다.

"대장군님, 위를!"

전사 중 한 명이 외치자 툰카도 위를 바라봤다.

그 위엔 케일이 있었다. 그는 어느새 최한, 로잘린과 함께 공중에 떠 있었다.

"라온, 투명화 좀."

바로 옆에서 라온의 대답이 들려왔다.

"알았다."

케일 일행의 몸이 점점 투명해졌다.

"저, 저!"

"도망치는 것이냐!"

케일은 아래에서 뭐라 뭐라 외치는 소리들을 말끔히 무시했다. 그는 투명해진 채 빠른 비행 마법으로 자신의 숙소인 천막으로 향했다.

"사라졌다!"

"대장군님, 어떻게 합니까?"

"일단 성으로 들어가 샅샅이 뒤진다! 일대 수색도 시작하도록!"

케일은 툰카의 잔뜩 화가 난 척하는 거친 음성을 뒤로하며, 유유히 천막에서 투명화를 풀었다.

"아, 추운데."

케일은 많이 추웠다. 괜히 깃발 그거 때문에 똥폼 잡는다고 비를 너무 많이 맞았다. 그런 그의 앞에 수건이 두 장 나타났다.

"케일 공자, 여기 수건요. 건조 마법 해드릴게요."

"케일 님, 감기 드시면 쓰러지십니다."

쓰러질 것까지야. 케일은 떨떠름한 얼굴로 수건 두 장을 받아 들었다.

"음?"

그런 그의 몸을 건조한 바람이 훑고 지나갔다. 케일의 머릿속으로 라온이 외쳤다.

—인간, 감기 걸리면 큰일 난다! 또 피 토하면서 쓰러지면 안 된다!

건조 마법으로 케일은 어느새 비 맞은 흔적도 없이 말끔해졌다. 그는 야행복 위에 신관복을 차려입고 동료들을 쳐다봤다. 모두 복면을 벗고 야행복 위에 신관복을 입고 있었다. 케일은 그 모습에 천막으로 가 입구 천을 걷었다.

참모장 헤롤, 그가 서 있었다. 그의 뒤에는 참모장을 호위하는 전사이자 툰카의 수족이 함께였다.

"신관님, 갑자기 주변이 소란스러워져서 놀라지 않으셨는지요?"

헤롤의 물음에 케일은 하얀 가면을 쓴 채로 미소를 그렸다.

"괜찮습니다. 잠에서 깬 김에 다시 치료를 시작할까 합니다. 혹시 다친 환자분이 더 있을지요?"

"없습니다."

"그렇군요."

늦은 밤 소란에 잠에서 깬 세 신관은 다시 환자들이 있는 천막으로 가 밤을 새웠다. 이 광경을 병사들이 모두 보았지만, 불이 꺼진 성 때문에 정신없이 움직이느라 크게 신경 쓰지 않았다. 하지만 병사들은 신관들에게 고마움을 느꼈다. 물론 가장 고마워한 이들 중 하나인 헤롤이 케일에게 속삭였다.

"감사합니다, 공자님."

케일은 천막 안에서 일하는 동료이자 신관들을 보며 헤롤에게 말했다.

"빚이야. 기억해 둬."

"잊지 않겠습니다."

마이플성 꼭대기. 위퍼 왕국의 왕국기가 펄럭이고 있었다.

"······가시는 겁니까?"

"가야지요."

"크흑, 감사합니다."

성자 잭의 손을 잡고서 한 병사가 연신 감사 인사를 했다. 미친 신관 케이지의 곁도 비슷했다. 케일의 앞에서도 병사들이 고개를 숙였다.

불기둥이 사라진 지 이틀 뒤. 다섯 명의 하얀 가면 신관들은 떠날 채비를 하고 성 앞에 섰다. 병사들이 그들의 곁을 맴돌았고 그 사이로 툰카가 다가왔다.

"성에 들어가서 며칠 푹 쉬다 가지, 아쉽군."

"아닙니다, 대장군님."

케일이 툰카의 말을 사양하며 주위를 둘러보았다. 병사 한 명, 한 명과 눈이 마주쳤다. 백발 신관의 입이 열렸다.

"호사는 저희에게 어울리지 않습니다. 지금 이 순간에도 아프고 괴로운 이들이 있을 터."

케일은 맑게 갠 하늘을 바라보며 말했다.

"그곳이 저희가 있을 곳이겠지요."

그의 뒤에 서 있는 일행도 그 말에 동조하듯 각자 반응을 보였다. 툰카는 어쩔 수 없다는 듯 병사들을 보며 말했다.

"길을 터라. 신관님들 앞을 막지 말거라!"

병사들은 아쉬워하면서도 길을 텄다. 며칠 동안 제대로 잠도 자지 않고 치료를 한 신관들. 그들은 위퍼 왕국군에게 다치지 말라며 포션까지 넘겨주었다. 그리고 아주 놀라운 치료의 힘으로 죽어가던 환자들을 살렸다.

병사들은 지나가는 신관들의 모습에서 경건함을 느꼈다. 한 병사는 저도 모르게 외쳤다.

"신관님!"

맨 앞, 백발 신관의 시선이 병사에게로 향했다. 병사는 그 시선에 힘을 얻었는지 간절히 말했다.

"신관님이 모시는 신이 궁금합니다. 제가 비록 신은 믿지 않지만, 그래도 알고 싶습니다!"

자연을 조금 더 믿는 부족민 출신 병사였지만, 그는 자신을 살리려 땀을 흘리던 신관이 모시는 신을 알고 싶었다. 그래서 그들의 신에게 기도를, 이 신관들에 대한 감사 기도를 올리고 싶었다. 그리고 병사는 신관이 가리키는 신을 볼 수 있었다.

신관은 하늘을 가리켰다.

태양이 보였다.

병사는 태양을 보다가 시선을 내렸다. 신관은 싱긋 미소를 지어 보이더니, 다시 걸음을 옮겼다. 그 신관은 걸으면서 한마디를 남겼다.

"태양은 생명에 차별을 두지 않고 비추지요."

아.

병사의 입에서 탄성이 흘러나왔다.

제국이 숭배하는 태양신 교단. 현재는 무너지는 중이지만 그래도 제국의 국교나 다름없었다. 병사들은 그제야 얼굴을 숨기기 위해 가면을 쓴 신관들이 이해되었다.

툰카가 담담히 말했다.

"저들이 고맙다면 그 뒷모습을 기억해라. 우리 역시 마법으로 차별을 당하다가, 차별을 이겨내고 평등한 세상을 만들기 위해 나섰다. 그것 또한 잊지 마라."

병사들은 툰카의 말을 되새기며, 다섯 신관의 모습이 멀어져 희미해질 때까지 바라봤다.

다섯 신관들은 병사들의 모습이 보이지 않게 되었을 때 가면을 벗어 던졌다. 파문된 신관 케이지는 케일에게 말했다.

"공자님, 무슨 생각으로 태양신 이야기를 하신 거예요?"

"다 생각이 있습니다."

나중에 성자와 성녀에게 흰 가면을 씌우고 제국에 입성시킬 생각이었다. 하지만 케일은 이를 지금 군이 자세히 말할 필요가 없었다. 케이지는 입을 다무는 케일이 하지 않은 말들이 궁금했지만 더 이상 묻지 않고 장난스럽게 말했다.

"그런데 공자님, 나중에 교황 하면 잘하시겠는데요?"

잭이 선한 얼굴로 고개를 끄덕였다. 그는 반짝이는 눈동자로 케일을 바라봤다.

"맞습니다. 꼭 신성력이 없어도, 케일 님은 누구보다도 선하고 따뜻한 분이시니 충분히 사람들의 마음을 어루만져 위대한 교황이 되실 겁니다. 생명에 차별을 두지 않는다니. 이번에 또 하나 배웠습니다."

미친 신관 케이지는 잭을 보고 잠시 할 말을 잃었다. 그러거나 말거나 케일은 투명화를 해제한 라온에게 말했다.

"집에 가자."

"알았다, 인간!"

초겨울.

케일은 영상통신구를 끄며 자리에서 일어섰다. 그는 성녀의 방으로 향했고, 곧 방문을 두드렸다.

달칵. 가짜 성녀이자 소드 마스터 하나가 문을 열었다.

"무슨 일이지?"

"가자."

"……어디로?"

케일은 담담히 말했다.

"복수하러."

'암'의 전투단 1조. 그들이 곧 동대륙을 떠나 서대륙으로 오기 위해 바다로 향한다.

소드 마스터 하나. 그녀의 입가에 지독히도 살벌한 미소가 조금씩 맺혔다.

33장

살벌하다

33장
살벌하다

우바르 영지 앞바다. 여전히 소용돌이들이 휘몰아치고, 수많은 작은 섬들이 그 사이에 자리하고 있었다.

그중 영지 가장 외곽에 위치한 섬.

"범고래야! 오랜만이다!"

라온의 앞발이 범고래 아치의 미끌미끌한 등을 두드렸다. 아치는 한숨을 삼키며 케일을 쳐다봤다. 아치의 눈빛은 상당히 불만이 가득했다.

"케일 공자."

"왜?"

"저 여자는 안 태울 겁니다."

하얀색 로브를 입은 하나를 가리켰다.

"아치 님."

"파세톤 님, 안 되는 건 안 되는 겁니다."

작은 혹등고래 파세톤은 아치의 단호한 대답에 별말 못 하고 케일에게 어색한 미소를 지어 보였다.

고래족을 공격하고 고래 몇 마리를 죽였던 소드 마스터 하나. 비록 '암'에게 배신을 당했고 지금은 협력 관계라고 해도, 용납할 수 없는 바가 있는 법이었다.

범고래 아치는 적이었던 자를 제 등 위에 태울 생각이 없었다. 케일의 입이 열렸다.

"그렇게 해. 어차피 저번처럼 배를 묶어둘 것이니 거기에 태우면 돼."

아치와 또 다른 범고래 사이에 배를 하나 묶어 나머지 일행이 타고 갈 예정이었다. 아치는 탐탁지 않은 표정이었지만 그 말에는 고개를 끄덕였다.

힐끗, 그의 시선이 하얀 로브에게로 향했다.

'쯧.'

그의 눈동자에 흉측한 몰골이 담겼다.

치밀어 오르는 분노와 별개로 하나의 몰골에 절로 혀를 찰 수밖에 없었다. 제대로 배신을 당한 모습에 꼴좋다 싶다가도 살아 있는 꼴에 화가 났고, 한편으로는 안돼 보였다.

케일은 다른 이들이 각자 배와 고래 등에 올라서는 것을 보며 하나에게 다가갔다.

"넌 배를 타고 가도록."

"그래."

케일은 툭 던지듯이 물었다.

"고래족들의 분노가 너에게도 향할 거다. 괜찮나?"

하나는 케일에게 되레 물었다.

"왜 웃으면서 그런 질문을 던지지?"

하나의 물음에 케일은 올라간 입꼬리를 매만지며 답했다.

"그러는 너는 왜 웃고 있지?"

소드 마스터 하나. 그녀 역시 입가에 잔잔한 미소를 머금고 있었다. 케일은 저 미소가 최대한 억누르고 억누른 미소임을 알고 있었다.

하나가 얼마나 지금 이 순간을 기다려 왔는지, 케일은 그녀의 말에서 느낄 수 있었다.

"바다를 피로 물들일 거야."

하나는 환한 미소와 함께 검집을 매만졌다. 검은 줄로 뒤덮인 얼굴 가득 산뜻한 미소가 걸렸다.

케일은 그런 그녀를 보며 생각했다.

'확실히 얘는 정상이 아냐.'

물론 그 편이 더 마음에 드는 케일이었다. 하나는 자신을 가만히 쳐다보는 케일의 시선에 입을 열었다.

"뭘 그리 빤히 쳐다봐? 왜, 얼굴 가릴까?"

그녀는 어느 순간부터 시선을 피해야 할 때가 아니면 얼굴을 가리지 않고 드러냈다. 케일은 어깨를 으쓱이며 답했다.

"네 마음대로 해. 가리든 말든 내 알 바 아니니까."

하나의 눈동자에 묘한 빛이 떠올랐다가 사라졌다. 그 광경을 보고 있던 네크로맨서 메리는 괜히 제 얼굴을 덮은 후드의 끝을 매만졌다. 메리는 중얼거렸다.

"어렵고 궁금합니다. 이해해 줄지도 모릅니다."

그녀의 혼잣말은 아무도 듣지 못했다.

케일은 고래족들에게로 시선을 돌렸다. 그리고 소드 마스터 하나의 말을 들은 고래족들의 표정이 묘해지는 것을 보며 입을 열었다.

"하이스섬9로 가지."

케일, 라온, 최한, 로잘린, 론, 네크로맨서 메리, 그리고 가짜 성녀 하나. 케일은 배가 아니라, 섬도 충분히 때려 부술 인원을 데리고 하이스섬9로 향했다.

동대륙과 서대륙 사이의 대양. 그 바다에 자리한 수많은 섬들 중 하나. 그곳에서 고래족과 호랑이족이 그를 기다리고 있었다.

"오랜만이네요, 케일 공자."

"그래. 오랜만이다."

하이스섬9의 해안가에 케일 일행이 당도했을 때, 이미 위티라가 마중을 나와 있었다.

"가을에 위퍼 왕국군을 크게 도와주셨다면서요?"

위티라는 케일이 위퍼 왕국군을 찾아갔던 일을 언급했다.

툰카는 마이플성 하나를 얻고 더 이상 진전하지 못하고 있었다. 위퍼 왕국군은 마이플성을 얻은 후, 정비를 마치고는 또 다른 성으로 진격했다. 그러나 이전과 달리 제국군은 강한 군사력을 보였다.

마법사와 기사, 병사들과 수성용 무기 등등. 이전 마이플성에서 보였던 전력은 우습다는 듯 진짜 제국의 힘을 보여주었다. 그것도 연금술은 빠진 제국이었다.

위퍼 왕국군은 끈질기게 싸웠지만 결국 미적지근한 상태로 물러나야 했다.

케일은 위타라의 말에 순순히 자신이 위퍼 왕국군에게 해준 일을 인정했다.

"그렇지. 아주 큰일을 했지."

굳이 자신이 한 일을 숨기지 않는 케일을 보며 위타라는 미소와 함께 물었다.

"위퍼 왕국은 마이플성을 끝으로 멈추겠죠?"

"그렇지 않을까?"

케일은 위타라의 안내를 따라 하이스섬9 중심으로 향하며 말을 이었다.

"곧 겨울이야. 아무리 자금 조달을 했다지만 다른 왕국들도 슬슬 부담을 느낄 시점이고. 위퍼도 멈춰야지."

그리고 이쯤이 적당했다.

마이플성 하나를 얻은 것만으로도 위퍼 왕국은 승리한 것이나 다름없었다. 다른 세 왕국도 위퍼 왕국이 제국의 시선을 묶어두고 있어서 꽤 만족하고 있었다. 물론 불기둥과 죽은 마나 폭탄으로 손쉽게 일을 처리하려던 제국은 기가 찰 노릇이었다.

위타라는 싱긋 웃으며 말했다.

"그러면 위퍼가 멈췄으니 이제는 우리가 움직일 차례겠네요?"

"그렇지."

우리보다는 너희가 많이 움직이겠지만. 케일은 굳이 뒷말을 하지 않았다. 대신 그는 위타라가 하는 말에 귀를 기울였다.

"암의 이동 일정은 현재 바닷속 생물들을 동원해 감시하며 확인 중입니다."

"규모는?"

"정확한 규모는 후반에 감시가 삼엄해져 저희도 호랑이족도 다 파악하지 못했습니다만. 저희가 확인한 배만 해도 스무 척으로, 그 이상의 배가 꽤 많이 넘어올 것 같습니다."

케일은 고개를 끄덕이며 그 내용을 머릿속에 집어넣었다.

비밀 단체의 소속 단체 중 하나인 '암'. 그들의 전투단 1조가 넘어온다고 들었을 때, 케일은 그 숫자가 많지 않을 것이라 생각했다. 하지만 실상은 전투단 1조를 포함한 하위 조직들 몇몇이 한꺼번에 이동하는 것으로, 그 숫자가 상당할 것으로 예상된다.

정보를 정리하던 케일은 다시 입을 열었다.

"오늘 만남에 호랑이족에서는 누가 왔다고 했지?"

"주술사와 최상급 전사 셋이 왔습니다. 나머지 호족들은 다른 섬에 있고요."

"그래?"

위티라의 말에 케일은 대충 고개를 끄덕였다. 어차피 이번 일 이후로는 볼 일 없는 호랑이족이었다. 위티라의 목소리가 들려왔다.

"주술사가 상당히, 음, 상당히 케일 공자를 기다리더군요."

"……나를?"

"네. 이유는 말하지 않고서 공자님을 꼭 뵙고 싶다고 하네요."

갑자기 케일은 뒤통수가 서늘해져 왔다. 오랜만에 느끼는 찜찜함이었다.

호랑이족을 만나러 가는 케일의 걸음이 점점 느려졌다. 하지만 이미 그들은 하이스섬9 중앙에 거의 도착한 상태였다.

작은 섬의 중심에는 목조 건물이 세 채 지어져 있었다.

"공자, 안 가십니까?"

케일은 그 건물 세 채 앞에서 걸음을 멈췄다.

"아니, 잠깐 생각 좀—"

끼이이익.

문이 열리는 소리에 케일은 미간을 찡그렸다.

'생각 좀 하자는데!'

왜 생각을 하려고 하면 일이 생길까. 케일은 찡그린 얼굴을 펴지도 않고, 건물로 시선을 돌렸다.

"음."

그리고 당황했다.

아니, 움찔했다.

거구다.

툰카보다 더 크다. 키는 툰카처럼 2m에 달했지만 근육이, 등발이 툰카보다 더했다.

'……까불다가 한 대 맞으면 그냥 황천길 직행일 것 같은데.'

분명 꽤 커 보였던 문이었는데, 그 문을 빠져나오는 이들 때문에 문이 작아 보였다.

"공자, 저들이 호랑이족이에요."

케일은 위타라가 굳이 설명해 주지 않아도 딱 느낌이 왔다.

강하다.

나는 호랑이다.

그렇게 말하는 덩치들이었다.

"도련님, 호족은 처음 보는군요."

"인간, 호랑이들은 꽤 크구나!"

론과 라온의 목소리가 배경음악처럼 케일의 귓가를 두드렸다.

"그런데 인간, 저 호랑이는 조금 이상하다."

케일은 라온이 말하는 호랑이족이 누군지 말 안 해도 알 수 있었다.

케일 쪽으로 다가오는 호랑이족 네 명 중 가운데에서 걸어오는 자. 하얀 수염을 기다랗게 기른 노인은 네 명 중 가장 덩치가 좋았다. 툰카도 귀여운 소년으로 보이게 만들 우락부락함이었다.

그런 노인의 얼굴에는 기이한 문양들이 그려져 있었다. 그리고 노인의 손에는 아주 작은 지팡이가 들려 있었다. 무엇보다도 노인은 눈을 감은 채 제일 앞에서 케일 쪽으로 거침없이 걸어왔다.

……저 노인은 틀림없이 주술사다.

덩치와 어울리지 않지만, 여하튼 저 호랑이 노인은 주술사가 틀림없어 보였다. 하얀 도복과도 비슷한 옷자락을 펄럭이면서 오는데, 누가 주술사인 걸 모르겠는가?

호랑이족 주술사와 그 뒤의 전사 세 명이 케일의 앞에 섰다. 케일은 주술사의 감긴 눈을 응시했다. 그의 몸에서는 자신도 모르게 '지배하는 아우라'가 조금씩 흘러나오고 있었다.

호족 노인의 입이 열렸다.

"기다렸소."

그 말과 함께 노인이 눈을 떴다.

'아이구야.'

케일은 흠칫했다.

노인의 눈은 흰자위와 동공의 구분 없이 하얗다. 케일은 방심하다가 그 눈을 보고 살짝 무서워졌다. 케일은 저를 빤히 응시하는 흰자위에 입을 열었다.

"……내가 누구인지 알고 기다렸단 건가?"

아까 위티라 말도 그렇고, 케일은 자신을 기다렸다는 호족이 영 찜찜했다. 순간 '위티라가 호족에게 어둠의 숲이 살기 좋은 곳이라고 말했나?' 하는 생각도 들었다. 하지만 노인의 입에서 흘러나온 말은 예상외였다.

"도를 믿으십니까?"

케일은 한 번 더 흠칫했다.

노인의 흰자위를 바라보던 케일의 머릿속엔 무서움이 사라지고 찜찜함이 자리하기 시작했다.

'……이 노인네도 이상해 보이는데.'

영 꺼림칙함이 밀려왔다. 그러나 케일은 착실히 답했다.

"안 믿는다."

일단 자신의 냉정한 답에 케일은 만족했다. 그 뒤를 이어 노인이 답했다.

"저는 영험하다는 말을 들으며 살아왔지요."

……이건 뭐 주술사가 아니라 무당 느낌인데.

케일이 알던 주술사와 이 눈앞의 호랑이는 전혀 달랐다.

주술사. 동대륙의 마법사라고 생각하면 되었다. 그들은 갖가지 자연의 재료를 매개체로 하여 자연의 힘을 사용했다. 때문에 주술사들은 부적이라든지 영험한 자연물을 늘 지니고 다녔다.

케일은 떨떠름한 얼굴로 답했다.

"……그래, 뭐 영험해 보이는군."

그 순간이었다.

쿵!

주술사 노인이 세게 발을 굴렀다. 케일은 흠칫했고 노인이 케일을 보며 소리쳤다.

"자연이 말해주셨습니다! 제가 들었습니다!"

놀래라.

케일은 가슴팍을 쓸어내렸다.

'아니, 뭘 자연한테 들었길래 이래.'

케일은 애써 시큰둥하게 노인을 쳐다봤다가 놀랐다.

"서대륙 붉은 머리칼의 남자. 새로운 삶을 살게 된 그 남자가 우리를 찾아온다고 말이지요."

케일은 '새로운 삶을 살게 된 남자', 그 단어에 멈칫했다.

'뭐라고? 이 노인, 진짜 무당 같은데?'

케일은 저를 똑바로 쳐다보는 흰자위를 마주 응시했다. 노인은 수염이 파르르 떨리는 와중에 한층 억눌린 목소리로 말했다.

"엎으라 하셨습니다."

케일은 순간 소름이 돋아 제 팔을 쓰다듬었다. 그 와중에 호랑이 주술사는 케일을 보며 목소리를 높였다.

"저 처 죽일 비밀 단체 놈들의 배를 엎으실 분이 붉은 머리칼의 남자라고 하셨습니다!"

그 우렁찬 목소리에 섬 위의 작은 숲이 울리는 것 같았다. 모두의 시선이 케일과 주술사에게로 향했다. 케일은 자신을 쳐다보는 주술사에게, 저도 모르게 툭 내뱉었다.

"어떻게 알았대?"

자신의 생각을 어떻게 알았지?

소름이었다.

케일의 반응에 위티라와 케일 일행이 멈칫했다. 놀란 위티라가 케일에게 다가갔다.

"공자, 엎으려고요?"

로잘린은 케일이 한 말의 실효성을 검토하려는 듯 고민에 빠졌다. 최한이 멍하니 입을 열었다.

"케일 님, 진짜 엎으시게요?"

케일은 갑자기 방긋방긋 웃는 라온을 뺀 일행의 놀란 반응에, 떨떠름하게 답했다.

"아니. 그게 말이지."

평온한 목소리가 숲 안에 울려 퍼졌다.

"배를 뒤흔들어 주면 좀 더 쉽게 저들이 세상을 떠나지 않을까 하는 생각이 들어서 말이야. 우리 손 덜 쓰고 알아서 황천길로 가주면 좋잖아?"

담담하게 내뱉는 말에 주술사 뒤에 서 있던 호랑이족 전사들이 살짝 움찔하며 케일을 쳐다봤다. 미리 위티라에게 들었지만, 안 그래도 케일 뒤에서 웃고 있는 드래곤 때문에 긴장해 있던 그들은 한층 더 케일을 빤히 쳐다봤다.

케일은 자신을 향한 주술사의 흰자위와 호랑이족 전사들의 눈빛에 어색한 미소를 그렸다. 그의 등 뒤로 익숙한 목소리가 들려왔다.

"호오."

론의 감탄이었다.

"도련님, 정말 이 주술사분이 영험하신 것 같군요. 도련님 생각도

알아맞히고, 게다가 도련님은 망나니처럼 행동하시다가 이렇게 장
성하지 않으셨습니까?"

음?

"갑자기 망나니 얘기가 왜 나와?"

케일은 론을 보며 의아한 표정을 지었다. 론은 그 질문에 흐뭇한
척 미소를 지었다.

"새로운 삶을 살게 된 남자. 그 말은 망나니로 살아왔다가 지금의
도련님 모습으로 바뀐 것을 말하는 것 아니겠습니까?"

케일은 흠칫했다. 새로운 삶을 살게 된 남자. 그게 그걸 가리키는
말이 아닌데.

하지만 케일은 론의 해석에 반박할 수가 없었다.

그때였다.

"……케일 공자가 망나니 같았던 때가 있었나요?"

"그럴 리 없습니다. 공자님은 망나니가 아닙니다."

놀란 위티라, 그리고 메리의 기계적인 반응이 이어졌다. 메리는
여전히 기계적으로 말했지만 다다다 쏟아내듯이 내뱉고 우두커니
서 있었다.

소드 마스터 하나는 묘한 눈동자로 케일을 쳐다봤다. 케일은 자신
을 향한 시선에 답했다.

"지금도 망나니가 아닌 건 아닌데."

지금도 충분히 망나니 아닌가?

안락한 미래를 위해서이기는 하다만 온갖 사고는 다 치고 다니는
것 같은데? 사기도 꽤 치고.

케일은 그리 생각했다.

피식. 케일은 위타라가 자신의 대답에 피식 웃는 것을 볼 수 있었다. 그녀는 케일에게 다 안다는 눈빛으로 답했다.

"전 또 무슨 진짜 망나니라고. 그런 뜻이군요."

……그런 뜻이 뭔데?

케일은 위타라가 어느 지점에서 납득하여 저렇게 반응하는지 알수 없었다. 하지만 메리가 둘러쓴 검은 후드가 끄덕이는 것을 보아 메리도 납득한 것 같아 보였다. 최한이 꽤 듬직하게 말했다.

"과거의 행동은 모두 케일 님의 연기였죠. 평온하게 지내시다가 스스로의 뜻을 세우고 난 뒤, 움직이기 시작하셨습니다."

이건 또 무슨 해괴한 소린가.

케일은 최한을 기가 막힌 얼굴로 쳐다봤다. 최한은 흐뭇한 미소를 지으며 이어 말했다.

"쑥스러워서 아닌 척하셔도 다 압니다."

허, 참.

케일은 정말로 기가 막혔다. 가만히 있던 로잘린이 입을 열었다.

"사실 케일 공자가 망나니였던 건 귀족사회에서는 조금 유명한 이야기였는데. 저도 그 얘기를 믿었다가 케일 공자를 실제로 만난 후 공자가 진정한 모습을 숨기고 있었다는 걸 깨달았답니다."

로잘린의 말에 위타라가 감탄했고, 메리는 검은 후드를 쓴 채로 계속 고개를 주억거렸다.

케일은 할 말이 없어졌다. 자신의 진정한 모습은 백수를 꿈꾸는 일개 귀족 자제라고 말하고 싶었으나, 지금은 말해도 또 이상하게 해석할 것 같았다. 케일은 왠지 오른쪽 뺨이 따가운 느낌이 들어 고개를 돌렸다.

소드 마스터 하나. 그녀가 아주 사악한 놈을 본다는 눈빛으로 케일을 쳐다보고 있었다. 그녀의 기가 막힌 듯한 눈빛에 케일은 마음이 편안해졌다.

케일은 한층 안정된 마음으로 주술사를 바라봤다. 여전히 흰자위만을 드러낸 눈동자로 케일을 응시하고 있었다.

'영험하네.'

확실히 영험했다. 주술사는 아닌 것 같고 무당 같지만.

케일은 궁금증이 일었다.

'내가 누군지 알려나?'

그의 입이 열렸다.

"내가 누구지?"

뜬금없이 튀어나온 케일의 물음에 일행은 케일을 의아한 얼굴로 바라봤다. 케일이 누군지 여기서 모르는 이가 있는가. 하지만 케일은 호랑이 주술사의 대답을 기다렸다. 주술사의 입이 열렸다.

"제가 들은 건 아까 말한 게 다입니다."

"……그렇군."

케일은 주술사의 말에 아쉬움을 느끼며 고개를 끄덕였다. 하지만 주술사의 말은 끝나지 않았다.

"또."

"……더 있나?"

케일의 눈동자에 호기심이 스며들었고, 그는 한층 기대감을 담아 주술사를 쳐다봤다.

"붉은 머리칼의 남자가 우리에게 새로운 터전을 안겨다 주신다고 했습니다."

"그건 틀렸다."

케일은 주술사의 말에 즉답을 했다.

'새로운 터전이라니. 물론 호랑이족을 끌어들여 북 3국 기사들을 상대하면 엄청나긴 할 거지만.'

케일은 고개를 가로저었다. 쓸데없는 생각을 하는 자신의 뇌를 탓하는 움직임이었다.

다시금 주술사의 목소리가 들려왔다. 어느새 주술사는 다시 눈을 감고 있었다.

"제 소개가 늦었습니다. 저는 호족의 대표로 온 주술사이자, 가샨이라고 합니다. 드래곤님을 비롯하여 서대륙의 대단하신 분들을 뵈어 영광입니다."

주술사 가샨은 목조 건물을 가리켰다.

"들어가서 이야기를 이어 하지요."

"그러지."

케일은 목조 건물로 향하며 하이스섬 지도를 떠올렸다.

하이스섬9.

15개의 크고 작은 섬들이 한데 모여 붙여진 이름 하이스.

하이스섬2, 12에는 현재 고래족과 호족들이 모두 모여 대기 중이었다.

케일은 현재 하늘을 날고 있었다. 투명화를 한 그의 주변엔 아무도 없는 듯했지만, 케일은 입을 열어 물었다.

"저들인가?"

"네, 공자."

위티라의 목소리를 들으며 케일은 아래를 내려다봤다.

망망대해라는 단어가 어울리는 바다 한가운데. 수십 척의 크고 작은 배가 바다를 가로지르고 있었다. 작은 배라고 해봤자 큰 배에 비해서 작을 뿐, 못해도 중형급은 되는 배였다.

케일의 미간이 살짝 찌푸려졌다. 그는 다시 입을 열었다.

"생각보다 많네."

그의 말에 답해줄 이들은 많았다.

케일은 라온의 힘으로 비행 겸 투명화 중이었고 위티라는 로잘린의 힘으로 비행 겸 투명화 중이었다.

케일은 옆을 쳐다봤다. 유일하게 투명화하지 않은 존재, 까마귀가 그의 곁에 있었다. 저 까마귀는 주술사 가샨과 닿아 있었다. 가샨은 하이스섬9에 있었지만 까마귀를 만들어내어 일행과 함께했다. 까마귀를 통해 목소리가 흘러나왔다.

"규모가 생각보다 많아 보이지만, 저들 중 강자는 중심에 뭉쳐 있는 배 다섯 척에 있습니다. 그 다섯 척에 '암' 전투단 1조가 있을 것으로 추정됩니다. 1조는 20명이라고 합니다."

20명. 다른 조와 달리 1조는 유독 조원 수가 적었다. 이어 위티라가 말했다.

"현재 바다 생물들을 통해 저들에 대한 감시를 이어가고 있어요. 아마도 5일 안으로 적들은 하이스섬 군락 부근에 당도할 것 같아요."

케일은 론이 해줬던 말을 떠올렸다.

'도련님, 저는 동대륙의 암과 싸워봤습니다. 뒷세계에 있는 놈들인데 은신이나 암살보다는 전투와 살인에 특화된 놈들이었습니다.'

'그리고 특이한 능력을 가진 이들이 꽤 많았습니다.'

'1조 조원을 따르는 하급 전투 요원이라고 하더라도 웬만한 용병 길드 정식 요원보다 강할 것입니다.'

케일은 수십 척의 배를 보며 솔직한 심정을 말했다.

"강하겠는데."

생각보다 상대 전력이 강했다.

"음."

케일은 팔짱을 낀 채 고민했다.

고래족 10명에 호족 20명가량. 그리고 자신의 일행.

가샨의 목소리가 들려왔다.

"우리 호족이 모두 살아 있었다면 이런 상황 자체가 발생하지 않았을 텐데. 참으로 한스럽군요."

케일은 호족이 어떻게 멸족 위기에 처하게 되었는지 들을 수 있었다.

'호랑이는 무리 생활을 안 하지.'

호랑이족도 무리 생활을 하지 않았다고 한다. 유독 산이 많은 동대륙. 호족은 산 하나에 한 가족이 머물며 동대륙 전역에 흩어져서 살았다. 그들을 하나하나 찾아내어 죽인 것이 암으로, 그때마다 수백여 명이 총 5개의 조를 이루어 덤벼들었다고 한다.

그 설명을 하며 가샨이 말했다.

'어느 날 자연께서 저에게 말해주셨습니다. 호족을 모으라고요.

그때 한 호족이 죽어가며 보낸 전령이 도착했고, 사태를 파악했습니다.'

산에만 처박혀 신선처럼 살던 호족은 대륙 정세에 어두웠고, 하도 떨어져 살아 저들끼리도 동족의 상황에 대해 알지 못했다.

그렇게 이백여 명은 되던 호족은 단 스무 명만이 남게 되었고, 그들은 모두 모여 하이스섬으로 왔다. 그리고 호족 스무 명 중에 전력으로 나설 수 있는 이는 15명가량이었다.

"흐음."

여전히 고민하는 케일에게 위타라의 목소리가 들려왔다.

"공자, 아무래도 우리 전력으로는 피해가 클까요?"

그녀의 입에서 진다는 말은 나오지 않았다. 아무리 숫자가 적어도 고래족에 호족이다. 절대 질 수 없는 싸움이다. 다만 상대가 수백 명이나 되니, 아군의 피해가 클까 그것을 걱정했다.

위타라는 고민 어린 기색으로 말했다.

"다른 왕국들 도움을 받을 걸 그랬나 봐요."

고래족도 현재 모든 인원이 오지 않았다. 고래왕 시켈러를 비롯한 몇몇 이들은 북 3국의 상황을 감시하며 나름의 준비를 하고 있었다.

위타라가 근심 어린 목소리로 낮게 중얼거렸다.

"여기서 전력이 줄어들면 안 되는데."

그때, 케일의 입이 열렸다.

"자연재해가 가장 무섭겠지?"

"네?"

케일은 배들을 내려다보며 말했다.

"갑자기 저들이 지나가는 바다에 수십 개의 소용돌이가 생긴다면 어떻게 될까?"

휘이잉.

아무것도 없는 공간에 손바닥만 한 작은 소용돌이가 생겼다. 투명화한 케일 손바닥 위에 만들어진 '바람의 소리'였다.

"소용돌이를 발견한 저들은 놀라면서도 소용돌이를 피하려고 하겠지. 그때, 섬들이 보이는 거야. 쭉 이어진 하이스섬 14개가."

저번에 라온과 케일 일행에 의해 거의 무너지다시피 하여 섬으로서의 기능을 잃은 하이스섬5. 그 섬을 뺀 14개의 하이스섬 군락. 소용돌이를 피하려던 적들의 눈앞에 나타날 섬.

"그들은 소용돌이를 피해 그 섬으로 향하겠지?"

5일 뒤를 떠올리며 케일은 말했다.

"그사이 소용돌이를 피할 능력이 없는 항해사를 둔 몇몇의 배는 휩쓸려 난파되겠지. 그리고 바다에 빠질 테고. 바다에 빠지면 그들은 별달리 힘을 못 쓸 거야."

위타라는 바다 위에 떠 있는 배들을 내려다봤다. 케일의 목소리는 계속해서 들려왔다.

"아, 그리고 14개의 하이스섬 사이사이에도 소용돌이를 심어두면, 배들이 그걸 피하려고 알아서 몇 개의 섬으로 모이도록 만들 수 있겠는데."

로잘린, 위타라, 가샨. 세 사람은 아무 말도 하지 않고 그의 말에 귀를 기울였다.

"어떨 것 같아?"

위타라는 입술을 달싹였다.

배가 닿은 하이스섬에는 호족과 케일 일행이 있을 것이다. 그리고 난파된 배는 고래족과 고래들을 마주할 것이다.

위티라는 허공의 작은 소용돌이를 쳐다봤다. 지금 이 작은 바람을 저 아래의 배들은 보지 못하고 있을 터. 그녀는 입을 열었다. 하지만 그녀보다 더 빠르게 말한 이가 있었다.

"인간, 해보자!"

라온이었다. 투명화한 검은 용이 날개를 파닥이는지 케일은 바람이 얼굴로 불어오는 것을 느꼈다.

"금 용 할배한테 배워서 나도 이제 더 강하다! 배를 다 엎어버리자!"

역시 용은 무시무시하다. 어떻게 저렇게 해맑게 자연재해를 일으키자고 할 수가 있는가.

케일은 수십 척의 배를 보며 입을 열었다.

"그럼 5일 뒤 저들이 섬 근처로 왔을 때 하자고."

넓은 바다에 비해 다닥다닥 꽤 가깝게 붙어 있는 하이스섬 군락.

땅을 찾아 암이 섬 위로 기어 들어오게 되면 그들에게 지옥이 펼쳐질 것이다. 각기 다른 지옥이 그들을 맞이할 테니까. 그 지옥을 벗어나 바다로 나와도 결국 고래족을 맞이할 것이고, 그것 또한 지옥일 터.

그 광경을 상상하며 케일은 인상을 찡그렸다.

'끔찍한데.'

꽤 보기 좋은 광경은 아닐 것 같다. 그때 가샨의 목소리가 들려왔다.

"5일 뒤 드디어 복수를 할 수 있겠군요."

하지만 고래족과 호족, 가짜 성녀 하나. 그들에게는 5일 뒤가 그들에게 지옥을 선사한 '암'에게 복수를 해주는 순간일 터.

"돌아가자."

케일은 수십 척의 배를 뒤로하고 빠르게 하이스섬9로 향했다. 그는 생각했다.

'피곤하겠는데.'

오랜만에 '심장의 활력'을 극한까지 쓰며 고대의 힘을 써야 할 것 같다.

'이거 하고 봄까지 쉬어야지.'

케일은 야무지게 혼자만의 다짐을 했다.

5일 뒤, 케일은 수평선 너머 지는 해를 바라보았다.

"겨울 바다는 춥네."

"인간, 또 춥나? 보온 마법 더 해줄까?"

"……그냥 해본 말이다."

사실 케일은 그다지 춥진 않았다. 그저 바람이 매서워서 내뱉은 말이었을 뿐. 케일은 괜히 붉은 노을을 보면서 싱숭생숭하던 마음이 짜게 식는 것을 느끼며 입을 열었다.

"드디어 오네."

케일의 말에 최한, 로잘린, 라온, 가샨, 그리고 작은 혹등고래 모습의 파세톤이 수평선을 바라봤다.

수평선 너머 점과 같이, 아주 작게 배가 몇 척 보였다. 저 뒤로 수십 척의 배가 있을 터. 물속에 있던 혹등고래 파세톤이 해안가 바위

쪽으로 조금 더 다가오더니 입을 열었다.

"케일 공자님, 누님이 우리는 준비가 끝났다고 전해 달라 하셨습니다."

바닷속에는 고래족 몇몇과 수십 마리의 고래들이 대기하고 있었다. 케일은 입을 열었다.

"가샨."

"준비하지요."

감겨 있던 주술사의 눈이 뜨였다.

까악 까악 까악.

케일 등 뒤로 하이스섬9 숲이 들썩이며 수십 마리의 까마귀들이 모습을 드러냈다. 가샨은 입을 열었다.

"가라."

까마귀들이 무리를 지어 순식간에 흩어져서 다른 하이스섬들로 향했다. 몇몇 하이스섬에 배치된 호족과 고래족, 케일 일행을 향한 전령들이었다. 로잘린이 케일에게 다가와 말했다.

"공자, 메리 씨와 론 씨, 두 사람을 같이 배치한 것은 이해가 되지만 하나 씨는 혼자 두어도 될까요?"

메리와 론. 두 사람이 작전상 지정한 하이스섬 중 하나를 맡았다.

"아무리 하나 씨가 홀로 맡겠다고 했지만."

로잘린은 말끝을 흐리며 걱정을 지우지 못했다.

소드 마스터 하나. 그녀는 하이스섬 하나를 본인이 맡겠다고 했다. 케일이 로잘린에게 답하기 전 최한의 입이 열렸다.

"충분해."

"……네 판단에?"

로잘린에게 최한이 웃어 보였다.

"어. 내 판단엔 충분해. 그리고 내가 가르쳤어."

최한의 장담에 로잘린은 입을 다물었다. 검사들의 경지는 검사가 더 잘 아는 법. 이번 겨울까지 라크와 하나를 전담해서 가르친 최한 이었다. 로잘린은 최한의 판단을 믿고 더 이상 다른 말을 꺼내지 않았다.

그 순간, 케일은 하나와 론이 했던 말을 떠올렸다.

'도련님, 숲이 가장 울창한 곳은 저에게 맡겨주십시오. 은밀하게 다 죽이도록 하겠습니다.'

론은 그리 말하며 인자한 척하는 미소 대신 서늘하게 웃어 보였다. 그리고 하나도 웃으며 말했다.

'케일 헤니투스. 나 혼자로 충분해. 괜히 다른 인간들 같이 보내지 마.'

'혼자서 되겠어?'

'되고 안 되고를 떠나서 말이야. 구분이 안 될 것 같아. 피를 보면 보이는 거 없이 다 죽여 버릴 거 같거든.'

살벌한 두 인간에 대한 생각을 케일은 애써 지워냈다.

'암' 그놈들은 왜 저런 두 인간을 적으로 돌린 것인지. 안쓰럽다고 생각하며 케일은 수평선을 응시했다. 라온의 목소리가 들렸다.

"인간, 해가 진다! 이제 다 부순다!"

살벌한 용 같으니라고. 케일은 한숨과 함께 입을 열었다.

"물러서."

휘이이이이—

케일의 몸 주위에 바람이 몰아치기 시작했다. 이미 모든 준비는 끝냈다.

　케일은 자신의 힘을 극한까지 사용해 본 적이 없었다. '파괴하는 불'의 불벼락도 극한까지 사용한 것은 아니었다. 하지만 지금 이 순간, 그는 '바람의 소리'를 아낌없이 펼쳤다.

　휘이이잉-

　지금부터 할 이 일은 케일 본인이 제격이었다. 라온도 가능했지만 따로 하는 일이 있었고, 동시에 이 일까지 맡길 순 없었다.

　로잘린은 펄럭이는 로브 끝을 부여잡고 케일에게서 멀어졌다.

　"로잘린아, 하자."

　라온의 말에 로잘린은 고개를 끄덕였다. 라온이 가장 큰 힘을 써 만든 마법진은 상당히 정교하고 크기가 엄청 컸다.

　펄럭펄럭!

　옷자락이 나부끼는 소리가 점점 강해졌다.

　스스스스-

　숲의 나무들이 흔들렸다. 로잘린은 마법 스태프를 높이 들어 올렸다. 그녀는 이렇게 거대한 마법을 한 번도 펼쳐본 적이 없었다. 하지만 이번에 펼쳐볼 것이다.

　'폭풍이라니.'

　그녀는 최상급 마정석 다섯 개가 박힌 마법진의 중앙에 있는 구멍에 스태프를 내리꽂았다.

　푸욱. 그 순간 로잘린의 몸에서 붉은 마나가 요동치며 피어오르기 시작했다.

　그녀의 귓가에 가샨의 목소리가 들려왔다.

　"노고에 지친 이들의 숨결이 되어주던 바람이시여. 이 미천한 이의 몸에 깃들어 거대한 태풍이 되어주십시오."

로잘린은 고개를 들었다. 검은 용이 하늘을 향해 두 앞발을 펼치고 있었다.

저무는 해를 따라 서서히 동쪽에서부터 남색으로 물들어가던 하늘 위에 검은 먹구름이 보이기 시작했다. 곧 하이스섬 14개 중 절반을 뒤덮을 거대한 먹구름, 벼락과 거센 바람이 펼쳐질 것이다.

로잘린은 마법진 위에 꽂힌 스태프를 꽉 쥐었다. 펼쳐질 마법은 생각하는 것만으로도 경이로웠다. 그녀는 바람이 불어오는 곳을 바라봤다. 최한처럼 한곳을 응시했다.

휘이이이이.

수십 개의 작은 회오리들이 케일을 중심으로 떠오르고 있었다. 케일의 셔츠 자락이 거칠게 펄럭였다. 그는 있는 대로 회오리바람을 일으켰다.

'이것도 꽤 힘든데.'

'바람의 소리'를 일으키다 힘이 떨어지면 '심장의 활력'이 반응해 다시 활기를 불어넣어 주었다.

'……이상한데.'

다람쥐 쳇바퀴 돌듯 아주아주 신속하게 그 순환이 일어났다. 점점 힘이 부족해져 왔지만, 그래도 주먹만 한 강한 회오리가 생기면 심장의 활력이 움직여 버틸 만했다. 그런데 이상했다.

"으윽."

이상하다. 순환이 점점 빨라졌다.

'이러다가 제어가 힘들 것 같은데? 고대의 힘이 이 정도였나?'

케일의 이마에 땀방울이 맺히기 시작했다.

휘이이이-

철썩, 철썩.

해안가의 바다에서 파도가 일어나며 출렁였다. 파세톤은 황급히 해안가에서 물러났다. 가샨과 파세톤은 케일을 놀란 얼굴로 바라봤다. 수많은 회오리에 감싸여 케일이 흐릿하게 보였다.

"크윽."

케일의 입에서 신음이 흘러나왔다.

"인간, 그만해라! 다치면 다 부순다!"

라온이 경련이 일어난 듯 두 팔을 떠는 케일에게 외쳤다. 케일은 입을 열고 싶었지만 힘이 부쳤다.

'안 그래도 그만할 거라고!'

그 말을 하고 싶었다. 하지만 케일은 바람을 제 곁에 머물게 하는 것만으로도 버거웠다. 케일은 수많은 주먹만 한 회오리바람들 사이로 최한과 눈이 마주쳤다.

바람에 옷자락이 나부끼는 것과 달리 최한은 굳건히 서 있었다.

'만족할 만큼은 아니지만 그래도 한발 내디뎠습니다.'

수련을 끝낸 최한이 한 말이었다. 케일은 눈이 마주친 최한에게 고개를 끄덕여 보였고 즉시 최한이 목소리를 높였다.

"시작하십시오!"

그 말이 들리는 순간, 케일은 제 주위에 묶어두었던 바람을 놓았다.

촤아아악-

바다를 가르며 소용돌이들이 케일의 의지를 따라 제 위치로 향하기 시작했다. 케일은 고개를 들었다.

스스스스-

숲에서 불어오는 스산한 나뭇잎 소리와 함께 그의 눈동자에 까만 구름으로 뒤덮인 하늘이 보였다. 먹구름은 동쪽을 향해 점점 넓게 퍼지고 있었다. 저 서쪽의 붉은 해가 사라지며 서서히 밤의 시간이 찾아왔다.

폭풍우와 소용돌이. 바다의 무서움이 가짜로 일어날 것이다. 이 하이스섬 일부 근처에만.

케일은 바람으로 흐트러졌던 셔츠 소매 단추를 다시 여미며 수평선을 바라봤다. 점처럼 멀었던 수십 척의 배가 이제 제 형태를 보이며 다가오고 있었다.

"우리도 이만 숨도록 하지."

우르르르-

그 순간 천둥소리가 울려 퍼지기 시작했다.

투둑투둑.

암 전투단 1조 조장 오피드. 그는 하나둘 내리는 빗방울을 보며 미간을 찌푸렸다.

"이 시기에 비라니, 폭풍우라도 올 건가?"

"아직 한두 방울이니, 빨리 이동해 하이스섬들 쪽에 선박들을 나눠 정박한 뒤 상황을 볼까 합니다."

"더 어두워지기 전에 가능한가?"

"네."

수하의 말에 오피드는 고개를 끄덕이며 주위를 둘러보았다. 수십 척의 배 위에서 사람들이 비를 대비해 바삐 움직이고 있었다.

"쯧, 제대로 된 선원들을 많이 데리고 올 걸 그랬나."

"조장, 어쩔 수 없잖아?"

부조장 그리텔이 다가와 오피드의 어깨를 두드렸다.

"정체를 숨겨서 조용히 가야 할 판국에 선원들을 더 들여서 입을 늘릴 수는 없을 거 아냐. 안 그래도 항해사 놈들 다 죽이는 게 일일 것 같은데."

"그리텔, 네 말이 맞다만."

우르르르.

오피드는 천둥이 내리치기 직전의 소리가 울리는 하늘을 보자 기분이 영 이상했다.

촤아아악.

그때, 배가 바다를 가르는 소리와는 다른 미세한 소리가 그의 귓가를 건드렸다.

'음?'

촤아아아- 촤아아악-

그런데 그 소리는 한 번이 아니었다.

'후미다!'

오피드는 뒤를 돌아보았다. 그가 있는 곳은 수십 척 배의 중심. 그는 뒤따라오는 배들을 바라봤다.

쿠우우우-

깊은 울음소리와 함께 저 멀리 거대한 존재가 허공에 튀어올랐다.

"……고래."

거대한 존재는 고래였다. 열 마리가량의 고래들이 마구잡이로 해수면 위에 몸을 드러냈다가 다시 바닷속으로 가라앉았다. 그중 한 고래가 조장 오피드의 눈에 들어왔다.

흑등고래. 그것도 등에 엑스 자 표시의 흉터가 있는 고래.

"……고래족!"

오피드의 눈동자가 커졌다.

이 시기 고래족은 북쪽에 있다고 했다. 고래족 왕 시켈러는 그들의 영역에서 움직이지 않는다고 했었다. 분명 항해 전 그 정보를 북3국을 통해 듣고 움직인 암 전투단 1조였다. 그런데 어째서 고래족 후계자의 모습이 여기에 나타났단 말인가?

"조장! 저 고래, 고래족인데? 저것들이 왜 여기 있어?"

부조장 그리텔이 인상을 찌그리며 물었다. 오피드는 그의 물음에 답하기보다는 수하에게 지시했다.

"가까운 하이스섬으로 최대한 빨리 간다. 속도를 높여!"

해상에서 고래족을 만나는 것은 큰 피해를 감수해야 할 일이었다. 아니, 죽음을 각오할 일이다.

"조명 위에 검은 깃발을 들도록."

오피드는 비상사태를 나타내는 검은 깃발을 들도록 지시한 후, 부조장 그리텔을 쳐다봤다.

"그리텔, 조원들을 모두 데리고 나와."

"어."

오피드는 바삐 움직이는 이들을 보며 입술을 깨물었다.

촤아아악.

물길을 가르는 소리와 함께 고래들이 점점 더 빠르게 다가왔다.

"제길."

오피드는 인상을 찡그렸다.

"깃발 올립니다!"

수하의 목소리와 함께 검은 깃발이 서서히 올라갔다.

오피드는 허리춤의 검을 매만졌다. 최상급 익스퍼트에 중급 마법사인 오피드. 그는 견갑을 챙기기 위해 움직이려 했다.

"어?"

그 순간, 항해사는 눈을 크게 떴다.

콰아앙!

앞에서 들려오는 거대한 굉음에 오피드는 앞을 쳐다봤다.

"저게 뭐야?"

갑자기 바다에서 소용돌이가 솟아올랐다. 그 순간부터였다.

"조장님, 바다에 갑자기 소용돌이들이!"

오피드는 이미 수하가 말하기도 전 다닥다닥 붙어 있는 배들의 갑판을 마법으로 뛰어넘으며 앞으로 향했다.

"미친!"

솟구친 소용돌이는 하나였지만, 주변 바다 곳곳에서 크고 작은 소용돌이들이 생겨나고 있었다.

쏴아아아아−

거기다 비까지 내리기 시작했다. 오피드는 고개를 들었다.

어두웠다. 이미 별도 보이지 않는 밤, 마법 등불을 제외하곤 아무것도 보이지 않았다.

우우우우−

고래들의 울음소리만이 어둠 속에서 퍼져나갔다. 오피드는 전 배에 지시했다.

"하이스섬으로! 최대한 빨리 하이스섬으로 가라!"

곁에 있던 항해사가 오피드를 보며 다급히 말했다.

"하지만 소용돌이들이!"

"피해서 움직여! 뒤에 고래족이 온다. 죽기 싫으면 섬으로 가!"

섬에 닿으면 제대로 싸울 수 있었다. 하지만 폭풍우가 몰아치는 밤, 바다 위에서 고래를 만나면 죽음뿐이었다.

"조장, 조원들 다 깨웠어!"

"오피드 님! 하이스섬 한 곳에 모든 배를 정박할 수 없을 것 같습니다!"

오피드는 저 멀리 뒤따라오는 고래들의 속도를 확인하며 빠르게 지시했다.

"일단 나뉘어서 근처에 어디든 배를 대! 땅으로 간다! 그리텔, 조원들을 나눠서 수하들이 있는 배로 보내!"

전투단 1조 조원들은 각자의 수하들을 거느렸다. 그 수하의 숫자만 해도 몇십 명에 달했다.

콰아아앙!

맨 뒤에서 따라오던 배 하나가 소용돌이에 휘말렸다.

"으아아악!"

"끄아아—!"

휘말린 요원들의 비명이 들려왔다.

"구하러 갈까요?"

수하의 물음과 동시에 오피드의 귓가를 울리는 소리가 있었다.

쿠우우우―

고래였다.

"아니. 앞으로, 무조건 앞으로 간다. 일단 배를 몇 개 잃더라도 섬에 도착하는 것에 집중한다! 섬 위에서라면 내일까지는 버틸 수 있어. 그리고 섬에 도착하면 바로 중앙에 연락 넣어놔!"

끼이익. 기익.

오피드는 난간을 붙잡았다. 배가 휘청였다. 상급 암살자 겸 검사인 부조장 그리텔은 이미 오피드의 명을 따르기 위해 움직이고 난 후였다.

"제기랄."

갑자기 이게 무슨 일이란 말인가. 오피드는 어둠 사이로 섬의 형체가 어슴푸레 보이자 난간을 더 꽉 쥐었다. 저 섬이 14개의 섬 중 어느 섬인지 생각할 겨를도 없었다.

"······또 소용돌이가!"

거친 욕이 오피드의 입에서 흘러나왔다. 섬 사이사이 기이한 형태의 소용돌이들이 휘몰아치고 있었다. 비바람 때문에 이를 멀리서 분간하는 것도 어려웠다.

"배들이 다 찢어져야 할 것 같습니다!"

"알아서 다 정박해!"

한 번에 여러 척의 배가 지날 수 없도록 소용돌이가 위치하고 있었다. 수십 척의 배들이 나뉘며 하이스섬 여러 곳으로 흩어졌다.

콰앙!

콰지직. 오피드는 뒤를 쳐다봤다. 배들 중 중형급 배 한 척의 옆이 부서졌다. 그리고 혹등고래가 입을 벌리며 포효하고 있었다.

"서둘러!"

"다, 다 와갑니다!"

항해사는 제 등 뒤에 닿은 오피드의 검을 느끼며 다급히 외쳤다. 거대한 소용돌이를 피해 겨우 하이스섬이 하나 보였다.

오피드는 배가 섬에 닿자마자 수하들에게 지시했다.

"빨리, 신속하게 내려 진을 형성한다!"

오피드를 따르는 수하들이 재빠르게 배에서 내렸다. 오피드는 다른 배들이 여러 개의 소용돌이를 피해 흩어지는 것을 보며 섬으로 시선을 돌렸다.

작은 모래사장을 지닌 해변. 모래사장 너머로 작은 숲이 있었다. 오피드는 곧바로 그 숲으로 향했다.

동대륙과 서대륙 사이 덩그러니 놓인 섬. 사람이 살지 않는 섬이었다. 오피드는 고래족을 만나 당황스러웠지만, 얼른 숲을 탐색한 후 자리를 잡아야 했다.

'고래들도 소용돌이를 넘어 섬에 오기 힘들 테니까.'

한결 가벼워진 마음으로 오피드는 걸음을 빨리했다. 그리고 숲으로 들어선 순간이었다.

바스락.

오피드의 걸음이 멈췄다.

바스락바스락.

사람 걸음 소리였다. 오피드는 정면을 응시했다.

그 순간이었다. 금빛 선이 보였다.

촤아악–

숲의 나무를 베어내는 금빛 선. 그 금빛 선 사이로 한 사람이 나타났다. 얼굴 가득 검은 거미줄을 뒤집어쓴 여자. 금빛 안광을 번뜩이며 한 여자가 웃고 있었다.

"……소드 마스터."

오피드는 침음을 내뱉었다.

그 시각, 여러 섬으로 흩어진 전투단들 앞에 기이한 소리가 들렸다.

크르르르. 짐승의 울음소리와 함께 번뜩이는 안광을 지닌 사람들이 하나둘 그들의 앞에 나타났다.

섬들 중 하이스섬13에 머물던 론은 메리에게 말했다.

"암살자들은 제가 알아서 하면 되겠군요. 메리 씨는 쉬세요."

"네, 할아버지."

부조장 그리텔을 본 론이 어둠 속으로 사라졌다. 케일은 팔짱을 낀 채로 아래를 내려다보며 말했다.

"아주 좋은 난장판이야."

하늘에서 내려다보는 전경은 아주 만족스러웠다. 밤은 이제 시작이었다.

휘이이- 휘이이-

케일의 손바닥 위에 소용돌이가 두 개 맴돌고 있었다. 케일은 뺨이 따가운 느낌에 라온을 쳐다봤다.

"괜찮다니까."

케일의 말에도 여전히 라온은 찌릿찌릿 스파크라도 일어날 듯 매서운 눈빛으로 케일을 쳐다보고 있었다.

"아까 인간 팔 덜덜 떨었다. 고대의 힘 적당히 써라. 약한 인간, 넌 근력 운동 좀 해야 한다."

고대의 힘과 근력 운동의 상관관계가 무엇이란 말인가. 케일은 의문이 들었지만, 가볍게 무시하며 자신과 함께 공중에 뜬 투명한 막 안에 있는 이들을 쳐다봤다.

로잘린, 최한, 가샨. 세 사람은 아무 말도 하지 못하고 아래를 내려다보고 있었다. 케일은 그들 중 최한을 보며 말했다.

"뭐 해?"

최한과 가샨이 그 말에 반응했다. 뒤늦게 로잘린도 케일을 쳐다봤다.

케일의 손가락이 움직였다. 그의 검지가 아래를 가리켰다.

"가서 싸우는 게 어때?"

주술사 가샨은 멈칫했다. 그제야 그는 자신이 넋 놓고 하이스섬들을 내려다보고 있었단 사실을 깨달았다.

'그래, 나도 도와야지.'

호족들을 모아서 데려온 사람이 자신이었다. 가샨은 나무 지팡이를 쥔 손에 힘을 주었다.

그때, 최한이 입을 열었고, 그의 입에서 구구절절 말들이 쏟아졌다.

"아닙니다, 케일 님. 저는 케일 님 곁을 지켜야 합니다. 케일 님이 언제 다치실지, 언제 또 갑자기 피를 토할지 알 수 없기 때문에―"

가샨은 감고 있던 눈을 떠 황당한 눈빛으로 최한을 쳐다봤다.

'케일 공자가 약하다고?'

가샨은 케일의 손에 휘몰아치는 소용돌이를 쳐다보았다. 지금 하이스섬들 사이 바다에 휘몰아치는 소용돌이들은 누가 만들었단 말인가.

아무리 가샨 자신과 로잘린, 드래곤이 폭풍우를 만들어냈다고 해도 저 소용돌이들은 엄청났다. 가샨은 최한의 이야기에 기가 찼다. 도리어 그는 이런 이야기를 심각하게 들어주는 케일이 대단해 보였다. 케일의 입이 열렸다.

"내가 좀 그렇긴 하지만. 이번에는 피 토하지 않을 것 같다."

"맞다. 최한아! 위대한 나 라온 미르가 있으니까!"

"……그래. 위대한 라온도 있고."

한 인간과 용의 대화에 최한이 고개를 끄덕였다.

"네, 알겠습니다."

가샨은 기가 찬 얼굴이었다. 그런 그의 어깨를 토닥여 주는 손길이 있었다. 로잘린이었다. 가샨이 로잘린을 바라보자 그녀가 말했다.

"가샨 씨, 가죠."

"……알겠습니다."

가샨은 최한, 로잘린을 따라 서서히 아래에 있는 하이스섬으로 향했다. 각자 다른 위치의 하이스섬으로 흩어지기 전, 가샨은 머리 위에서 케일의 목소리를 들을 수 있었다.

"최한, 섬을 부수면 안 된다."

가샨은 케일이 참 별말을 다 한다 생각했다. 그때, 최한이 위를 보며 외쳤다.

"네, 조심하겠습니다."

늙은 주술사는 나무 지팡이를 꽉 쥐었다. 그는 아무 말 않고 로잘린, 최한과 떨어져 호족들이 있는 하이스섬들 쪽으로 향했다.

휘이이이–

그런 그의 옆으로 서늘한 소리가 스쳐 지나갔다. 소용돌이 하나가 빠르게 그를 지나 아래로 향했다. 곧이어 소용돌이가 바다에 부딪쳤다.

콰아앙!

소용돌이가 해수면을 파고들며 바다에서 휘몰아치고 있었다. 가샨은 나무 지팡이를 꼭 쥔 채 빠르게 아래로 향했다.

"……자연 님이시여, 이 떨리는 마음을 진정시켜 주시옵소서."

그저 작은 기도와 함께 주술사는 기가 찬 마음을 가라앉혔다.

배의 진로를 막는 곳으로 소용돌이 두 개를 추가로 보낸 케일은 느긋하게 관람을 시작했다. 라온이 만든 투명한 막 덕에 비바람도 거뜬했다. 물론 어두워서 다 보이지는 않았지만, 이따금씩 라온이 내리치는 벼락 덕에 대충 상황은 보였다.

"……이야."

케일의 입에서 감탄이 흘러나왔다.

쿠우우우−

거대한 고래들이 울음소리와 함께 해수면 위로 솟아올랐다.

콰아앙!

세 고래의 몸체에 부딪친 중형급 선박의 옆면이 부서졌다. 케일은 그 광경을 보며 침음을 삼켰다.

'살벌하네.'

위타라를 포함한 고래족들은 고래화 상태에서 거침없이 배와 부딪쳤다. 하지만 몸의 상태를 무시하고 덤벼드는 것은 아니었다. 데려온 고래들은 그저 위협용으로만 이끌고 소용돌이를 벗어나려는 배들과만 부딪치며, 교묘하게 하이스섬으로 배들을 밀어 넣었다.

케일은 참 그들이 무섭다 생각하며 이를 지켜보는데, 옆에 있던 라온이 감상을 내뱉었다.

"고래들이 인간 네 말을 참 잘 듣는다."

"그러네."

케일이 내린 지시이기는 했다. 이렇게 잘할 줄을 몰라서 그렇지.

벼락 사이로 부서진 배가 보였다.

"으아악!"

"아악!"

부서진 배 옆면에서 미처 대피하지 못한 암 전투단 요원들이 바다에 빠졌다. 그들은 어둠 속에서 정신을 차릴 수가 없었다. 해가 지기 전까지만 해도 아주 편하게 항해를 했다. 그런데 갑자기 이게 무슨 일이란 말인가.

요원은 물속에서 허우적거리며 어둠 사이에 둥둥 떠 있는 나무 조각 쪽으로 움직였다. 저 나무 조각이라도 잡아야 살 것 같았다.

'조금만 더, 조금만!'

요원의 손끝에 겨우 나무 판때기가 닿았다. 그는 두 손을 나무 판때기로 힘껏 뻗었다.

좌아아―

그때, 하필이면 물을 가르는 소리가 들려왔다.

쏴아아아―

빗소리가 들려왔지만 요원에게 그 소리는 들리지도 않았다.

좌아아아―

점점 물을 가르는 소리가 선명하게 들려왔다.

"아, 안 돼."

나무 판때기를 잡은 요원의 손이 덜덜 떨리고 있었다. 그는 물속에 잠긴 몸이 굳어오는 것 같았다. 그리고 마침내 물속을 가르던 것이 모습을 드러냈다.

우우우-

고래의 구슬픈 울음소리. 고래는 아직 어렸던 제 종족의 아이들을 죽인 단체를 향해 입을 벌렸다.

"아, 아아-"

요원은 제대로 말을 내뱉지 못하고 덜덜 떨며 고래의 분노를 맞아야 했다.

우워어어어-

부서진 배들 사이로 고래족을 따라온 수많은 고래들이 스며들었다. 배에서 떨어져 나온 인간들에게는 지옥이었다. 하지만 지옥은 바다 위에만 있는 것이 아니었다.

고래족보다 더 극심한 분노에 휩싸인 존재들이 하이스섬들 곳곳에 흩어져 있었다.

"미, 미친. 호족 놈들이 왜 여기에- 커헉!"

암 전투단 1조 조원은 말을 끝맺지 못했다. 바위와 나무, 수풀로 뒤덮인 섬. 지형이 험악한 곳도 쉽게 뛰어넘는 호랑이들에게 밤은 전혀 문제가 되지 않았다.

조원의 뒤를 따르던 수하 둘은 저도 모르게 뒷걸음질을 쳤다.

크르르르-

짐승은 낮게 웃으며 조원의 몸에서 팔을 뜯어냈다.

툭. 툭. 진흙땅을 가볍게 내딛는 호랑이들 세 마리에 의해 전투단 1조 조원의 시체는 갈가리 찢겼다. 친족을, 동족을 잃은 호랑이들의 시선이 우두머리를 잃어 패닉에 빠진 요원들에게로 향했다.

위이이이잉–

호랑이들에게서 기이한 음성이 흘러나오고 있었다. 그들 중 한 호랑이가 앞으로 나섰다.

츠으으으–

연기와 함께 호랑이가 사람의 모습으로 변했다. 거구의 호족은 두 팔을 벌리며 말했다.

"크흐흐, 우리 동족들을 잡아 가죽을 벗겼다고?"

'암'의 전투단 소속 다섯 개 조. 그들은 각각 한 조씩 그들을 따르는 조직들과 함께, 산 하나에 쳐들어가 그곳에 사는 호족들을 죽였다. 이 수십 척의 배들이 한 조인데, 그 한 조를 감당했을 호족 가족은 많아봤자 넷이었을 터.

1조 조원의 팔을 물어 뜯어낸 호족의 입가에 피가 흘러내리고 있었다. 분노에 휩싸인 동공이 요원들에게 말했다.

"네놈들의 가죽을 벗겨주마."

"으, 으아아악!"

수하 둘은 다른 요원들이 있는 곳을 향해 도망치기 시작했다. 호족은 그 모습을 가만히 지켜봤다. 그는 한참 뒤에 입을 열었다.

"사냥을 해보자고. 밤은 기니까."

위이이이잉.

호족은 품 안의 마나 교란 장치를 잘 챙기며 살짝 목 근육을 풀었다.

고래족과 호족이 힘을 합쳤다는 영상통신을 막기 위해 호족들은 모두 마나 교란 장치를 품고 있었다. 로운과 브렉 왕국이 보낸 지원이었다.

성인으로 구성된 호족 셋은 호랑이 특유의 여유로운 걸음걸이로 어둠 속으로 사라졌다. 그들은 존재감을 숨기지 않았다. 비밀 단체 암 전투원들의 비명 소리를 들으며 호족은 분노의 웃음을 터뜨렸다.

한편, 다른 하이스섬에서는 아주 조용히 움직이는 이가 있었다.

하이스섬들 중 가장 여러 지형을 지닌 섬. 절벽, 숲, 모래사장, 늪. 그 모든 것들을 지닌 섬에서는 소리 없는 싸움이 이뤄지고 있었다.

"크윽!"

짧은 신음과 함께 요원의 몸이 축 늘어졌다. 암 전투단 1조 부조장 그리텔을 따르는 암살 전문 조직원이었다. 정찰을 나왔던 두 명 중 살아남은 마지막 하나였다. 시체가 된 몸은 조심스럽게 땅에 놓였다.

시종 론은 아무 말 없이 그 시체를 내려다보다가 검날의 피를 닦아냈다. 아들 비크로스가 챙겨준 손수건이었다.

론의 모든 움직임에 소리가 없었다.

그저 자연의 소리만이 울렸다. 해수면이 요동치는 소리, 빗소리, 천둥소리만이 들려올 뿐.

그때, 론의 입꼬리가 올라갔다. 그의 귓가로 또 다른 소리가 들려왔다.

사람 움직이는 소리.

동대륙 뒷세계를 주름잡던 5대 가문 출신의 론. 그는 제 귓가에 들리는 은밀한 소리에 서서히 몸을 움직였다.

분명 죽은 정찰 요원들의 감감무소식에 또 정찰을 나온 이들일 것이다. 그렇게 론은 '암'을 하나씩 하나씩 잘라내며 부조장 그리텔의 숨통을 쥐어갔다.

육십이 넘도록 살아남은 살수가 론 자신이다. 가문의 복수와 더불어, 아직 새파랗게 어린놈들에게 공포가 무엇인지 알려줄 능력은 되었다.

스스스―

풀이 바람에 흩날리는 소리가 들려왔다. 은밀하게 움직이는 발걸음 소리가 들려오는 곳으로 론은 움직였다.

또 다른 곳에서는 은밀함 대신 난폭함이 섬을 지배하고 있었다.

하이스섬 중 가장 평평한 지대를 가진 섬.

콰아아앙!

몇 없는 바위가 부서졌다.

"제기랄!"

오피드는 거친 숨과 함께 욕을 내뱉었다. 하지만 그는 조금도 쉴 틈이 없었다. 등 뒤가 서늘해져 왔다.

콰아아앙!

또다시 섬의 지형이 부서지는 소리가 들려왔다. 그는 뒤돌아보지 못했다. 이미 수하들이 어떻게 되었는지 생각해 볼 틈이 없었다.

'어디서 저런 미친년이!'

미친년이다. 저건 진짜, 미쳤다.

"하하하하!"

숲을 울리는 웃음소리가 들려왔다. 황금빛 오러를 쓰는 소드 마스터. 그녀가 웃으면서 주변을 다 때려 부수고 있었다.

전투단 1조 조장 오피드가 이끄는 암의 전투단 자체는 암의 수뇌부들과 달리 무력이 강하지 않았다. 하지만 특출한 힘은 없어도, 가진 힘을 교묘하게 전술적으로 배치할 줄 알았다. 그래서 그들은 웬만한 왕국의 정예 병력보다 강했다. 그랬기에 효율적인 작전을 세워 1조 전체가 호족을 사냥할 수 있었던 것이다.

처음에 저 소드 마스터를 상대할 때도 나름 매뉴얼을 가지고 요령껏 상대했다.

"……빌어먹을! 그래도 이건 아니잖아!"

그러나 저 소드 마스터는 미친 인간이었다. 검은 줄만큼이나 붉은 피를 뒤집어쓴 소드 마스터. 그녀는 방어 따위, 두려움 따위를 보이지 않았다. 피를 볼수록 더 웃으며 달려들었다.

오피드를 비롯한 수하들의 화살 몇 개가 벌써 저 여자의 몸에 박혔다. 그러나 고통에 찡그리기는커녕 더 득달같이 공격했다.

'저 여자가 왜 여기 있냐고!'

이때쯤 되면 모를 수가 없었다. 그래도 명색이 암 전투단 1조 조장이다. 조직의 일은 어느 정도 알고 있었다.

조직에서 버린 가짜 성녀. 그 여자다. 분명 저 소드 마스터는 그 여자다.

오피드는 해안가의 배로 달려갔다. 섬 안에서는 숨을 곳이 없다. 바다로, 차라리 바다로 가야 한다. 지금 상황으로 보아 섬 곳곳에 흩어진 다른 조원들의 상황이 어떠할지 두려울 정도로 가늠이 되지 않았다. 폭풍우로 비바람 소리가 거셌건만, 그 사이로 사람들의 비명 소리가 들리는 것 같았다.

위이이잉—

동시에 저 여자의 품에서 마나 교란 장치 소리가 들려왔다.

'조직에 연락을 해야 해!'

저 교란 장치를 피해 배에 가서 조직에 연락을 해야 한다. 오피드는 옆구리를 움켜쥐고 달렸다. 오러에 살짝 베인 옆구리에서 피가 흘러내렸다.

그때, 바로 등 뒤에서 소리가 들려왔다.

"계속 도망쳐서 살 수 있을까? 응?"

제기랄!

오피드의 얼굴이 일그러졌다. 이제 모래사장이 보이는데, 조금만 더 가면 되는데!

"피는 정말 아름다운 것 같아. 그렇지 않아? 그래서 너희들은 나를 죽이려고 했던 건가?"

미친 소드 마스터가 오피드의 뒤를 따라오며 그를 놀렸다. 오피드는 욕을 삼키면서도 달렸다. 어쩔 수가 없었다. 사슴은 맹수를 피해 달아날 수밖에 없었다.

마침내 그는 모래사장에 닿았다.

"어?"

모래사장에 정박해 있는 배. 그 배 앞에 흑발의 남자가 서 있었다. 등 뒤로 소드 마스터의 목소리가 들려왔다.

"아, 뭐야. 재미없게."

좌아아악─

오피드는 검을 뽑았다.

채앵.

하지만 상급 익스퍼트의 검은 소드 마스터의 오러에 허무하게 갈렸다. 오러는 오피드의 가슴도 갈랐다.

소드 마스터 하나는 최한을 보며 뚱하게 말했다.

"나 혼자 할 거야."

"알아. 미쳐 날뛰면서 섬 부수지 말라고 말하러 온 거다."

하나는 대답 대신 뒤돌아 섬의 숲으로 향했다. 케일의 지시대로 우두머리부터 죽였다. 이제 다른 놈들을 죽일 차례였다.

최한은 그 모습을 확인하고는 바다로 시선을 돌렸다. 작은 혹등고래 파세톤이 등을 내주었고, 그 위에 올라탄 최한은 다른 섬으로 향했다. 그는 작게 중얼거렸다.

"이해할 수가 없네."

"뭐가 말입니까?"

파세톤의 물음에 최한은 생각한 것을 말했다. 그럭저럭 웬만한 왕국 기사단은 없앨 정도로 강하고 숫자도 많지만, 압도적인 강함은 없는 비밀 단체 '암'의 전투단을 보며 했던 생각.

"왜 강자들을 죽이려고 들까요?"

고래족, 호족, 가짜 성녀인 소드 마스터 하나.

최한은 '암'이 건드렸던 상대들을 떠올렸다. '암'은 마치 이 세상의 강자들을 다 없애기라도 하려는 것처럼, 같은 편으로 끌어들이기는커녕 척을 지려고 했다. 그 행태를, 그들의 생각을 이해할 수 없었다. 파세톤은 최한의 물음에 답했다.

"뭐, 자기들이 제일 강해야 다스리기 쉬워서 아닐까요? 그리고 그 이유를 알아서 뭐 하겠습니까?"

그런 이유 따윈 중요하지 않다는 듯 은은하게 분노가 서린 파세톤의 대답에 최한은 고개를 끄덕였다. 하긴, 그가 알 바가 아니었다.

비밀 단체의 수장이 누구인지, 그자가 무슨 생각으로 이러는진 중요하지 않았다. 그저 그런 짓을 못 하게 부숴 버리는 것. 그것이 자신이 할 일이었다.

"파세톤, 약한 호족이 있는 곳으로 갑시다."

소용돌이들을 피해 최한은 제가 일해야 할 곳으로 향했다.

그 시각, 케일은 벼락 빛으로 어렴풋이 전장을 볼 뿐 곳곳에 난무하는 피는 보지 못했다. 하지만 전부 다 보이는 라온은 힐끗거리며 케일의 눈치를 봤다. 약한 인간이 저걸 다 봤다가 심약해져서는 안 되기 때문이었다.

"라온."

"왜, 왜 그러나, 인간? 나는 아무것도 안 보인다!"

뭔 소리야.

케일은 황당한 얼굴로 라온을 쳐다봤다. 라온은 슬쩍 눈길을 피했고, 그런 라온에게 케일의 목소리가 들려왔다.

"너 죽은 마나 폭탄 챙겨 왔지?"

"……챙겨 오래서 챙겨 왔다! 왜 그러나?"

호기심에 라온은 케일을 쳐다봤다. 케일은 미소를 띠며 말하고 있었다.

"제일 많이 부서진 섬에 흔적을 좀 남길까 해서."

"죽은 마나 폭탄 흔적 말인가?"

케일은 잘 보이지 않는 바다를 내려다봤다. 어둠만이 존재했다.

"호족과 우리 쪽에 마나 교란 장치가 있다고 해도 말이야."

"론 할배는 없다!"

"그래. 론은 없지만 어쨌든, 저들 중 마법사 몇은 고래족을 보고 긴급 연락을 했을 거야."

케일 측이 5일 동안의 정찰 때 가장 주안점을 뒀던 부분이 마법사의 존재였다. 까마귀와 바다 생물을 총동원해 마법사만큼은 최대한 철저히 조사했다. 라온은 고개를 끄덕였다.

"당연히 연락했을 거다!"

"그러면 궁금해서라도 비밀 단체는 여기 와보겠지?"

"맞다, 그럴 거다!"

케일은 라온의 호기심을 풀어주었다.

"그래서 와봤는데, 그 섬들 중 하나에 희미하게 지우려고 애쓴, 제국의 죽은 마나 폭탄 흔적이 있으면 무슨 생각을 할까?"

라온이 웃었다.

"히히. 재밌겠다, 인간!"

케일은 라온의 반응에 생각했다.

'이런 무서운 용 같으니라고.'

하지만 마음속 생각과 달리 케일도 미소 짓고 있었다.

새벽이 밝아왔다.

폭풍우가 멎은 바다는 고요했다. 케일은 하이스섬 절반을 뒤덮었던 거대한 비구름이 사라진 새벽하늘을 보다가 고개를 숙였다. 그리고 한 가지를 생각했다.

'……무서운 놈들.'

케일은 당황했다.

다 부서졌다.

수십 척의 배들 중 섬에 닿은 것을 뺀 나머지는 소용돌이와 고래의 공격에 반파되어 물 위에 떠다니고 있었다. 군데군데 검은 점과 같은 시체들도 해수면에 언뜻언뜻 보였다.

"인간… 충격받았나?"

케일은 검은 용 라온을 쳐다봤다.

"인간, 너무 놀랐나? 어쩔 수 없는 일이다."

검은 용은 절레절레 고개를 가로저으며 진중하게 세상사에 대해 말했다.

"한쪽이 살면 한쪽이 죽거나 크게 다칠 수밖에 없는 상황도 오는 법이다. 심약한 마음가짐을 단단히 해야 앞으로 올 혼돈을 견딜 거다. 금 용 할배가 그랬다. 너처럼 박복한 인간도 없다고."

"라온."

"그래, 난 너의 박복함을 이해할 수 있다. 그러니 이 위대한 나를 믿고-"

"내려가자."

"……알았다."

케일은 라온의 말을 가뿐히 한 귀로 듣고 한 귀로 흘리며 아래로 내려갔다.

해가 진 후부터 다시 해가 떠오르기까지. 하룻밤을 꼬박 새우고 펼쳐진 전투는 당연히 케일 측의 승리였다.

질 수가 없는 싸움이었다. 고래족에 호족에, 케일 일행까지. 어느 누가 이런 강자들이 한데 모여서 싸우겠다고 생각하겠는가.

툭. 케일의 두 발이 모래사장에 닿았다. 하이스섬6. 지난밤 소드마스터 하나가 싸웠던 섬이었다.

"아주 난장판으로 만들어놨네."

케일의 시선이 사선 아래로 향했다. 모래사장에 아무렇게나 앉아 있는 하나가 보였다. 그녀의 검은 피로 범벅이 된 채 모래사장에 박혀 있었다. 하나는 케일의 말에 반응하듯 고개를 들어 입을 열었다.

"보기 좋지 않아?"

아주 피 칠갑을 했네.

케일은 금발과 검은 흉터조차 보이지 않을 정도로 피로 뒤덮인 하나를 보며 질리는 기분을 느꼈다. 그녀가 누군가를 죽인 피를 묻혔기 때문이 아니었다. 케일은 품 안에서 붕대 천을 꺼내 대충 그녀에게 던졌다.

"네 몸 상태나 보고 좋아해라. 성자님이 보고 넘어가시겠다."

하나는 핏물이 묻지 않은 하얗디하얀 붕대를 받아 들고는 어깨까지 들썩이며 웃어댔다. 케일은 화살과 검에 베인 상처에서 피가 나오는데도 웃어대는 하나를 외면했다.

'역시 제정신이 아냐.'

성자도 그렇고 이 쌍둥이는 어딘가 이상했다.

케일은 그녀를 외면한 채로, 떠오르는 해와 함께 하나둘 하이스섬6으로 오는 동료들을 바라봤다.

"야, 케일 헤니투스."

"왜?"

케일은 뒤돌아보지 않고 하나의 부름에 답했다. 그녀는 광기가 가신 목소리로 나직이 말했다.

"난 아직 피가 모자라."

"……안다."

그녀가 피에 환장했다는 것쯤은 이제 케일도 잘 알고 있었다. 그래서 케일이 그녀에게 바라는 바도 있었다.

"공자!"

위티라가 해안가로 빠르게 다가왔다. 그녀의 외침과 함께 하나의 작은 목소리가 들려왔다.

"……고맙다. 약속을 지켜줘서."

살려준다는 약속도, 복수의 기회를 준다는 약속도. 케일은 모두 지켰다. 하나는 제 말을 모른 척하며 위티라에게 다가가는 케일을 보면서 자신의 상처로 시선을 돌렸다. 이제야 제 몸에 난 상처가 눈에 들어오는 그녀였다.

케일은 위티라와 마주했다.

"공자, 바다 위에 살아 있는 인간은 없어요."

산뜻한 미소와 함께 다 죽였다고 말하는 위티라를 보며 케일은 고개만 끄덕였다. 그녀는 기뻐하기보다는 진중한 모습을 보이는 케일에게 역시 그답다 생각하며 말을 이었다.

"일단 1조 조원들은 모두 처리했습니다. 그리고 현재 해안 절벽 틈새나 동굴 등 곳곳에 숨어버린 잔당 몇몇을 처리 중입니다. 아마 오늘 낮까지는 처리할 수 있을 거예요."

그녀는 압도적인 힘을 지녔지만 수적 열세로 꽤 힘들었던 지난밤을 떠올렸다.

"시체들은 모두 저희 쪽에서 처리하겠습니다. 난파된 배 조각들도요."

가만히 있던 케일의 입이 열렸다.

"난파되지 않은 배들은?"

그 말에 위티라는 하이스섬6에 박혀 있는 배를 쳐다봤다. 하이스섬 곳곳에 정박한 배들 중 꽤 멀쩡한 배도 많았다.

"글쎄요. 이 배들은 어떻게 처리해야 할지. 딱히 우리는 필요가 없는데, 다른 왕국에 줘야 할지⋯⋯."

말끝을 흐리는 위티라에게 케일의 목소리가 들렸다.

"내가 가져도 되나?"

"네?"

케일은 담담하게 요구했다.

"멀쩡한 배들은 내가 끌고 갔으면 하는데. 안 되겠나?"

위티라는 수많은 소용돌이를 만들어냈던 케일의 노고를 떠올렸다. 그녀는 진지한 케일의 모습에서 지친 기색을 볼 수 있었다.

"아뇨, 됩니다. 저희가 가지고 있어봤자 쓸데도 없고, 다른 왕국들보다는 케일 공자가 가져가는 게 좋죠."

"그래."

케일은 씰룩이려는 입가를 최대한 제어했다. 황금 거북이 배와 함께할 배들이 넝쿨째 굴러왔다. 비밀 단체 배를 타고 북 3국의 배들을 맞이하면 그것도 또 괜찮은 그림일 것 같았다.

케일의 머릿속으로 라온의 목소리가 들려왔다. 투명화도 하지 않았건만 머릿속으로 말했다.

─인간, 잘했다! 공짜로 배 생겼다!

확실히 라온 눈치가 늘었단 말이야. 케일은 반짝이는 눈으로 쳐다보는 용의 머리를 대충 쓰다듬었다. 그리고 로잘린, 메리와 함께 다가오는 또 다른 사람, 론을 보며 입을 열었다.

"어때?"

"조용히 마무리했습니다."

"고생했어."

론은 인자한 미소를 지으며 조용히 물러섰다. 케일은 최한까지 도착한 것을 보며 고개를 들었다.

까악까악.

까마귀가 울부짖는 소리가 들려왔다.

우-우-우-

동시에 맹수의 울음소리가 조용한 바다 위 섬 곳곳에서 울려 퍼졌다. 친족, 동족을 잃었던 호랑이들의 울음소리였다. 환호와 울분, 분노가 뒤섞인 소리였다. 케일은 가샨이 끝났다는 신호로 보낸 까마귀를 보며 입을 열었다.

"하이스섬9로 가지."

하이스섬9. 그곳에서 지난밤 전투의 모든 인원이 모이기로 했다.

방심했다.

케일은 자신의 안일함을 깨달았다.

호족 스무 명. 하이스섬9에 도착하자, 맨 앞 가샨을 중심으로 뭉친 호족이 상당히 과한 호의가 가득한 눈빛으로 케일을 쳐다봤다. 남녀 노소. 어린아이도, 노인도 한 덩치 하는 거구의 호족들이 케일을 보며 저들이 지을 수 있는 밝은 미소를 한껏 지어 보이고 있었다.

가샨이 눈을 감은 채 다가왔다. 인자한 미소가 걸려 있었다. 그러나 아쉽게도 노소를 제외한 호족 남녀 모두 피 칠갑을 하고 있었다. 저 피는 모두 비밀 단체 암의 피였다. 가샨이 케일에게 조심스레 입을 열었다.

"공자님."

"안 된다."

어둠의 숲은 안 된다.

케일은 일단 잘라 말했다.

"그게 아니고, 감사합니다."

케일은 미덥지 못한 눈길로 가샨을 쳐다봤다. 주술사는 부드럽게 말했다. 세월의 흐름이 담긴 목소리는 동화책을 읽어주는 할아버지 같은 다정함이 가득했다.

피를 잔뜩 묻힌 입으로 말해서 그렇지.

"공자님의 힘 덕분에 저희가 제대로 된 혈족의 복수를 할 수 있었습니다. 오랜만에 제대로 된 사냥을 할 수 있었어요."

어린 호족. 아직은 거구가 되지 않은 아이가 똘망똘망한 눈으로 인사했다.

"공자님, 감사합니다!"

가샨이 아이 쪽으로 고개를 숙이며 씁쓸한 미소와 함께 이어 말했다.

"일단 동대륙에 있으면 계속 암과 부딪칠 것 같고, 서대륙으로 데려가야 하는데. 어디 작은 땅이라도 저희가 머물 곳이 있다면 좋을 것을. 이 아이들이 적어도 어른이 될 때까진 편히 지낼 터전이 필요하고, 또 우리는 아직 혈족의 복수를 다 하지 못했는데.”

케일의 미간이 찌푸려졌다. 그때 가샨이 말했다.

“신세 질 땅에 제공할 재물도 챙겨 왔는데.”

케일은 가샨을 쳐다봤다.

‘재물이라고?’

가샨이 슬쩍 품에서 보석을 꺼내 들었다.

“호족은 염치를 아는 종족입니다. 호족 가족들은 모두 각자의 산을 떠나면서 각종 약재와 귀한 물건들을 다 털어서 왔지요.”

케일의 입꼬리가 슬쩍 올라갔다가 내려갔다.

“크흠, 큼.”

케일이 헛기침을 했다. 어린 호족이 외쳤다.

“저도 챙겨 왔어요!”

호족 아이는 도복과 같은 넓은 소맷자락에서 작은 병을 꺼냈다.

“이거 우리 산 동굴에 있던 이백 년 묵은 뱀의 비늘들이에요! 엄청 강한 화살촉이 될 수 있대요!”

……호족은 꽤 좋은 종족 같은데.

케일은 잠자코 호족에 대한 인식을 개선시켜 나갔다. 라온이 머릿속으로 말했다.

−인간, 쟤네 착한 것 같다.

‘그렇지?’

케일은 어둠의 숲에 호족을 데려갈 경우 비밀 단체와 더 깊게 얽히게 될 확률을 떠올렸다. 동시에 한 가지 생각을 더 했다.

'언제 내가 피한다고 안 엮였나?'

4왕국 1종족 회담에 참관한 이상 케일은 비밀 단체를 피할 수 없었다. 케일은 가샨을 바라봤다. 주술사의 감은 눈을 응시하며 그는 입을 열었다.

"조건이 있다."

그때였다.

"으, 으으으ㅡ!"

케일은 멈칫했다.

'저 노인네가 왜 저래?'

갑작스러운 상황에 케일은 저도 모르게 살짝 쫄아버렸다.

"으으, 으!"

갑자기 가샨이 눈을 번쩍 떴다. 흰자위 가득한 눈이 크게 확대되었다. 그는 덜덜 떨며 나무 지팡이를 든 손을 하늘로 가리켰다. 거구의 몸이 부들부들 떨렸다.

'……무서운데.'

케일은 무서워서 저도 모르게 뒷걸음질 쳤다. 그 순간이었다.

"자, 자연이 말씀해 주십니, 다!"

가샨이 덜덜 떨며 외쳤다.

'허.'

케일은 그 광경에 기가 찼다. 이건 또 뭐란 말인가. 그러나 이어진 가샨의 말에 케일은 생각을 고쳤다.

"자, 자연께서 내년 봄에 우리 호족이 서대륙에서 차가운 검과 맞서 싸운다고 하십니다!"

이야.

케일은 감탄했다. 이런 영험한 주술사가 다 있나. 소름이 돋았다. 어떻게 호족을 북 3국 기사단과 싸우게 만들 걸 알았지?

케일은 점점 떨림을 멈추고 진정하는 가샨을 뚫어지게 쳐다봤다. 진정한 가샨은 흰자위를 케일에게 고정했다. 케일은 입을 열었다.

"나와 함께하면 그런 미래가 올 거다. 그래도 괜찮나?"

가샨은 제 동족들에게 묻지도 않고 망설임 없이 답했다.

"우리 호족은 그간 너무 조용히 살았습니다. 우리의 복수와 관련이 되어 있다면 기꺼이 날뛸 수 있습니다."

케일은 고개를 끄덕였다.

"그렇다면 환영이지."

케일이 손을 내밀었고 그 손을 주술사가 맞잡았다.

어둠의 숲은 넓다. 스무 명의 호랑이들이 살 공간은 충분했다.

"정말 잘됐습니다."

위티라는 흐뭇한 미소를 지으며 한마디를 건넸다. 그녀는 케일 공자가 왜 지금까지 호족들을 받아들이지 못했는지 이제야 깨달을 수 있었다.

'호족이 북 3국과 싸우는 것을 원치 않으셨구나.'

케일이 돈이 없는 것도 아니고 그깟 호족들의 약재와 재물에 혹했겠는가. 위티라는 케일이 알아주는 부자 가문의 자제라 들었다. 재물을 탐낼 이가 아니다. 탐욕이 많은 이라면 가장 큰 재산인 자신의 몸을 던져 아무 이익 없는 일에 나서겠는가.

위티라는 케일에게 말했다.

"호족과 배 이동은 저희가 돕겠습니다."

아무 이득도 없는 이번 일을 기꺼이 도와준 케일에 대한 감사 표시였다. 케일은 당연히 그 감사를 받아들였다.

"그렇게 해주면 고맙고."

"네. 그리고 해상로 문제도 논의해야 하는데."

동대륙으로 향하는 해상로. 북쪽의 고래들이 장악한 길의 사용권이 케일에게 있었다. 케일은 그 문제에 대해 답하기 위해 입을 열었다.

"인간, 인간!"

갑자기 라온이 아공간에서 영상통신구를 꺼내 케일에게 다가왔다. 영상통신구가 붉은색을 뿜내며 통신이 왔음을 알렸다. 미간을 찌푸린 케일에게 라온이 말했다.

"왕세자다! 빨간색은 왕세자다!"

왕세자 알베르의 연락이었다.

"연결할까?"

케일은 라온의 물음에 한숨과 함께 입을 열었다.

"일단 목조 건물 안에서 연결하도록 하지. 위티라, 가샨. 다른 문제는 나중에 얘기했으면 하는데."

"그러시죠. 왕세자의 연락부터 받으세요."

위티라가 흔쾌히 답했고 가샨도 고개를 끄덕였다. 케일은 두 우두머리의 대답에 바로 목조 건물 안으로 들어가 라온에게 영상통신구 연결을 부탁했다. 그리고 영상통신구 맞은편 나무 의자에 앉았다.

평소 부드러운 소파와 달리 딱딱한 감촉이 느껴졌지만 케일은 신경 쓰지 않았다.

알아서 푹 쉬라던 왕세자 알베르 크로스만. 그에게서 갑자기 연락이 왔다. 상당히 찜찜한 느낌이 들었다.

케일은 영상통신구 위에 떠오른 왕세자 알베르를 마주했다. 알베르는 케일의 떫은 표정을 무시하며 입을 열었다. 잽도 없이 바로 스트레이트가 들어왔다.

–너 황태자 얼굴 모르지?

황태자. 제국 모고르의 황위 계승자.

케일은 말문이 막혔다.

불길하다.

그는 띄엄띄엄 답했다.

"그, 눈 색이나 머리색이나 알아야 할 건 압니다. 음, 보면 알걸요?"

–알기는. 실제로 본 적은 없다는 소리네.

왕세자는 케일의 생각을 빤히 다 안다는 듯 제 눈을 피하는 케일에게 말했다.

–적을 알고 나를 알면 백전백승이라고 하더군. 제국에 갔다 와라.

케일은 입을 열었다.

"……저하, 제가 귀가 안 좋은 건지 끝에 이상한 말을 들은 것 같습니다만."

갔다 오라니.

'그것도 제국에? 내가 왜?'

케일은 자신의 성격을 잘 아는 왕세자가 그런 말을 한 것이 이해가 되지 않았다.

–아, 잘못 말했다. 수정하지.

왕세자 알베르는 손을 들어 보이며 순순히 제 실언을 인정했다.

–다시 말하지.

더 큰 스트레이트가 들어왔다. 왕세자는 케일에게 제안했다.

–나랑 좀 갔다 오자.

왕세자랑 같이 갔다 온다고?

-한 건 하러.

……뭘 하러? 한 건?

그제야 케일의 시야에 음흉하게 웃고 있는 왕세자가 보였다. 케일의 찌푸린 미간이 풀어졌다. 케일은 나무 의자에 편히 기대며 입을 열었다.

"한번 들어보죠."

34장

제국으로

34장
제국으로

−아마 제국 놈들에게 나는 아주 짜증 나는 인간일 거다.

갑자기 왕세자는 왜 자기비판을 하는 것일까.

케일은 제국에 간다면서 뜬금없는 말을 내뱉는 왕세자의 다음 말을 잠자코 기다렸다. 생글생글 웃는 왕세자가 상당히 유쾌해 보였기 때문이다.

'저런 왕세자 얼굴은 또 처음인데.'

괜히 케일은 찝찝해져 왔다.

−나는 우리 로운 왕국에 잔인한 일을 벌이려고 했던 마법 폭탄 테러 조직을 찾으려고 동분서주하는 정의로운 열혈 왕세자였지.

케일의 표정이 더 떨떠름해졌다. 반면 왕세자 알베르는 아주 즐겁다는 듯 더 표정이 밝아져 갔다.

−세상 돌아가는 것보다 그런 못된 놈들을 서대륙에서 없애는 것을 인생의 목표로 둔 왕세자처럼. 또 같은 아픔을 겪은 제국에게 강

한 유대감을 보이며, 그들에게 함께 범인을 어서 찾자고 결연하게 말하는 왕세자였어.

보다 못한 케일은 입을 열었다.

"제국에서 상당히 골치 아팠겠네요."

—어. 즐거웠어.

왕세자 알베르는 실로 오랜만에 케일 앞에서 화사한 미소를 지어 보였다. 케일은 그 미소를 외면하며 제국도 참 난감했겠다 싶었다.

로운 왕국.

강하지도 약하지도 않은 그저 그런 왕국. 하지만 상당히 오랫동안 서대륙에서 역사를 이어가는 왕국이었다. 그 왕국의 유력한 후계자가 정의에 가득 차 설친다면, 제국은 무시하지도 못하지만 그렇다고 같이 정의를 외칠 수도 없었을 것이다.

'지들이 공범이니까.'

비밀 단체 '암'의 로운 왕국 수도 마법 폭탄 테러에 모고르 제국이 가담했는지는 케일도, 왕세자도 확신하지 못한다. 그러나 태양신 교단을 향한 비밀 단체의 테러에는 제국이 한발 걸쳐 있었고, 또한 그들은 성자와 성녀를 죽이려고 했다. 그렇기에 제국은 폭탄 테러 사건을 최대한 유야무야 넘기고 싶을 터.

그런데 그걸 자꾸 걸고넘어지는 열혈 왕세자가 참 짜증 날 것이다. 하지만 왕세자 알베르는 나름대로 다른 왕국과의 협력을 숨기기 위해 더 그렇게 행동했다.

"그런데 그것과 한 건 하는 것이 무슨 상관입니까?"

—내가 그렇게 연기를 하면서 말이야.

케일은 왕세자의 말에 고개를 가로저었다.

"연기라뇨. 왕세자 저하는 그런 분이십니다. 정의롭고 선하시고."

―헛소리는 집어치우지.

왕세자의 얼굴이 구겨지고, 케일은 입을 다물었다. 알베르는 저보다 더한 놈에게 말했다.

―아무튼 내가 현장 조사를 끊임없이, 쉴 새 없이 부탁했어.

"현장 조사요?"

―어. 조금의 실마리라도 얻고 싶다고, 폭발이 일어난 태양신 교단 교황청과 그 앞의 광장을 둘러보고 싶다고 했지. 제국이 위퍼와 전쟁 중에도 계속 건의했어.

"제국이 화 안 내던가요?"

―살살 건드렸지.

어련히 살살 건드렸겠다. 케일은 헛웃음을 삼키며 물었다.

"저한테 연락하신 걸로 보아 제국에서 용케도 현장 조사를 허가했나 봅니다?"

―벌써 일 년이 지난 일이지. 내가 발견할 건더기가 없다고 생각해서 허락한 것 같다.

왕세자는 탁자를 두드리며 케일에게 말했다.

―가서 교단 둘러보는 김에 연금술도 구경하고. 좋잖아?

전혀 좋지 않았다. 아까부터 케일은 뒤통수가 근질근질한 것이 느낌이 이상했다.

"안 그래도 제국은 위퍼 왕국에게 성을 하나 뺏겨 분위기가 뒤숭숭하지 않습니까?"

―뒤숭숭하지. 그래서 아마, 로운 왕국에서 폭탄 테러 수사를 하려는 것에 협조함으로써 제국민들의 시선을 돌리려는 것 같다.

왕세자는 케일을 빤히 응시하며 입을 열었다.

-제국은 아마도 진작에 수사를 명목으로 교단에서 챙길 것들을 다 챙겼을 거야. 그렇지?

"……그렇죠?"

-너, 성자랑 성녀 잘 있냐?

"잘 있-"

대답하려던 케일은 문득 떠오른 생각에 입을 다물었다. 이내 그의 입가에 미소가 맺혔다.

"저하."

-그래.

왕세자는 떨떠름한 기색이 사라진 케일을 보며 어서 말하라는 듯 재촉했다.

"교단에 숨겨진 보물이라도 있을까 봐요?"

-왜, 없을 거 같아?

전혀.

꼭 있을 것 같다. 이건 다년간 판타지 소설을 읽어온 이로서 오는 감이었다.

몇백 년 동안 제국의 국교로서 버텨온 태양신 교단. 그곳의 귀한 보물들 중 몇몇은 어딘가에 숨겨져 있을 것 같다. 제국은 아직 폭탄의 여파가 미치지 않은 교단의 건물들을 부수지 않았다.

잠자코 구석에서 듣고 있던 라온의 목소리가 들려왔다.

-인간, 인간! 보물찾기 하나? 나 보물 잘 찾는다!

케일의 입꼬리가 점점 위로 올라갔다. 아무리 성자가 맹하고 성녀가 교단에 악감정을 품고 있다고 해도-

'교단 비밀 공간은 알지 않겠어?'

생각을 정리하는 케일에게 알베르의 목소리가 들려왔다.

─5 대 5.

케일의 눈동자가 알베르에게로 향했다.

─아주 많이 양보한 거야.

"왕실에 넘기지 않고요?"

─왕실에 넘기고 돈 받아야지. 저번에 포션값으로 내 사비가 많이 털렸어.

케일의 머릿속에 라온의 목소리가 다시 한번 울려 퍼졌다.

─인간, 너랑 왕세자랑 똑같이 웃는다! 또 그렇게 웃는다!

케일은 등받이에 기대고 있던 등을 떼어내며 왕세자에게 물었다.

"언제입니까?"

─12월. 12월 말 송년회도 함께 즐기자고 하더군. 나름대로 제국의 세를 보여주고 아직 건재하다고 알리고 싶었나 봐.

"세는 무슨. 지금도 힘을 다 숨기고 있는 제국 아닙니까?"

툰카와 싸울 때도 연금술을 비롯한 핵심 전력을 철저히 숨긴 제국이었다. 참 웃기지도 않을 일이었다.

─아무튼 12월 초에는 제국으로 출발한다.

현재 11월 중순 초겨울이었다. 케일은 영상통신구를 끌 준비를 하며 알베르에게 인사말을 남겼다.

"수도에서 뵙겠습니다."

이번에도 알베르는 케일의 대답을 듣자마자 바로 영상통신을 끊었다. 역시 한결같은 왕세자 저하였다.

                    ✦

　케일은 라온, 최한과 함께 다른 일행보다 빨리 움직였다. 그 덕에 현재 그는 헤니투스 영주 집무실에서 아버지 데르트와 마주하고 있었다. 오랜만에 영주성을 찾은 그였다.

　"아버지."

　"그래."

　데르트 백작은 오랜만에 보는 아들의 얼굴을 보며 미소를 지우지 않았다. 백작은 케일이 계속 해리스 마을 별장에 틀어박혀 지내다가, 오랜만에 왕세자의 지시를 행하러 타국에 간다고 알고 있었다.

　"제가 말입니다."

　"편히 말해 보거라."

　케일이 다른 이들보다 한발 먼저 영지에 온 이유가 있었다.

　"제가 아는 사람들을 영지로 데려오려고 합니다."

　아는 사람들은 당연히 호족이다. 그들은 거구에 숫자가 꽤 되어 영주에게 숨기는 것이 더 번거롭고 힘들었다. 데르트 백작은 아들의 얼굴에 서리는 근심을 보며 입을 열었다.

　"몇 명?"

　"스무 명가량입니다. 터전을 잃어 불쌍하고 안쓰러운 이들이지요."

　"가족 단위인가?"

　"네."

　"흐음."

　데르트 백작은 침음을 삼켰다.

초겨울. 터전을 잃고 헤매는 이들. 분명 가을에 추수도 하지 못하고 떠도는 이들일 것이다.

"어른에 아이와 노인도 섞여 있습니다."

이어진 케일의 말에 데르트 백작의 미간 주름이 더 깊어졌다. 벌벌 떨며 터전을 찾아 헤맬 불쌍한 이들. 괜히 속이 허해져 데르트 백작은 차를 한 모금 머금었다.

백작은 따뜻한 차에 속이 데워지자 아들 케일을 바라봤다. 그는 그들을 데려오려는 아들이 충분히 이해되었다. 역시 우리 아들은 마음이 부자였다. 케일은 데르트의 반응을 살피며 최대한 불쌍하게 말했다.

"아버지, 그래서 그 사람들을 해리스 마을로 이주시키고 싶습니다. 될까요?"

영주민을 받아들이고 떠나보내는 것은 엄연히 영주의 영역이었다. 케일도 제 손님으로 한두 명 데려오는 것이 아니라 아예 새로운 터전을 주는 일이라 조심스러웠다.

'하지만 허락해 주겠지.'

데르트 백작 성정상 거절하지는 않으리라 생각했다. 백작의 입이 천천히 열렸다.

"곤란하다."

케일은 멈칫했다.

"네?"

백작이 거절할 줄 몰랐는데. 케일은 정말 그럴 줄 몰랐다. 그때, 데르트 백작의 목소리가 이어졌다.

"해리스 마을이 우리 영지의 최북단이다. 북 3국이 봄에 내려올 것이라 예상되는 상황이 아니냐.”

　데르트 백작은 스스로가 속물적인 사람이라 생각했지만 그래도 제 영역 안의 존재들에 대한 애정은 있었다.

　“현재 영지 북부의 주민들도 봄 전에 다른 곳으로 이동시킬 생각이다. 위험한 곳에 영지민이 될 이들을 둘 수는 없지.”

　탁. 데르트는 찻잔을 테이블 위에 놓으며 말했다.

　“네가 거둔 이들은 영주성으로 데려와라. 머물 곳을 내어주마.”

　케일은 아무 말도 하지 못하고 데르트 백작을 응시했다. 백작은 그 모습에 다시 입을 열었다.

　“다른 걱정은 하지 않아도 된다. 원래 우리 영지는 광산이 많고 예술이 발달해 타지인에 대한 텃세도 거의 없지 않느냐. 그리고 성벽을 보수하면서 더 넓어졌고. 비용이야 내가 대면―”

　“아버지.”

　케일은 끊임없이 이어질 것 같은 데르트 백작의 말을 조심스레 끊으며 말했다.

　“호족입니다.”

　“응?”

　“호랑이족이요.”

　갑자기 호랑이족 얘기가 왜 나오나 싶어 데르트 백작은 아들을 바라봤다.

　“아버지, 제가 데려오는 이들이 호랑이족입니다.”

　케일은 순간 혼란을 겪는 듯한 데르트 백작에게 친절한 설명을 덧붙였다.

　“아주 강합니다. 전쟁 대비 전력으로 상당히 뛰어납니다. 터전을 잃고 떠돌길래 데려오고자 합니다."

한참 만에 데르트 백작의 입이 열렸다.

"장하다."

"네."

케일은 백작의 칭찬을 담담히 받아들였다.

"아버지, 어차피 해리스 마을 정비도 끝났는데 그곳에 이주한 영지민들은 없지 않습니까? 호족도 숲 근처를 원하고. 그들에게 그 마을을 터로 주면 좋아할 것 같습니다."

"그렇지, 그렇지."

백작은 연신 고개를 끄덕이며 입을 열었다. 백작의 입가에 이전과는 조금 다른 미소가 맺혔다. 투명화해서 부자의 대화를 지켜보던 라온이 케일의 머릿속으로 말했다.

─인간아, 백작이 너 사기 칠 때처럼 웃는다! 신기하다! 아주 비슷하다!

케일은 이제 배경음악처럼 그 말을 흘려들었다. 백작은 영주로서 아들에게 지시했다.

"그 일은 너에게 맡기마."

"네."

케일은 호족 일을 매듭짓고 백작과 조금 더 대화를 나눈 후 자리에서 일어섰다. 집무실 문으로 향하는 그에게 데르트 백작은 말했다.

"바쁘게 지내더라도 한 번씩 얼굴은 비추거라. 네 어머니도 동생들도 기다린다."

"알겠습니다. 연초는 영지에서 지내도록 해볼게요."

"그래."

케일은 집무실을 빠져나왔다.

케일이 된 김록수. 피로 이어진 가족이 없었던 오랜 세월이 이럴 때마다 그를 조금 어색하게 만들었다. 하지만 그런 어색함을 계속 느끼고 있을 틈이 없었다.

케일은 오랜만에 성내 찻집을 방문했다.

<시와 함께하는 차의 향기>

플린 상단의 서자 빌로스가 운영하는 찻집이었다. 빌로스가 수도로 떠나고 난 후 직원이 찻집을 관리하게 되었지만, 여전히 그 자리를 잘 지키고 있었다.

그리고 오늘, 찻집에는 오랜만에 주인이 찾아왔다.

"오랜만이다."

"잘 지내셨습니까, 공자님?"

빌로스는 돼지 저금통을 닮은 얼굴 가득 반가움을 드러냈다. 그는 현재 케일이 건넨 마법 장치와 위퍼 왕국 내전에서 얻은 것들로 톡톡히 한몫을 챙겨, 플린 상단 안에서 서서히 영향력을 넓혀가는 중이었다.

"그럭저럭 지냈지. 연락했다고 바로 올 줄은 몰랐는데."

"근처에 있었거든요. 그리고 공자님이 부르시면 바로 와야죠."

빌로스는 솔직한 마음을 말했다. 그럴 수밖에 없는 것이, 케일은 한번 부르면 쓸데없는 이야기를 꺼내지 않았다. 더불어 상인의 촉이 왔다.

케일은 부를 때마다 뭔가 터뜨렸다.

이번에도 그것이 무엇일지 궁금해서 바로 달려왔다. 케일의 입이 서서히 열렸다.

"제국에 좀 가자."

"……제국이요?"

빌로스는 당황하지 않았다. 무슨 얘길 하든 받아들일 준비가 되었기 때문이다. 케일은 평이한 어조로 이어 말했다.

"어. 그런데 자네가 아는 연금술사 있나?"

"……네?"

톡톡. 케일은 찻집 테이블을 두드리며 말을 이었다. 단조로운 어조였다.

"연금술 종탑에 속하지 못하고 내팽개쳐진 연금술사가 분명 있을 거란 말이지. 위퍼 왕국처럼."

마탑이 지배하던 시절. 위퍼 왕국의 마법사들 중 마탑의 잔인한 실험과 왕국민들을 핍박하는 모습에 질려 마탑에서 나온 마법사들과, 이를 개선하자고 마탑에 건의했다가 쫓겨난 마법사들이 있었다.

연금술 종탑은 쉬쉬하지만 현재 잔인한 실험을 자행 중이다. 위퍼 왕국 마법사들처럼, 분명 그것에 반발하거나 참지 못하고 떠난 연금술사들이 있을 터.

케일은 빌로스가 입을 여는 것을 지켜봤다. 빌로스는 답했다.

"아는 이가 없어도 찾아내겠습니다."

"그래. 그런 답이 좋아."

역시 빌로스는 대화가 통했다. 만족해하는 케일에게 빌로스가 조심스레 물었다.

"그런데 그 연금술사를 찾으면 어쩌시려고?"

"부려먹게."

"……네?"

케일은 빌로스의 물음을 무시하며 제 할 말을 했다.

"연금술 재료 어디서 사는지 아나?"

"……제국에 많지요."

"그럼 내가 말한 것들 많이 사와."

"……어, 음. 네."

케일의 머릿속으로 라온이 말했다.

—인간! 우리도 그 불기둥 만드나?

천 년의 고룡은 연금술에도 꽤 깊은 조예가 있었다. 에르하벤은 불기둥을 만들어 내었던 액체를 보고 말했다.

'호오, 인간들이 꽤 재밌는 걸 만들었구나.'

액체를 재밌어한 에르하벤은 제 레어에 틀어박혀 연구 중이었다. 케일은 제국에 가는 김에 필요한 것들을 다 구해 올 작정이었다.

—인간, 재밌겠다!

제국이 만드는데, 우리가 못 만들 이유도 없지 않은가.

"그럼 제국에 먼저 가 있으면 됩니까?"

"그래. 내 이동 일정은 왕세자 저하와 같으니 그에 맞춰 움직이면 될 거야."

왕세자는 이번 제국 방문을 최대한 널리 알리고 있었다. 그의 행동은 왕국민들에게 왕세자가 정의롭다는 인식을 심어주니까, 숨길 이유가 없었다.

"알겠습니다."

케일은 빌로스의 가타부타 다른 말 없는 대답에 고개를 끄덕이는 것으로 그와의 짧은 만남을 끝냈다. 긴 대화는 제국 수도에서 술 한 잔과 함께 나누기로 한 둘이었다. 각자에게 할 일이 많았다.

케일은 바삐 움직였다. 우선 호족이 도착하기 전까지 해리스 마을 관련 문서들을 처리해야 했다.

"바센, 오랜만이다."

"네, 형님!"

오랜만에 본 차남 바센은 이제 영지 행정 업무에 꽤 많이 참여하고 있었다. 영주 데르트는 이번 해리스 마을 일도 케일이 맡아서 한다지만, 곁에 바센을 붙여주었다.

'나중에 바센이 영주가 되면 이렇게 문서 보고를 하면 되겠어.'

케일은 한량으로 지낼 것이지만 혹시나 보고할 일이 있다면 지금처럼 바센에게 보고하면 되겠다는 생각에 마음이 편안해져 왔다. 그 생각에 바센에게 문서를 건네는 케일의 표정은 태평했다.

"자, 여기 작성한 서류다."

"네, 형님. 이렇게 형님 일을 보조할 수 있어서 좋습니다."

"보조는 무슨. 아버지도 보조가 아니라 함께 처리하라고 하셨다."

케일은 차남 바센의 말에 실소를 흘렸다. 그는 자신이 영지 업무를 잘 몰라 제대로 일을 못할까 봐 아버지가 바센을 붙여준 것이라 생각했다.

'바센이 영지 업무에 있어서 그만큼 믿을 만하다는 거지.'

이는 영주로서 바센의 위치가 더욱더 공고해진 것을 뜻하는 것이 아니겠는가.

바센은 서류를 건네고는 태평하게 차를 마시는 제 형을 보며 입을 열었다.

"형님."

"그래."

바센은 케일이 작성한 서류 종이를 매만졌다.

터전을 잃은 이들. 더불어 아주 강한 전력인 호족. 그들을 영지로 데려온 케일 헤니투스. 바센은 그 측은지심과 수완에 감탄했다.

"형님, 저는 영지 행정에 대해 열심히 공부 중입니다. 저는 저희 영지가 대리석 외에도 성장할 가치가 무궁무진하다고 판단하며, 영지를 더 부유하고 단단하게 만들 작정입니다."

케일은 영주가 되어 돈을 벌겠다는 바센의 생각이 마음에 들었다.

"훌륭하다. 계속 응원하마."

"네, 형님! 형님께 꼭 보여 드리고 싶습니다."

무뚝뚝한 바센의 얼굴에 꽤 뜨거운 열정이 드러났다.

"뭘, 나한테 꼭 보여줄 것까지야."

"아닙니다. 형님께 저도 영지에서 쓸 만한 인재라는 것을 보여 드리고 싶습니다."

케일은 황당한 표정으로 바센을 쳐다봤다. 그 표정에 말을 내뱉었던 바센은 멈칫했다.

'……형님 곁에 있는 이들에 비하면 나는 한참 모자라지.'

문득 떠오른 생각에 바센의 표정이 살짝 굳어졌다. 그때, 케일의 목소리가 들렸다.

"무슨 말도 안 되는 소릴. 바센 헤니투스, 넌 지금도 영지에 없어선 안 되는 사람이다. 그런 생각은 말도록."

케일은 기가 찼다. 바센 같은 착실한 영주감이 어디 있다고. 케일은 더 듣기 싫다는 듯 손사래를 쳤고, 바센은 서류를 쥔 손에 힘이 들어갔다.

"네! 열심히 하겠습니다!"

바센은 기합이 잔뜩 들어간 외침을 남기고 케일의 서재를 빠져나 갔다. 케일은 그 뒷모습을 흡족하게 바라보다가 자리에서 일어섰다. 슬그머니 라온이 나타나 물었다.

"인간."

"왜?"

"너 혹시 영주 될 생각이냐?"

"……뭔 헛소리야? 그런 무서운 소리 말도록."

라온이 고개를 갸웃거렸지만 케일은 소름 돋는다는 듯 더는 그 주 제에 대해 생각하지 않았다. 하지만 그가 백작 부인 바이올란을 만 나러 갔을 때, 가만히 투명화해 있던 라온이 한 번 더 머릿속으로 물 었다.

－인간, 영주는 무슨 일을 하는 건가? 여행 많이 다닐 수 있나?

애가 왜 이래.

케일은 라온의 말을 애써 무시하며 백작 부인을 바라봤다. 바이올 란은 여전히 잔머리 하나 없이 틀어 올린 헤어스타일을 한 채로 케 일에게 말했다.

"얼굴이 해쓱해진 것 같구나. 왕세자 저하와 함께 제국으로 간 다고?"

"네. 마법 폭탄 관련 수사에 제 도움이 필요하신가 봅니다."

케일은 저를 바라보는 바이올란의 뚫어질 듯한 눈빛에 살짝 멈칫 했다. 바이올란 백작 부인은 별것 아니라는 듯 흘러가듯이 물었다.

"……왕세자 저하가 과한 업무를 맡기시니?"

"음, 그렇진 않습니다."

"그래?"

바이올란 백작 부인이 미소를 그려 보였다.

"그럼 다행이구나."

무엇이 다행이지?

케일은 백작 부인을 보며 왜 서늘한 느낌이 드는지 알 수 없었다. 그는 의문을 감추며 입을 열었다.

"어머니, 뮐러는 지금 쉬죠?"

드워프와 쥐족 혼혈로 뛰어난 기술을 지닌 뮐러. 배를 완성한 그는 현재 성안에서 휴가를 보내고 있다고 들었다. 영지 내 조각과 건축을 담당하던 백작 부인은 힐끗 아들의 얼굴을 보더니 입을 열었다.

"해리스 마을로 보내마."

역시 말이 통했다.

"부탁드리겠습니다."

"그래."

담백한 대화를 끝낸 케일은 자신의 서재로 향하며 릴리와 마주쳤다. 막내 릴리는 케일의 서재 앞에서 기웃거리고 있었다.

─인간! 네 동생 강해졌다!

그래. 그래 보이네.

릴리 등 뒤의 검이 더 커져 있었다. 그녀의 허리에는 중검 길이의 검이, 등 뒤에는 대검이 자리해 있었다. 보기만 해도 아주 무시무시했다.

"오라버니."

케일은 쭈뼛거리며 다가오는 릴리의 머리를 쓰다듬었다.

"많이 성장했구나."

릴리는 칭찬에 부끄럽다는 듯 볼을 붉적였다. 케일은 진심으로 흐뭇해졌다.

피부가 하얀 케일과 달리 릴리는 햇볕 아래에서 훈련을 많이 했는지 까맣게 타 있었다. 그리고 신장도 그 나이 때의 아이들에 비해 컸다. 릴리의 노력이 절로 느껴졌다.

"릴리, 네가 우리 남매 중에 가장 강해지겠는데?"

릴리는 다부진 얼굴로 고개를 끄덕였다.

"강해져서 영지를 지킬 거예요!"

"훌륭하다."

케일은 진심을 담아 말했다.

"너라면 잘 해낼 거야. 쌍검이 잘 어울리겠어."

"네. 스승님이 공격보다 방어가 어렵다고 그랬어요. 저는 지킬 줄 아는 기사가 될 거예요."

릴리는 어리지만 제 오빠들이 한 일들을 계속 들어왔다. 대부분이 큰오빠 케일의 이야기였다. 그 이야기를 스승님께 했을 때, 사부는 말했다.

'릴리, 난 작은 영지의 기사단장이었지만 하나 깨달은 것이 있단다.'

'사부님, 무엇인가요?'

'문이 단단해야 한다는 것이다.'

'문이요?'

'그래, 문. 어느 누구도 이 영지를 함부로 넘볼 수 없게 단단한 문이 영지의 입구를 지키고 있다면, 그 문 안의 사람들은 두려움이 없어진단다.'

'……문과 같은 기사가 되면 되나요?'

'그래. 성벽보다 단단한 문이 되어야 한다.'

릴리는 큰오빠에게 말했다.

"저는 문과 같은 기사가 될 거예요!"

순간 케일은 뭔 소린가 싶어 멈칫했지만, 아직 어린아이니 꿈은 다양할수록 좋겠다 싶어 고개를 끄덕였다.

"그래, 열심히 해. 다만 서두르지 말고."

"네!"

케일은 신난 얼굴로 다시 훈련을 하러 가는 릴리의 뒷모습을 쳐다보다가 서재 문을 열었다. 흐뭇하던 미소가 사라졌다.

"프리지아, 오랜만이야."

조각가 흉내를 내는 살수. 악마를 닮은 토끼를 조각하던 그녀가 케일의 인사에 고개를 숙여 보였다. 케일은 집무용 책상 앞 의자에 앉자마자 론이 건네는 찻잔을 집어 들었다.

"프리지아."

"네."

"서남부 출신이라고 했던가?"

정식으로 제국에 가려면 로운 왕국 서남부, 제국과 닿아 있는 영지에서 국경을 넘어야 한다. 왕세자는 서남부 영지까지 텔레포트를 한 후, 사신단과 함께 국경을 넘을 예정이었다.

"네. 서남부 출신입니다."

서남부 국경에 닿아 있는 영지의 이름은 기예르.

기예르 공작가의 영지였다.

케일은 프리지아를 가만히 응시했다. 그녀와 함께 현재 케일의 정보 단체에 소속된 이들은 원래 암살단이었다. 서남부에서 움직이며 주로 귀족들의 암투를 도맡아 처리하던 암살단.

케일의 입이 열렸다.

"너희가 서남부에서 도망친 이유가 귀족 암살 미수와 네 수장을 죽인 것 때문이었지?"

"네, 맞습니다."

귀족들 목숨만 노리던 암살단. 그런데 수장이 한 귀족의 어린아이 납치 의뢰를 받아들이자, 이건 아니다 싶었던 프리지아가 수장을 죽이고 동료들과 함께 의뢰를 한 귀족도 죽이려 시도했었다.

"그리고 그 귀족이 서남부 수장 가문의 가신이라고?"

"……네."

노예가 금지된 로운 왕국에서 간 크게 아이 납치를 의뢰하다니. 기예르 공작가의 가신 가문이 그런 추잡한 일을 한 것이다.

프리지아는 미소를 띠는 케일의 모습에 조심스럽게 입을 열었다.

"공자님, 이유를 여쭤도 되겠습니까?"

"이유라."

케일은 거리낌 없이 답했다.

"약점 좀 잡게."

서남부 기예르 영지. 제국과 닿아 있는 문이다. 그 문이 허약해서 야 되겠는가. 앞으로 어떻게 될지 모르는 상태이니 혹시 제국이 로운 왕국을 공격해도 죽자 살자 막게 만들어야 한다.

케일은 기예르 공작가에 대한 걱정이 커 보이는 프리지아에게 태연히 말했다.

"나한테 아주 든든한 백이 있거든."

왕세자가 있는데 뭐가 문젠가. 케일은 기예르 공작가의 후계자 안토니오 기예르를 떠올렸다.

'권위적이고 외부 시선을 상당히 중시한댔나?'

케일은 프리지아를 보며 입을 열었다.

"제국에 갔다가 돌아올 때, 그 영지에서 좀 머물다가 올 거다. 프리지아, 내 말이 무엇인지 알겠지?"

푸근한 외양의 중년 여인 프리지아는 케일의 말을 찰떡같이 알아듣고 답했다.

"돌아오셨을 때 바로 시작하실 수 있도록 협박할 준비를 열심히 해놓겠습니다."

"협박이라니, 무슨 그런 말을."

"예?"

프리지아는 케일이 첫눈처럼 포근하면서도 부드러운 미소를 짓는 것을 볼 수 있었다. 그는 부드러운 목소리로 프리지아에게 속삭이듯 말했다.

"난 정의로운 귀족일 뿐이야."

얼씨구.

프리지아는 속으로 탄식을 하면서도 고개를 숙였다가 들었다.

"네, 맞습니다. 공자님은 그런 분이시지요."

고개를 든 그녀는 자신처럼 인자하게 웃고 있는 론을 볼 수 있었다.

케일은 다정한 어른의 표본과 같은 론과 프리지아를 보며 마음이 풍족해졌다. 역시 믿고 맡길 만했다.

케일은 모든 준비를 끝내고 딱 필요한 인원만 데려갔다. 투명화해서 따라오는 라온은 말할 것도 없었고, 다른 이들도 마찬가지였다.

"자, 내 호위 기사들. 준비됐나?"

환한 케일의 표정에 최한은 따라서 선한 미소를 지어 보였다.

"네, 케일 님."

"네, 네. 공자님."

부단장 힐스만이 힐끗힐끗 눈치를 보며 답했다. 그리고 힐스만 옆에 서 있는, 사람인 척하는 고룡은 한숨만 흘렸다.

"……하."

최한, 힐스만, 에르하벤. 셋이 호위 기사로 함께 가게 되었다. 그들은 영지의 텔레포트 진을 이용해 곧바로 로운 왕국의 수도로 향했다.

수도로 넘어온 케일은 텔레포트 진 위에서 마중 나온 왕세자와 외교관을 볼 수 있었다. 왕세자는 두 팔을 벌려 케일을 환영했다.

"케일 헤니투스 공자, 와줘서 고맙네. 이번 제국 방문에 자네가 제격이라 생각했어."

케일은 황송하다는 듯 왕세자와 가볍게 포옹하며 입을 열었다.

"저하, 이 부족한 능력이나마 왕국을 위해 쓰일 수 있다면 그저 기쁠 뿐입니다."

왕세자를 따라온 중년의 외교관은 겸손한 케일의 대답에 흐뭇한 표정으로 입을 열었다.

"저하께서 귀이 여길 만한 인재의 대답입니다. 왕국을 생각하는 마음이 깊군요."

"좋게 봐주셔서 감사합니다. 귀족으로서 왕국과 왕국민을 늘 생각하는 것이 기본 아니겠습니까.”

왕세자 다음으로 사신단을 이끄는 외교관은 케일의 답에 상당히 만족해하며 입을 열었다.

“왕세자 저하께서 공자를 바로 곁에 둔다고 하셔서 확인차 와봤는데, 그럴 필요가 없었던 것 같군.”

왕세자는 이번 사신단 일에 직접 케일 헤니투스를 추천했다. 케일은 관료직이 아닌 일개 귀족 자제였기에, 그에 대해 확인차 사신단을 이끄는 외교관이 마중을 나온 것이다.

그 순간 케일과 왕세자의 눈동자가 부딪쳤다. 왕세자가 담담하게 말했다.

“은빛 방패 공자 아닌가. 숭고한 사람이니, 괜한 걱정 말라고 하지 않았나.”

은빛 방패 공자. 그 말을 듣는 케일의 얼굴이 미세하게 구겨졌다.

“맞습니다! 그 은빛 방패를 저도 봤지요! 참으로 놀라웠네, 케일 공자.”

“아닙니다. 그저 미약한 힘이었습니다.”

“예끼, 미약하긴! 언제 한번 그 방패를 또 볼 기회가 있었으면 좋겠구먼! 하하하하!”

사람 좋게 웃는 외교관의 눈빛에는 미래의 인재를 향한 따스함이 담겨 있었다. 케일은 그 표정에 따라 웃으며 뒤통수를 매만졌다.

이상하다.

왜 저 외교관의 말을 듣는데 뒤통수가 서늘할까. 케일은 방패를 쓸 일이 없을 것이라 생각하면서도 뒷목이 자꾸 시려왔다.

하지만 케일의 뒷목 서늘함과 관련 없이 일은 착착 진행되어 갔다.

-인간, 가만히 있는 것도 재밌다.

라온의 말에 케일은 고개를 살짝 끄덕였다.

'그렇고말고. 가만히 있는 게 최고지.'

산은 산이요, 물은 물이다. 케일은 왕세자를 중심으로 움직이는 사신단 행렬을 그저 강물에 떠내려가듯 여유로이 따라갔다. 당연히 케일의 호위 기사 역을 맡은 동료들도 잠자코 같이 움직였다. 그들 근처로 낮은 직급의 관리 한 명이 다가왔다.

"케일 공자님, 곧 텔레포트 진으로 이동할 예정입니다."

굳이 왜 알려주러 오지?

케일은 이런 것까지 알려주지 않아도 되는데 그를 찾아온 관리가 의아했지만, 그 친절에 매끄럽게 감사 인사를 전했다.

"네, 알려주셔서 감사합니다."

"네, 그래서 왕세자 저하께서 얼른 앞으로 오시랍니다."

"……네?"

"……네?"

케일이 되묻고 관리도 되물었다. 관리는 두 눈을 깜박이는 케일을 보며 말을 이었다.

"그, 왕세자 저하께 이야기를 듣지 못하셨습니까?"

"……무슨 이야기 말씀입니까?"

살짝 당황한 관리가 맨 앞을 쳐다봤고 케일의 시선도 사신단 맨 앞을 향했다. 사신단을 호위하는 기사단. 그 뒤에는 당연히 주인공 왕세자가 있었다. 왕세자와 케일의 시선이 부딪쳤다.

알베르가 환하게 웃었고 케일은 멈칫했다.

"케일 공자, 어서 오게!"

알베르는 어서 오라는 듯 손짓했고, 관리도 틀린 안내를 한 게 아니었다는 사실에 안도의 숨을 내쉬며 케일을 쳐다봤다.

"……일단 가죠."

케일은 호위 기사들을 둔 채로 어기적어기적 알베르에게 다가갔다. 알베르는 자신이 불렀음에도, 자신의 곁에 높은 관리들이 줄줄이 있음에도 너무나도 여유롭게 걸어오는 케일을 보며 미소를 그렸다.

"……저하, 부르셨습니까?"

"그래. 자네는 텔레포트 진이 있는 곳까지 나와 함께 가도록 하지."

케일은 상냥한 척하는 왕세자의 모습에 불길함을 참고 물었다.

"왕궁 내 텔레포트 진 말입니까?"

"아니. 이번에는 성벽 근처의 텔레포트 진으로 갈 걸세. 백성들에게 우리의 사신 행렬을 보여주고자 하거든."

하, 진짜.

케일은 알베르의 생각이 빤히 보였다.

테러 사건에 대한 조사를 끝까지 손에서 놓지 않는 왕세자. 더불어 그는 참여하는 국가 행정 업무마다 보통 이상의 성과를 보여주었다. 그런 능력 있는 이가 정의롭기까지 했다. 그 정의로운 왕세자가 제국의 초대를 받아 떠난다.

진실을 밝히기 위해.

그리고 그의 옆에 테러 사건의 영웅 케일 헤니투스가 함께한다. 왕실 입장에서는 민심을 잡을 수 있는 기회였다.

케일은 벌써부터 짜증이 밀려왔다. 하지만 알베르는 그의 마음을 모르는 척하며 입을 열었다.

"오랜만에 은빛 공자를 찾는 왕국민들을 볼 수 있겠어! 하하하하!"

은빛 공자. 방패 공자. 그 말이 참 싫은 케일이었다. 하지만 싫은 것과 별개로 이번 일에 대한 왕국의 판단은 옳다고 생각했기에 왕세자에게 답했다.

"우리 왕국의 별이신 저하만 하겠습니까? 그렇지 않습니까?"

케일은 다른 관리들을 보며 예의 바르게 물었고 관리들은 고개를 끄덕였다.

"그렇지요. 케일 공자 말대로 왕국의 별이시죠!"

"별! 그 말 참 좋습니다!"

이번 사신단에는 왕세자를 따르는 귀족이 절반이고, 그 나머지에는 다른 왕자를 따랐던 중소 귀족들과 중립 귀족가 출신 관료들이 섞여 있었다.

왕세자의 힘이 커져가는 상황에서 중소 귀족과 중립들은 알베르의 눈치를 볼 수밖에 없었고, 저마다 왕세자에게 아부의 말을 한마디씩 덧붙였다.

케일은 왕세자의 상냥한 척하는 입꼬리가 살짝 떨리는 것을 보며 흡족한 미소를 지었다. 그의 귓가에 한 관료의 목소리가 들려왔다.

"케일 공자는 왕세자 저하께서 상당히 아끼시는 인재인 것 같군요."

그 말과 함께 탐색하는 시선들이 케일에게 닿았다.

점점 세를 넓혀가는 왕세자가 찾은 케일 헤니투스. 그는 백성들에게 호감인 귀족이었다. 장차 어떻게 연이 닿게 될지 모르는 귀족가 자제를 보는 관료들의 시선은 저마다 다른 뜻을 품고 있었다.

케일은 그저 미소를 지어 보이며 생각했다.

'제국 수도에 뭐가 맛있다고 했더라.'

한 건 하러 가지만, 힘들게 다녀올 생각은 없는 케일이었다. 왕세자는 사신단에 지시했다.

"그럼 가지."

사신단이 이동을 시작했다.

케일은 텔레포트 진을 통해 기예르 영지에 도착했다.

"푸흐, 큼, 크흠."

케일은 바로 앞에 선 왕세자가 황급히 웃음을 삼키며 헛기침을 했지만 모른 척했다. 라온의 목소리가 머릿속에 들려왔다.

—인간, 네 방패를 흉내 낸 방패를 들고 있던 아이가 상당히 잘 자랄 것 같다! 그 아이는 성공한다!

케일의 미간이 살짝 찌푸려졌다가 풀어졌다.

성벽 텔레포트 진으로 가는 사신단과 왕세자를 향한 환호는 엄청났다. 그중 희미하게 은빛 공자를 외치는 목소리들도 있었다.

'꽤 시간이 지났는데, 이제 은빛 공자는 까먹을 때도 되지 않았나?'

그중 백미는 한 아이가 '저는 공자님처럼 멋진 사람이 되고 싶어요!'라고 했을 때였다. 아이는 아빠의 품에 안겨 높이 들린 채로, 말을 탄 케일과 눈이 마주쳤다. 그 아이가 외친 말에 케일은 저도 모르게 툭 내뱉었다.

'나를 닮으면 하나도 안 멋져.'

아이의 흔들리는 동공과 아차 한 케일, 순간 웃음을 참는 왕세자, 더불어 당황한 아이 아버지. 케일은 그 아버지를 보며 나오는 대로 대충 내뱉었다.

'나보다 너의 아버지를 닮거라. 너를 이렇게 안고 들어 올릴 수 있는 멋진 사람은 네 부모님뿐이니까.'

감동한 아버지와 아빠가 멋지다는 말에 신난 아이. 흐뭇해하는 사신단 책임 외교관 달타로.

케일은 그 뒤로 입을 꾹 닫고 행렬을 따라 텔레포트를 했다.

'……힘들었어.'

희한하게 목적 없이 연기를 하는 건 성미에 맞지 않았다. 그러나 지금은 목적이 있었다. 순식간에 케일의 표정이 예의 바른 귀족가 도련님이 되었다. 왕세자를 위시한 사신단을 향해 고개를 숙이는 무리가 있었다.

"왕세자 저하를 뵙게 되어 영광입니다."

그중 가장 앞에 선 노인. 백작 부인 바이올란을 떠올리게 할 만큼 잔머리 하나 없이 틀어 올린 하얀 머리칼을 지닌 자.

그자는 기예르 공작가를 이끌고 있는 토대이자, 철혈의 여인이며 비운의 여인으로 불리는 소나타 기예르였다. 팔십을 목전에 둔 그녀가 공작가의 수장이었다.

'남편도, 하나뿐인 늦둥이 아들 부부도 암살당했지.'

기예르가 전대 공작은 오래 살았다. 때문에 후계자 지정이 장남과 장녀가 50대가 되어도 이루어지지 않았다. 그 결과 스텐 후작가처럼 후계위를 놓고 갖가지 일이 벌어졌다.

그 여파로 막내였던 소나타의 남편과 아들 부부가 마차 전복 사고로 죽게 된다. 그들과 떨어져 따로 시간을 보내고 있던 소나타와 손자 안토니오만이 목숨을 부지했다. 그때가 안토니오가 태어난 지 일 년도 되지 않았을 때로, 소나타는 그때부터 철혈의 여인으로 바뀌었다.

'결국 후계자로 소나타만이 살아남았지.'

형제들 중 살아남은 이는 소나타뿐이었다. 유일한 다음 대 직계인 그녀가 공작위에 올랐고, 그녀는 스텐 후작가와 달리 남은 혈족들을 모두 품었다. 그리고 안토니오를 차기 공작으로 내정해 키웠다.

"오랜만이오, 기예르 공작."

"네, 작년 제국 방문 때 이후로 처음 뵙는군요."

왕세자 알베르는 소나타의 말에 고개를 끄덕이며 안토니오 기예르를 바라봤다.

말끔하다.

이 말이 어울리는 이가 안토니오였다. 그는 알베르에게 살짝 고개를 숙였다.

"다시 뵙게 되어 영광입니다, 저하."

"그래, 안토니오 공자."

소나타는 안토니오를 가리켰다.

"지금 안내는 제가 할 예정이지만, 그 후 내일 떠나시기 전까진 안토니오가 저하와 사신단을 담당할 예정입니다."

알베르는 툭 던지듯이 물었다.

"안토니오 공자가 곧 가문을 이어받을 예정인가 보군."

백발의 여인은 미소를 그렸다.

"당연히 그래야 하지 않겠습니까."

2왕자를 밀고 있는 기예르 공작가. 그 공작가의 차기 후계자가 1왕자 알베르를 모실 거라고 말했다. 꽤 중요한 일을 후계자에게 맡기면서 후계자와 왕세자와의 친분도 다지게 할 속셈이었다. 그러나 아직 기예르 공작가는 2왕자에 대한 지원을 놓지 않았다.

'그게 세상 사는 법이지.'

케일은 기예르 공작가의 그런 행동을 이해했다. 케일은 왕세자와 소나타 공작에게 향했던 시선을 돌려 안토니오를 바라봤다.

'음?'

그런데 안토니오와 눈이 마주쳤다.

'왜 쳐다보지?'

이유는 알 수 없었다. 그러나 케일은 안토니오 공자에게 한껏 호감이 듬뿍 담긴 미소를 지어 보였다. 안토니오가 살짝 멈칫했다가 씨익 미소 지어 보였다.

-인간, 왜 또 그렇게 웃나?

매번 알면서 묻긴.

케일은 라온의 말을 가볍게 흘리며 소나타 공작의 안내를 받아 움직이는 왕세자를 확인했다. 케일도 슬슬 텔레포트 진을 벗어나 기예르 영주성으로 이동할 준비를 했다.

공작이 안내하는 왕세자 외의 사신단은 안토니오 공자가 맡았다. 그는 왕세자 바로 곁에 있던 사신단 주요 관리들과 인사를 나눴다. 그리고 당연하게도, 케일은 행진 때문에 왕세자 바로 뒤에 있었던지라 그 관리들과 함께하고 있었다.

"케일 헤니투스 공자, 반갑군요."

안토니오 기예르. 그는 사신단 관리들과 인사를 한 후 케일 헤니투스에게 손을 내밀었다. 원래의 그라면 자신보다 낮은 가문의 사람에게 먼저 인사하지 않았을 거다.

안토니오. 그는 자신이 세운 잣대에 따라 사람을 판단하여 움직이는 편이었다.

'그런 면에서 케일 헤니투스는 합격이지.'

망나니라는 소문과 달리, 작년 수도에서 봤을 때 그는 꽤 귀족다운 자였다. 더불어 고대의 힘과 명성도 지녔다.

'무엇보다도 왕세자가 아끼는 인재지.'

음흉한 1왕자가 아끼는 사람이라면 분명 능력이 있을 터. 안토니오는 1왕자가 선하게 웃는 것과 달리 음흉하다는 것을 할머니인 공작 소나타에게 끊임없이 들었다.

'1왕자는 만만한 이가 아니란다. 안토니오, 쉽게 보이면 당해. 이 할머니의 말을 알아들었지?'

그랬기에 안토니오는 케일과의 만남을 꽤 기대했다. 그런 그의 마음을 안 것인지, 케일은 안토니오의 마음에 상당히 흡족한 자세를 보였다.

당당하면서도 예의 바른 자세로, 케일 헤니투스는 안토니오의 손을 맞잡았다.

"안토니오 기예르 공자, 뵙게 되어 영광입니다. 왕국의 서남부 국경을 지키는 가문을 뵙게 되어 정말로 기쁘군요."

"나야말로 어둠의 숲으로부터 왕국을 지키는 헤니투스 가문을 뵈어 기쁩니다."

리더가 없는 동북부. 그중에서 가장 강한 가문인 헤니투스 백작가의 장남. 그리고 서남부의 변함없는 우두머리 기예르 공작가의 후계자.

둘을 향한 시선이 은밀하게 감돌았지만, 어느새 케일 주위를 둘러싼 세 호위 기사들로 인해 주변 이들은 그들의 대화를 들을 수 없었다. 케일은 아주 은밀히 속삭였다.

"언제 한번 안토니오 공자와 술 한잔하며 대화를 나눌 시간이 있었으면 좋겠습니다."

"……대화 말입니까?"

안토니오의 눈빛에 이채가 감돌았다. 그의 시선이 케일에게로 향했다. 케일은 밝은 미소로 답했다.

"네, 즐거운 대화요."

그럼 즐거운 대화지.

케일 자신에게만.

케일은 안토니오가 자신을 바라보는 눈빛이 조금 변했음을 알아챘다.

"케일 공자는 듣던 것과 조금 다르시군요."

"음? 설마 망나니라는 소문 말입니까?"

안토니오는 어깨를 으쓱이며 케일의 말에 답하지 않았다. 하지만 그는 케일을 보며 생각했다.

'정의롭고 선량하다더니, 이자도 권력을 탐하나 보군.'

결국 모두 비슷한 족속인 법이었다. 할머니는 후계위를 정식으로 공포한 날 그에게 말했다.

'안토니오, 내가 본 귀족들은 모두 비슷하단다. 결국 제 안위와 탐욕을 위해 움직이지. 그리고 나는 그게 귀족 이전에 인간의 본능이라 생각한단다.'

안토니오는 그 말에 반만 동의했다. 그는 케일에게 속삭이듯이 답했다.

"대화는 언제든 좋지요."

그 말과 함께 안토니오는 케일의 손을 놓았다. 케일도 깔끔하게 물러섰고, 두 사람은 짧은 대화를 끝냈다. 케일은 멀어지는 안토니오를 보며 생각했다.

'다음 즐거운 대화 때는 정의롭고 왕국을 생각하는 귀족인 척하면 되겠지?'

'영웅의 탄생'. 그 책 속에서 악연인 스텐 후작가와 달리, 조력자도 동료도 아닌 애매한 포지션으로 소개되었던 안토니오 기예르. 그의 성향은 책 속에 짧게 묘사되었다.

안토니오 기예르는 상당히 권위적이며 외부 시선을 중시했다.

거기에 한 줄이 더 있었다.

그러나 그 모든 것은 귀족에 대한 프라이드에서 나왔다.

안토니오는 복잡하면서도 참 쉬운 사람이었다.

케일은 미소를 감추며 배정된 침실에 머물다가, 왕세자의 부름으로 그의 방에 들어섰다. 왕세자는 방 밖으로 기사들을 물렸다. 물론 그의 심복들은 은신 중이었다. 변신한 다크엘프들이었다.

"너 왜 그렇게 웃어?"

"저하."

"······갑자기 왜 목소리를 깔고 그러지?"

케일은 찝찝해하는 왕세자에게 부드러이 말했다.

"저하, 충직한 신하가 더 늘면 좋겠지요?"

왕세자는 케일을 가만히 응시하다가 입을 열었다.

"누군데?"

"이 집 주인이요."

알베르는 빤히 케일을 쳐다보다가 툭 던지듯이 말했다.

"알아서 잘해봐. 내 이름 막 팔아도 되니까."

"네, 알겠습니다. 성공하면 7 대 3 어떻습니까?"

알베르는 한숨과 함께 고개를 끄덕였다.

"이 집 주인이면 그 정도는 아깝지도 않지. 그런데 말이야."

"네."

"모고르 제국 황태자는 널 알겠지?"

케일은 담담하게 고개를 끄덕였다.

"네, 은빛 공자로. 그리고 정글의 불 끈 놈으로 알겠죠."

대놓고 정글 1구역 불을 끈 케일 헤니투스였다. 더불어 로운 왕국 테러도 막았다.

"황태자가 나보다 널 더 반기는 거 아냐?"

"그럴 리가요."

케일의 대답에 알베르는 실소를 흘렸다. 전혀 동의하지 못한다는 반응이었다.

며칠 뒤, 케일이 모고르 제국 수도에 도착했을 때. 왕세자의 예상과 달리 황태자는 케일을 제일 반기지는 않았다. 왕세자 알베르를 가장 반겼다.

그리고 애석하게도 그다음이 케일이었다.

"오! 내 자네의 이야기는 들었다네. 폭탄 테러를 막은 젊은 영웅이라고 말이야!"

어딘가 대형견을 떠올리게 하는 헤실헤실한 인상의 덩치 좋은 사내. 그가 모고르 제국의 황태자 아딘이었다.

"반갑습니다, 황태자 전하."

"그래, 그래. 요즘 같은 때에 자네 같은 영웅이 있어 얼마나 반가운지 모르네!"

반갑긴 개뿔이. 케일은 확신했다. 이 눈앞의 소시오패스 같은 놈이 이 사신단 중에서 왕세자 다음으로 케일 자신을 꼴불견으로 여긴다고. 확신할 수 있었다.

─인간, 저놈 웃고 있는데 느낌이 싸하다.

그러니까.

케일은 라온의 말에 동의했다. 그러나 케일은 쑥스럽다는 듯, 하지만 강한 신념을 지닌 사람처럼 고고하게 답했다.

"아닙니다, 영웅이라니요. 저는 그저 당연한 일을 했을 뿐입니다."

정의로운 척하는 케일이 제국 수도에 처음 모습을 드러냈다.

35장

넝쿨째 굴러온다

35장
넝쿨째 굴러온다

"하하하, 참 보기 좋은 태도야. 조금 더 이야기를 나누고 싶지만, 시간이 없군."

황태자 아딘은 호탕한 웃음과 함께 아쉬운 얼굴로 케일을 지나쳤다. 케일은 예의 바르게 고개를 숙였고, 그에게 아딘이 흘러가듯이 말했다.

"후에 연회 때 이야기를 나눌 기회가 있으면 좋겠어."

전혀. 케일은 눈곱만큼도 이 황태자와 이야기하고 싶지 않았다.

'테라스에 가만히 있어야지.'

케일은 멀어지는 황태자 아딘의 뒷모습을 보며 다짐했다.

이번 조사가 끝난 후, 사신단 환영식과 한 해가 끝났음을 동시에 기념하는 연회가 제국 황실에서 열린다. 케일은 그 연회 때 구석 테라스에 가서 쥐 죽은 듯이 있어야겠다고 혼자만의 결심을 했다.

그때, 라온의 목소리가 들려왔다.

-인간, 저 황태자 놈 겁쟁이 부단장만큼 강한 것 같다.

호오.

케일은 입가에 미소를 그렸다.

황태자 아딘. 연금술을 중시하고 뒤에서 갖가지 간계를 펼치는 이였지만, 저 헤실헤실 웃어대는 놈은 상급 기사다. 그렇게 알려져 있다.

'그런데 최상급이란 말이지?'

부단장 힐스만은 그동안 더 강해져 최상급 익스퍼트에서도 완숙한 경지에 다다랐다. 그런데 아딘이 그 경지란 소리는 상당히 검술 재능이 뛰어남을 의미했다.

'재밌네.'

케일은 '영웅의 탄생'에서 황태자에 대한 이야기를 몇 군데 읽었다. 그러나 최한이나 알베르만큼 그에 대해 자세히 알진 못했다. 케일이 읽었던 권수까지는 황태자 아딘이 메인으로 떠오른 적이 없었으니까.

케일은 숨긴 게 많아 보이는 아딘이 꽤 흥미로웠다.

'하지만 흥미롭다고 가까이 다가갈 수는 없는 법이지.'

케일은 조용히 한탕만 하고 빠지리라 결심했다. 그때, 라온이 머릿속으로 말했다.

-인간, 인간! 저기 우리 가족의 분위기가 나는 녀석이 있다!

심장이 철렁했다.

'……뭐? 가족?'

케일은 당황했다.

'설마, 또 용? 용이 또?'

케일은 당황한 기색을 감추며 황급히 제국에서 마중 나온 이들을 훑어보았다. 동시에 입을 열었다.

"하벤."

"⋯⋯왜 그러십니까, 공자님."

"여기 네, 그러니까 너랑 비슷한 분들이 있나?"

케일은 결국 뒤돌아 고룡 에르하벤을 쳐다봤다. 그리고 에르하벤의 '또 이 박복한 인간이 뭔 소리를 하냐'는 눈빛을 받을 수 있었다.

그때, 다시 라온의 목소리가 들려왔다.

─인간, 쟤 묘족 아니냐? 9시 방향에 붉은 머리칼 말이다.

케일의 고개가 9시 방향으로 향했다. 붉은 머리칼의 기사가 보였다. 에르하벤은 케일을 따라 시선을 돌렸다가 피식 웃으며 말했다.

"공자님, 꼬맹이가 말해주던니까?"

검은 용 라온이 말한 가족은 온과 홍이었다. 고룡이 흥미롭다는 듯 말했다.

"흐음, 꽤 강한 녀석인데."

골드 드래곤 에르하벤은 살짝 반걸음 앞으로 걸어와 케일의 바로 뒤에 섰다. 그는 다른 이들에게는 들리지 않을 만큼 가까운 거리를 확보한 후에야 케일의 귓가에 속삭였다.

"묘족은 습성상 세상에 모습을 잘 드러내지 않지요. 그리고 그들은 암살 전문입니다만."

묘족은 동대륙에서는 꽤 알려진 존재지만 서대륙에서는 그렇게 많이 알려지지 않은 수인족이었다. 그들은 은밀했으며 다른 이들의 눈을 피해 살았다. 또한 암살과 은신, 정보 수집에 능했다.

에르하벤이 흥미로운 목소리로 소곤소곤 말했다.

"누굴 죽이려고 숨어들었을까요?"

······그걸 내가 굳이 알아야 할까요?

케일은 에르하벤이 속삭이는 귓가가 서늘해져 왔다. 또 하나 쓸데없는 걸 알아버렸다.

'잊자.'

케일은 잊기로 했다. 그러나 일이 이상하게 꼬였다.

"케일 헤니투스 공자님이 묵으실 곳입니다."

황궁 소속 시종은 케일을 모시게 되었다며 왕세자 알베르가 머무는 궁 바로 옆 궁의 방 중 하나를 가리켰다. 시종은 이어서 자신과 제 곁의 사람들을 소개했다.

"잡다한 업무와 심부름은 저에게 시키시면 됩니다. 이분들은 공자님이 머무시는 궁에 배치된 기사분들입니다."

기사 다섯이 고개를 숙이며 간단하게 인사했다. 그중 붉은 머리칼의 묘족이 있었다. 모르고 보았다면 묘족인 줄 전혀 몰랐을 것이다.

'하, 진짜.'

케일은 그 묘족을 외면했다.

"공자님께선 함께 온 호위 기사분들이 계셔서 문 앞에는 따로 호위 인원을 배치하지 않았습니다. 하지만 더 원하실 경우에는 말씀해 주시면 바로 배치하겠습니다."

"아니. 더 배치해 줄 필요는 없다."

케일은 시종의 말을 거절했다.

"그럼 필요한 일이 있을 때 불러주십시오."

"그러지."

케일은 시종을 보내고 제 침실 문을 열고서 들어섰다. 동시에 라온의 목소리가 들려왔다.

-인간! 여기 침대 위 천장에 은신하는 놈이 있다! 너 감시한다! 오, 어마어마한 토끼 만든 조각가만큼 은신을 한다. 상당하다!

이럴 줄 알았다. 케일의 표정은 덤덤했다.

왕세자가 머무는 궁 안에 수많은 방이 있었음에도, 케일은 굳이 그 옆에 있는 궁에 배정되었다. 왕세자의 비서들이 전부 왕세자가 머무는 궁에 배치된 것과는 달랐다.

'아딘은 내가 궁금했겠지.'

황태자는 사신단 일원을 감시한다는 위험을 감수하더라도 케일이 궁금했을 것이다.

'정글의 불을 껐으니까.'

정글 1구역의 그 불을 홀로 끈 놈이 케일이었다. 원래 책 내용이었다면 한참 뒤 동대륙에서 넘어온 주술사가 꺼줬어야 할 불을 케일이 껐다.

'그것도 생각해 보면 이상해.'

케일은 '암'과 제국의 협력 관계를 알게 된 이상, 동대륙에서 넘어왔던 그 주술사도 의심스러웠다.

마법으로 일으킨 물도 끄지 못한 불을 주술사는 어떻게 껐을까?

만약 그 주술사가 암의 소속이라면?

이 일도 제국과 암의 합작이었다면?

그래서 주술사가 발견한 그 최상급 마정석들이 모두 제국과 암에게로 들어갔다면?

'끔찍하네.'

상당히 끔찍한 이야기였다. 그렇다고 가능성이 없는 이야기도 아니었다. 그 뒤로 주술사는 상당히 괜찮은 평가를 받으며 정글에 스며들었으니까.

'제국이 잘하는 행동 중 하나지.'

스파이를 심는 것. 그렇게 주술사가 스파이가 되었다면, 정글 또한 머지않아 제국의 손에 떨어졌을 것이다.

"후우."

케일은 얕은 한숨을 내쉬며 최한과 에르하벤에게 말했다.

"나가자."

"……지금요?"

의아해하는 최한에게 케일은 말했다.

"환전하러. 그리고 빌로스가 제국에 있다더군. 내 오랜 친우를 보러 가야지."

케일은 은신자가 들으라고 조금 크게 말하고는 로브를 둘러썼다. 그리고 일행에게 마스크를 던졌다.

"조용히 다녀오게 로브와 마스크를 쓰도록."

케일은 최한과 에르하벤을 데리고 궁을 나섰다. 물론 왕세자의 허가서 덕분에, 번거롭지만 어렵지 않게 황궁의 정문을 통과했다.

'감시는 붙었지만.'

케일은 라온이 재잘대는 감시 인원에 대한 설명을 들으며, 느긋하게 플린 상단 제국 수도 지점으로 향했다.

모고르 제국의 수도 중앙 광장 근처에 꽤 괜찮은 건물이 있었다. 그 건물이 플린 상단 제국 지점 1호였다.

케일은 반가움을 드러냈다.

"오랜만이야."

"네, 공자님. 여기서 뵈니 정말 반갑습니다."

"나도 오랜 친우를 이렇게 봐서 기쁘네."

빌로스는 직원에게 말했다.

"오늘 내 손님은 더 받지 않겠네."

그리고 케일에게 말했다.

"제 방으로 안내하겠습니다."

케일, 최한, 에르하벤 이렇게 세 사람은 빌로스를 따라 플린 상단 2층 구석방에 들어섰다. 케일은 빌로스에게 농담조로 물었다.

"여기가 자네 방은 아니겠지?"

평범한 2층 방. 빌로스는 씨익 웃더니 벽면의 책장을 밀었다. 아래로 향하는 계단이 나타났다.

계단을 내려간 케일은 지하에 위치한 작은 방에 놓인 의자에 앉으며 입을 열었다.

"자네, 생각보다 작은 방에서 지내는데?"

"검소하고 조용해서 좋은 방이지요."

케일의 농담을 빌로스도 농담으로 답했다. 하지만 이내 플린 상단 서자 빌로스는 바로 본론에 들어갔다.

"찾았습니다."

연금술 종탑에서 지내지 않는 연금술사를 찾았다는 말이었다. 케일은 빌로스가 내온 차를 마시며 물었다.

"어떤 놈이지?"

"뒷세계에서 유명한 연금술사랍니다."

뒷세계. 어느 도시, 어느 나라를 가도 존재하는 세계였다. 하지만 연금술사가 어디서 유명한지는 케일에게 중요치 않았다. 그래서 그는 다시 한번 더 물었다.

"어떤 놈이지?"

빌로스는 슬쩍 웃으며 답했다.

"착한데 나쁜 놈입니다."

케일은 그 말에서 몇 가지를 알 수 있었다.

'결국 뒷세계에서 일하는 걸로 보아 나쁜 놈인데, 착하단 말이지?'

빌로스는 아무 말이 없는 케일을 가만히 응시하며 그 연금술사에 대한 정보를 읊었다. 최한은 그 정보에 미간을 찌푸렸다. 예상과 다른 정보였기 때문이다. 그러나 케일은 빌로스의 설명이 끝난 후, 몇 초 뒤에야 한마디를 내뱉었다.

"좋네."

적당하다.

부려먹기에는 적당히 착하고 적당히 나쁜 놈이 좋았다. 케일은 툭 던지듯이 말했다.

"바로 보러 가야겠는데."

"벌써요?"

"바로 말입니까?"

빌로스, 그리고 최한이 뒤이어 놀람을 표했다. 케일은 놀라는 최한을 응시했다. 그 시선에 최한이 멈칫했을 때 케일의 입이 열렸다.

"최한."

"네. 가시겠다면, 제가 모시겠-"

"벗어."

잠시 정적이 내려앉았다.

케일은 멍하니 있는 최한을 보며 미간을 찌푸렸다.

"뭐 해?"

"네?"

"옷 바꿔 입자."

"아."

최한의 입에서 멍청한 소리가 나왔을 때, 케일은 로브를 벗고는 그 안의 정장 재킷을 벗었다.

"빌로스."

"네, 네!"

이게 뭔가 싶어서 그저 쳐다만 보고 있던 빌로스가 놀라며 답했다. 케일은 그에게 제 할 말을 했다.

"그 연금술사 녀석 정보 좀 더 읊어봐. 자료도 들고 오고. 그리고 빌로스, 네가 머무는 저택이 있겠지?"

"……있지요?"

케일은 빌로스의 답에 고개를 끄덕이며 자신을 가리켰다.

"거기에 나 술심부름 좀 보내라."

"……예?"

케일은 멍하니 되묻는 빌로스의 말에 답하지 않고, 아까부터 가만히 미소를 지으며 서 있는 하벤을 쳐다봤다.

"하벤."

"네, 공자님. 두 분 바꿔 드리면 됩니까?"

"어."

케일은 자신과 최한의 머리칼을 가리키며 에르하벤이 하는 말에 고개를 끄덕였다.

"오, 기사님인 줄 알았는데, 상급 마법사분이!"

빌로스가 그제야 작게 감탄을 하며 연신 고개를 끄덕였다. 귀한 상급 마법사를 기사로 위장시켜 데려온 케일의 생각이 이해되어서 였다.

케일은 저를 쳐다보는 빌로스에게 씨익 웃어 보였고, 에르하벤은 케일과 최한에게 마법을 시행했다.

잠시 뒤, 빌로스는 1층으로 내려와 직원에게 지시했다.

"과일과 음식거리 좀 준비해 주게. 술도 내오고."

"지금 말입니까?"

당황한 직원에게 빌로스는 기분 좋은 얼굴로 고개를 끄덕였다.

"그럼, 내 오랜 친우인 공자님이 오셨는데. 가볍게 한잔이라도 해야지. 최한."

빌로스는 마스크를 써서 눈만 드러낸 검은 머리칼과 검은 눈동자의 남자에게 말했다. 최한이라 불린 이의 로브 사이로 기사 특유의 가죽 갑옷이 언뜻 보였다.

"내가 머무는 저택에 가면 좋은 와인이 있어. 그것 좀 가져오게."

기사에게 술심부름이라니. 화를 낼 법도 하건만 최한이라는 이는 조용히 고개를 숙이고는 빌로스의 지도를 받아 건물을 빠져나갔다. 검은 머리칼 남자의 머릿속에 목소리가 하나 울려 퍼졌다.

—인간, 지금 따라오는 놈이 하나다! 나머지는 여전히 플린 상단 근처에 잠복 중이다.

하나면 쉽겠네.

케일은 가벼운 걸음으로 빌로스의 저택으로 향했다. 저택에 도착한 케일은 집사에게 지도 뒷면에 새겨진 글자를 보여주었다.

"모시겠습니다."

케일은 집사를 따라 빌로스의 서재로 들어섰다. 곧이어 집사는 나갔고 홀로 남게 된 케일은 창밖을 내다봤다.

"2층이네."

서재는 2층이었다.

잠시 뒤 로브를 뒤집어쓴 이가 2층을 벗어났다.

─인간, 따라오던 놈은 아직 저택 정문에 있다!

케일은 고개를 끄덕이며 라온과 '바람의 소리'를 통해 은밀하게 저택을 벗어났다. 그는 뒷세계처럼 어디를 가나 존재하는 곳으로 향했다.

빈민가. 그의 걸음이 그곳으로 향했다. 로브 속에서 흘러나온 케일의 머리칼은 백발이었다.

음침한 빈민가에서도 햇볕 하나 들지 않는 구석. 빈민들마저 외면해 적막한 폐허가 되어버린 건물들은 가끔씩 들짐승과 비를 피하는 부랑자들을 위한 피난처가 되어주었다. 그 사이로 다 무너져 가는 집이 있었다.

똑똑똑.

다 무너져 가는 집의 문을 한 사람이 두드렸다.

똑똑똑.

하지만 한참 문을 두드려도 문 안에서는 반응 하나 없었다. 문을 두드리던 이는 한숨과 함께 조금 더 세게 문을 두드렸다.

쾅, 쾅, 쾅!

"허, 거참! 그냥 좀 가지!"

문 안에서 누군가의 투덜거리는 목소리가 들려왔고, 잠시 뒤 낡은 문이 열렸다.

끼이이익.

열린 문 사이로, 지친 얼굴의 중년 남자가 나타났다. 남자는 살짝 멈칫했다가 입을 열었다.

"……누구쇼?"

문을 두들겼던 이는 남자에게 정중히 고개를 숙여 보였다. 그 행동을 보던 남자는 떨떠름한 얼굴로 입을 열었다.

"……신관님께서 여긴 왜 왔습니까?"

신관이라 불린 남자. 백발의 기다란 머리칼을 묶은 그는 무늬 없는 하얀 신관복을 입고 있었다. 케일은 부드러운 미소와 함께 입을 열었다. 머릿속으로 라온이 말했다.

─주위에 아무도 없다.

동시에 케일이 말했다.

"종탑을 부수고 싶어서 왔습니다."

남자, 연금술사의 표정이 바뀌었다. 케일은 굳어버린 연금술사를 보며 입을 열었다.

"일단 들어가도 되겠습니까?"

연금술사는 입을 달싹이다가 주위에 사람이 아무도 없음을 확인하고는 몸을 비켜 안을 가리켰다.

"일단, 하, 일단 들어오쇼."

케일은 그 말에 곧바로 집 안으로 들어섰다. 마치 제 안방에 들어서는 듯 느긋한 걸음이었다. 그는 의자 등받이가 부서진 의자로 가 앉았다.

주위를 둘러보는 케일의 시야에 소독도 제대로 하지 않고 뒹굴고 있는 연금술 기구들이 보였다.

이곳의 연금술 역시 지구와 비슷했다.

금을 만들어낸다. 다만 그 방법이 지구와 달랐다. 서대륙인 연금술사들은 자연의 기운을 추출하여 금을 만들고자 했다. 특히 물, 바람, 땅, 나무, 불, 그 다섯 가지를 사용하여 금을 생산하려 하였다. 그리고 그 다섯 개의 자연 속성은 마나와 떼려야 뗄 수가 없었다.

탁!

케일은 자신의 앞에 놓인 탁자를 쳐다봤다. 모서리가 부서진 탁자 위에 둥근 대접이 하나 놓여 있었다.

"집에 찬물밖에 없소. 어디 신관님인지 모르겠지만 어서 냉수 마시고 속 차려서 갈 길 가시오!"

연금술사는 케일에게 이 빠진 그릇 가득 찬물을 담아 내밀었다. 케일은 그 그릇에는 눈길 하나 주지 않았다. 그의 시선은 연금술 기구들과 함께 뒹구는 술병들에 닿아 있었다.

"뭘 봅니까? 어휴, 도대체!"

연금술사 중년인은 케일의 시선이 술병에 닿은 것을 알고는 대충

발로 술병들을 한쪽으로 찼다.

"아, 씨."

달캉, 달캉, 탕!

발로 찬 술병들이 연금술 기구들과 부딪쳐 소리를 냈다. 엉망이 되는 광경에 중년인의 미간이 찌푸려졌다. 그때, 신관의 목소리가 들려왔다.

"술주정뱅이 가짜 연금술사는 뒷세계 조직들이 자잘하게 저들끼리 싸울 때 사용할 수 있는 독약이나 소규모 폭탄을 만들어준다."

연금술사는 마법 폭탄과 같은 위력은 불가하지만, 마나와 최대한 비슷한 자연의 힘을 담아낸 소규모 폭탄을 만들 줄 알았다.

하지만 연금술을 이용한 소규모 폭탄은 백 퍼센트의 성공률인 마법 폭탄과 달리 자연의 힘이 마나를 내냐, 못 내냐에 따라 결과가 나뉘었다. 그렇기에 지난번 마이플성에서 발견한 타이머형 마법 폭탄이 대단하다고 할 수 있었다.

지치고 술에 찌든 중년인의 시선이 신관에게로 향했다. 케일과 중년인의 시선이 부딪쳤다.

"돈만 주면 뭐든 만든다고 했는데? 안 그렇습니까?"

케일은 중년인의 이름을 몰랐다. 그 외에도 아는 게 적었다. 일단 눈앞의 사람은 '영웅의 탄생'에서 나오지 않았던 인물이었으며, 플린 상단 서자 빌로스가 구해 온 정보도 아주 적었다.

'대략 10년 전부터 가짜 연금술사 행세를 했다고 합니다. 뒷세계 조직들 사이에서는 그가 만든 독약과 폭탄들이 반만 제대로 만들어진 경우가 많아 가짜 연금술사라고 생각하더군요.'

의뢰품 성공률 50%의 가짜 연금술사. 케일은 그 말에 코웃음을 흘렸다.

'진짜 50%를 만들 줄 안다는 소리지.'

그만하면 충분했다.

케일이 원하는 것은 아주 기본적인 '연금술 능력'과 또 다른 무언가였다. 그게 이 중년인은 있다.

가짜 연금술사. 그의 이름을 아는 이들도 없다고 했다. 다만 불리는 호칭들이 다양했다.

"그래서 지금 나한테 돈을 주고 의뢰를 하겠다는 겁니까? 신관님이?"

"그렇습니다."

"……허!"

연금술사는 바닥에 뒹구는 술병을 집어 들었다. 아직 뚜껑을 따지 않은 술병의 뚜껑을 열더니 벌컥벌컥 들이마셨다. 그는 술병에서 입을 떼고는 입가를 타고 흘러내리는 술을 손등으로 닦아내며 입을 열었다.

"별 미친 신관을 다 보겠네!"

부스럭.

중년인은 제 말에 반응하듯 움직이는 신관에게로 시선을 돌렸다. 그리고 흠칫 몸을 떨었다.

케일은 테이블 위에 작은 병을 하나 놓았다. 검은 액체로 가득한 병.

"그, 그건-"

케일은 연금술사의 손끝이 덜덜 떨리는 것을 볼 수 있었다. 연금술사는 병에서 시선을 떼고 신관을 쳐다봤다. 그러나 신관은 연금술사의 눈동자가 아닌 그의 왼쪽 손목을 쳐다봤다. 왼손이 있어야 할 자리에는 손이 없었다.

"이 액체도 연금술사님의 왼쪽 손목처럼 시꺼먼 색이군요."

손 없이 둥그런 왼쪽 손목은 특이하게도 까맣게 물들어 있었다. 마치 불로 지진 후 타고 남은 재 같았다.

"이, 이건, 어릴 적 독에 다, 당해서."

연금술사는 황급히 옷소매로 자신의 손목을 가렸다. 케일은 여전히 왼쪽 손목을 보며 부드럽게 말했다.

"왼손에 심한 독이 침투하자, 치유보다는 절단을 택하신 것 같군요."

케일은 빌로스가 했던 말을 떠올렸다.

'늘 아프다며 술을 사 간다고 합니다.'

중년인은 케일의 시선을 피했다.

"신관님이 신경 쓸 일은 아니오!"

"흐음, 죽은 마나에 중독되면 몸이 까맣게 변한다던데."

죽은 마나를 운용하는 이들은 거미줄처럼 검은 핏줄이 불거졌다. 그리고 중독된 이들은 거멓게 물들어 죽어갔다. 또한, 네크로맨서를 비롯해 죽은 마나를 지닌 인간은 자잘한 통증에 시달린다.

"도대체 얼마나 심한 독이기에 까만색일까요? 그리고 매일 자잘한 통증에 시달린다지요?"

연금술사는 생각했다.

'더 이상은 안 된다.'

갑자기 나타난 이 신관 때문에 모든 게 엎어져선 안 되었다. 연금술사는 회피하던 시선을 돌려 신관을 바라봤다. 그 순간, 그를 바라보던 파란 눈의 신관이 툭 던지듯 내뱉었다.

"15년 전."

연금술사는 숨이 막혀왔다.

"15년 전 연금술 종탑에서는 제국에 기여를 하고 싶다며 고아와 빈민가 아이들을 거둬 종탑에 받아들였습니다. 교육과 더불어 잡일을 시켰죠. 최소 5세에서 최대 15세라고 했던가."

15년 전. 짧다고 하기에는 꽤 오래된 시간이었다.

"그래서 제국민들은 음침하게만 여겼던 연금술 종탑에 찬사를 보냈고, 지금 그곳 수장의 애제자가 그 빈민가 출신 아이죠."

이후 연금술 종탑에서는 성공한 빈민가 출신과 고아들이 몇 명 나타났다.

"그리고 연금술 종탑에서는 그때 받아들였던 나머지 아이들을 종탑과 제국 곳곳에 있는 연금술 탑에 보냈다고 발표했습니다."

성공한 아이들 몇 명이 한 말이니 사람들은 그 말을 믿었다. 케일은 자신을 쳐다보며 하얗게 질린 중년인을 보면서 활짝 웃었다.

"하지만 10년 전부터는 그 짓을 하지 않았죠."

짓.

케일은 찬양받던 그 일을 '짓'이라고 표현했다.

탁.

케일이 품에 있던 서류 몇 장을 테이블 위에 던졌다.

"왜냐면 연금술 종탑은 10년 전부터 제국 황실과 합작하여 평민 납치와 노예를 통해 실험체를 조달했으니까요."

그에 대한 기록이 담긴 서류를 케일은 손가락으로 두드리며 말했다.

"그래서 쥐도 새도 모르게 죽여도 상관없는 아이들이 더는 필요치 않았어."

케일은 어느새 말을 놓았다. 그는 마주 앉아 있었지만 내려다보듯이 중년인을 바라봤다. 하얗게 질린 중년인은 겨우겨우 말을 토해 냈다.

"그, 그만─"

그렇다고 멈출 케일이 아니었다. 그는 이 불쌍해 보이는 남자에게 말했다.

"그리고 당신은 10년 전부터 이 빈민가에 나타났지."

이 중년인은 수도 연금술 종탑 출신은 아니라고 했다. 제국에 연금술 탑은 몇 개 더 있다. 지금으로부터 10년 전이면, 이 남자도 젊었을 때였다.

빌로스의 보고를 듣던 케일이 이 남자에게 집중한 이유였다. 성자가 준 정보에 담긴 10년과 이 남자의 10년. 교묘하게 들어맞았다.

케일은 괴로움과 공포에 찌든 연금술사를 응시하며 입을 열었다.

"빈민가 사람들은, 특히 아이들은 당신을 아저씨, 혹은 삼촌이라고 부르며 좋아한다지?"

아무도 이름을 모르는 이 남자를 가리키는 호칭들은 참 많았다. 그래서 케일은 이 남자를 찾아왔다.

"당신은 뒷세계 조직들의 일을 완수하고 받은 돈에서 술을 사는 것을 제하고는 모두 아이들을 위한 음식을 산다더군."

이 술주정뱅이 연금술사를 빈민가 아이들은 좋아했다. 늘 먹을 것을 주고 다친 상처를 치료해 주었으니까.

케일은 저를 향해 흔들리는 눈동자를 보며 물었다.

"넌 누구지?"

가짜 연금술사 행세를 하는, 죽은 마나에 중독될 뻔한 손을 과감히 절단한 너는 누구지?

"나, 나는, 나는―"

중년인은 제대로 대답을 하지 못했다. 혼란과 두려움, 공포. 그 외의 여러 감정들이 뒤섞인 그는 주체 못 할 정도로 몸을 떨어댔다. 그런 그에게 케일은 말했다.

"종탑은 죽은 마나 폭탄을 개발해 냈다."

연금술사의 떨리던 몸이 일순간 멈췄다. 믿을 수 없다는 듯, 설마 싶어 하는 눈동자가 흔들렸다.

"15년 전 죽어간 아이들과 지난 10년간 실험에 사용된 사람들 덕분이겠지."

"아, 으."

이어진 케일의 말에 중년인은 울음인지, 비명인지 모를 억눌린 소리를 내뱉으며 얼굴을 가렸다. 10년 전, 진실을 알고 도망쳤던 초급 연금술사. 이제는 나이가 들어 중년이 된 남자는 숨 막힐 듯한 공포가 밀려왔다.

죄책감이라는 공포였다.

그때, 공포라는 늪에 파묻힐 것 같았던 남자의 귓가로 신관의 목소리가 들려왔다.

"나는 연금술 종탑을 부술 거다."

한 단어가 더 들려왔다.

"반드시."

반드시 부순다.

공포 사이로 그 말이 천둥처럼 남자의 귀를 꿰뚫었다. 웅크렸던 남자는 얼굴을 가렸던 오른손을 떼고 천천히 신관을 바라봤다.

신관은 무서운 표정을 하고 있었다. 웃음도 화도 책망도 없는, 그저 무감각한 눈빛이 무서웠다. 신관의 입이 열렸다.

"다시 한번 묻지. 넌 누구지?"

케일은 한껏 웅크린 남자를 내려다봤다.

나쁜 놈이지만 착한 놈.

실력은 그저 그렇지만 양심도 있고 죄책감도 있는 사람.

후회할 줄 아는 사람. 본인의 잣대는 가진 인간.

케일은 태양신 교단을 제국에 다시 일으켜 세울 때, 교단 하나의 힘으로는 힘들다고 판단했다. 그렇다면 또 다른 힘이 필요하다.

그래서 케일은 위퍼 왕국의 내전을 떠올렸다. 마탑에 속하지 않고 숨어 있던 마법사들. 마탑에 반발해 은둔해 있던 이들. 소수겠지만 그들과 같은 이들도 분명 제국에 있을 터였다.

그들을 수면 위로 끌어 올려야 한다. 그 중심을 만들 이가 필요했다.

케일이 이 남자를 부려먹어서 하려는 게 이 중심 잡기였다. 라온의 목소리가 머릿속에 들려왔다.

―인간, 이 술 냄새 나는 놈도 15년 전에 불쌍한 아이들로 실험을 했나?

글쎄?

케일은 그것까진 알 수 없었다. 그의 눈에는 다 도긴개긴이었다. 중년인의 목소리가 들려왔다.

"레, 레이 스테커. 제 이름입니다."

레이 스테커. 그럭저럭한 연금술 실력을 지닌, 제국 남부 연금술 탑에 수습으로 채용됐던 한 달 차 초급 연금술사. 그는 11년 만에 제 이름을 내뱉었다.

이름을 내뱉자 11년 전의 기억들이 물밀듯이 밀려왔다.

"한 달. 한 달 동안 빈민가 아이들을 수습인 저에게 맡겼습니다. 수도에서 온 아이들이라고 하더군요. 아무것도 모른 채 그 애들을 돌봤고, 또, 그 아이들과–"

친해졌다.

"그리고 한 달 뒤에 실험을 봤습니다. 그 실험에서–"

레이의 어깨가 들썩였다. 메마른 중년인의 몸이 곧 넘어갈 듯 들썩였다.

가장 정이 들었던 아이의 손을 붙잡았다. 살리고 싶었다. 그때, 아이의 손톱이 자신의 손등을 긁었고, 죽은 마나에 중독됐다.

남부 연금술 탑에서는 중독된 그를 폐기하려고 했다. 그는 맨정신으로 손목을 자르고 도주했다. 미친 듯이 도망쳤다. 그리고 1년 뒤, 죽었다고 생각했는지 더 이상의 추격은 없었다.

"그 실험에서 저는 그놈들이 하는 짓을–"

"레이 스테커, 난 네 얘기를 들으러 온 게 아니야."

레이는 신관을 바라봤다.

"의뢰를 하러 왔다. 넌 돈만 주면 움직인다지?"

그 말에 레이 스테커는 점점 냉정을 찾아갔다. 탁자 위, 죽은 마나 액체가 담긴 병을 바라봤다. 더불어 종탑의 비밀이 담긴 문서들이 보였다.

레이 눈앞의 이 신관은 지금 허튼소리를 하는 게 아니다.

"돈을 원하는 만큼 주마. 내 의뢰가 무엇이든 따르겠나?"

다시 한번 신관이 던진 물음에 레이 스테커는 떨리는 목소리로 물었다.

"……종탑을 부순다고요?"

"그래. 반드시."

레이는 벌떡 일어섰다. 그는 방구석으로 가 허름한 나무 판때기를 들어냈다. 그러자, 그 안에서 상자가 나타났다.

레이는 그 상자를 열었다. 작은 유리병이 나왔다. 그 유리병이 탁자 위에 올라왔다.

유리병 안에는 검게 물든 손이 있었다.

썩지도 않은 손. 그 손등에는 미세하게 긁힌 자국이 있었다. 레이 스테커는 아이가 잡았던, 살려고 잡았던 그 손을 버리지 못했다.

케일의 눈에 죄책감과 더불어 분노가 들끓는 레이 스테커의 눈동자가 담겼다.

"기다리도록. 의뢰서를 들고 올 테니까."

"돈은 필요 없습니다. 제 죄책감을 덜어주십시오."

케일은 잠시 멈칫했지만 자리에서 일어섰다. 그는 자신을 바라보는 레이에게 말했다.

"의뢰의 대가가 그것이라면 그러도록 하지."

담담하게 말하는 케일과 달리 레이 스테커의 얼굴이 일그러졌다. 그의 입술 끝이 떨렸다.

케일은 그에게 한마디를 남기고 허름한 집을 나왔다.

"냉수 마시고 정신 차리도록. 난 술에 찌들어서 일하는 놈은 별로야."

끼이익.

그 말과 함께 케일은 사라졌고 허름한 문이 닫혔다.

레이 스테커는 한참 그 광경을 보다가 냉수 그릇을 집어 들어 한 번에 들이켰다.

"크으."

탁.

그는 소리 나게 그릇을 테이블 위에 놓아두며 입을 열었다.

"이제 정신이 드네."

11년 만에 정신이 들었다.

현장 조사 첫날.

왕세자 알베르는 엉망이 된 태양신 교단 교황청을 보며 케일에게만 들리도록 속삭였다.

"비밀의 방 안에 비밀의 탁자가 있다고?"

아주 친밀해 보이는 모습에 호위와 비서, 신하들이 무슨 이야기를 나누는지 궁금해했지만 케일이 알 바는 아니었다. 케일은 왕세자의 물음에 기껍고 성실하게 답했다.

"예. 보물덩어리라고 합니다."

"음."

침음을 삼키며 알베르는 미소를 숨겼다. 케일은 그 모습을 보며 성자 잭이 해준 말을 떠올렸다.

'……그들이 태양의 단죄를 찾았을지 모르겠습니다.'

태양의 단죄. 이름부터 성자가 적들과 맞서 싸우며 신도들을 모으기 좋은 이름이었다.

'태양의 단죄가 정말로 실존하는 건가요?'

성자 잭의 말을 옆에서 듣고 있던 미친 신관 케이지가 놀란 얼굴을 했다. 그 모습에 케일은 예감했다.

'예사 물건이 아니구나.'

성자 잭은 케일의 예감에 답하듯 한 단어를 내뱉었다.

'신물입니다.'

신물. 신이 내린 물건.

케일이 가진 고대의 힘, '바람의 소리'의 주인이었던 도둑은 신물을 들고서 도망가다가 목숨을 잃었다. 그만큼 신물은 귀한 물건이었다. 비밀 단체 '암'이 강했던 푸른 늑대족을 죽일 수 있었던 것도 신물이 있었기에 가능했다.

케일은 한껏 설렘을 안고 성자에게 물었다.

'태양의 단죄가 어디에 있습니까? 도로 되찾아 오겠습니다.'

하지만 잭은 씁쓸한 얼굴로 고개를 가로저었다.

'저도 모릅니다.'

잭도 아주 어릴 적 교황에게 성자로서의 교육을 받을 때 흘러가듯이 신물의 존재에 대해서 들었을 뿐. 그 후로 교황은 잭이 '신물은 있습니까?'라고 물을 때마다 '신물이라니? 그런 건 없다'라고 답했다고 한다. 가만히 잭의 말을 듣고 있던 가짜 성녀 하나가 비웃음을 흘렸다.

'교황이 없다고 했잖아? 그러면 어딘가에는 있다는 소리야. 그 욕심 많은 노인네가 꽁꽁 숨겨두었겠지.'

그때, 잭은 재밌는 말을 했다.

'하지만 교황은 신물의 위치를 알아도 쓸 수 없었을 것입니다.'

'왜 그렇죠?'

'500여 년 전 교황 이후로는 태양신께서 직접 지정해 준 교황이 아니기 때문입니다. 모두 교단 내 수뇌부들의 회의로 교황을 선정했지요.'

하나는 한 번 더 냉소적인 미소를 흘렸다.

'수뇌부 회의는 무슨. 추악한 권력 싸움이지.'

케일은 미친 신관, 성자, 가짜 성녀 세 사람의 대화를 듣고 있다가 대화의 마무리쯤 잭에게 물었다.

'태양의 단죄는 어떤 신물입니까?'

그리고 그 대답을 들은 케일은 이번 일에 목표를 하나 세웠다.

운이 닿아 신물을 찾으면 훔쳐오자.

'다만 마땅한 방법이 없지.'

성자와 성녀도 모르는 신물의 위치를 케일이 알 수 있을 턱이 없었다. 그래서 '운이 닿아'라는 가정을 덧붙였다.

케일은 제 어깨 위에 올라간 손을 따라 고개를 돌렸다.

"들어가지."

왕세자였다. 그의 말에 반응한 이는 케일을 포함한 로운 왕국 측 현장 조사단과 제국 측 관리들이었다. 케일은 최한, 에르하벤, 부단장과 함께 알베르의 뒤를 따라 교황청으로 향했다.

교황청 앞 광장은 아직 폭발의 흔적이 사라지지 않았다. 교황청 건물 역시도 일부분이 마법 폭탄으로 인해 부서져 있었다.

사건 현장을 따라 바리케이드가 설치되었고 그 바리케이드 밖 폭발 여파를 받지 않은 광장에 사람들이 모여 있었다.

"제국민과 교단을 망가뜨린 추악한 쌍둥이를 잡아라!"

"태양신 교단은 부패했다! 권력을 탐하는 종교는 더 이상 종교가 아니다!"

여러 사람들의 목소리가 뒤섞여 울려 퍼졌다.

"교황님을 죽인 그 악마의 존재들을 잡아 죽여라!"

"태양신은 제국에 필요 없다! 제국민을 죽이는 태양신 교단은 물러가라!"

제국은 이번 테러 사건을 수사하며 발견한 수많은 태양신 교단의 폐해를 사람들에게 공개했다. 그 결과 교황청 안에 있어야 할 신관을 포함한 관련인들 모두가 현재 조사 상태라, 교황청은 텅 비어 있었다.

'참, 제국도 재밌는 데란 말이야.'

케일은 제국 황실이 저 광장에 모인 사람들을 일부러 건들지 않고 놔두고 있음을 눈치챌 수 있었다. 분명 저 안에는 황실에서 보낸 사람이 섞여 있을 것이다.

그러거나 말거나 케일은 신경 쓰지 않았다.

-인간, 인간! 우리 보물 엄청 많이 찾자!

케일은 머릿속에 울리는 라온의 목소리에 살짝 고개를 끄덕였다. 그는 고개를 들었다.

제국 어디서든 보이는 연금술 종탑은 태양을 찌를 듯 높이 솟아올라 있었다.

그와 반대로, 무너져 음침한 분위기를 풍기는 교황청.

'아, 설레.'

가짜 성녀 하나는 말했다.

'나는 '암'에게 비밀의 방에 대해서는 말했어. 교황과 수뇌부들이 협력하는 비밀의 방이지. 그곳엔 교단 보물도 많아.'

'하지만 그 비밀의 방에 존재하는 비밀 탁자에 대해서는 말하지 않았어.'

'거기가 진짜로 가는 통로야.'

케일은 어느 때보다도 진지하게 임했다.

보물로 향하는 길.

그곳으로 가기 위해선 앞으로 신중해야 했다. 케일은 이미 알베르와 어느 정도 대화를 끝내놓은 상태였다.

'케일 헤니투스, 현장 조사 마지막 날에 실행하도록 하지.'

'바로 그다음 날에 연회가 있기 때문입니까?'

'어. 연회 때문에 제국도 정신없을 때 슥 하는 거지.'

'좋습니다. 그렇다면 그 전까지는 성실한 조사관이 되어야겠군요.'

회상을 끝낸 케일의 엄숙한 표정을 본 왕국 측 현장 조사단의 표정도 덩달아 굳어지며 비장함이 어렸다.

바스락. 케일은 부서진 건물에서 떨어져 나온 돌을 밟으며 서서히 교황청 안으로 들어섰다.

"우리가 알아서 조사를 하면 되는 건가?"

왕세자 알베르의 물음에 제국 측 관리가 살짝 고개를 숙이며 답했다.

"네. 다만 장소를 미리 알려주시고, 저희 중 한 명을 대동하고 움직여 주셨으면 합니다."

"흐음, 그래? 뭐, 그러도록 하지."

기분 나빠하는 기색 없는 알베르의 행동에 관리는 안도의 숨을 삼켰다. 왕세자는 현장 조사단 인원을 나누며 지시했다.

"중앙 건물은 나를 포함한 이렇게 다섯 조사원이 움직인다."

중앙 건물. 동쪽 별관. 서쪽 행정원. 각각 건물에 조사원을 배정한 알베르는 마지막 건물을 가리키며 케일을 바라봤다.

"케일 헤니투스 공자, 자네와 벤 조사관은 후원과 그 뒤의 첨탑을 조사하도록."

케일과 벤의 시선이 부딪쳤다. 벤은 왕세자의 비서 중 한 명으로 수색에 능해 조사관으로 임명된 이였다. 당연히 위장한 다크엘프다. 케일은 입을 열었다.

"제 호위 기사가 셋이니, 따로 경호 인원은 필요 없을 듯합니다."

알베르는 별것 아니라는 듯 고개를 끄덕였다.

"그러도록. 자네와 벤, 그리고 여기 제국 측 관리 한 명. 총 셋이니 기사 셋이면 되겠지."

알베르는 곧바로 움직일 것을 지시했고 조사원들은 왕세자가 지정해준 각자의 장소로 향했다.

케일 역시도 벤을 앞세우고 느긋하게 후원으로 향했다.

'후원에는 아무것도 없어.'

가짜 성녀 하나는 후원에는 가져갈 것이 없다고 했다. 케일은 후원에 들어서자마자, 함께 온 제국 관리가 어색하게 웃는 것을 볼 수 있었다.

"……음, 조금 많이 흉측하지요?"

관리의 눈에 짓밟힌 화초들이 보였다. 핏자국까지 남아 후원보다는 전쟁터 같았다. 그 참상을 내보이기 썩 그래서, 관리는 어색한 미소를 지을 수밖에 없었다.

"아닙니다."

그런 그에게 케일은 말했다.

"다만 그 참혹했을 순간이 떠올라 마음이 아프군요."

"아."

관리는 새삼 눈앞의 이 공자가 테러를 막고자 살신성인했던 이였음을 떠올렸다. 그는 정의로운 귀족의 말에 귀를 기울였다.

"부디 범인을 찾아 죽어간 이들에게 위로를, 그리고 남겨진 이들에게 위안이 되길 바랍니다."

"……정말 좋은 말씀입니다."

케일은 대충 정의로운 흉내를 내며 후원을 거닐었다. 후원 너머 첨탑이 보였다. 탑의 꼭대기에 아주 작은 창문이 하나 있었다. 그의 시선이 그곳에 닿은 것을 안 관리는 입을 열었다.

"몇백여 년 전, 이곳에 교황청이 생겼을 때 이단자가 있었다고 합니다. 그 이단자를 저 탑의 꼭대기에 가뒀다고 하더군요."

성자 잭에게서도 들었다.

"꼭대기까지 이어지는 계단만 있는 건물로, 쓸데없는 건물이죠. 몇백여 년간 사용을 하지 않았으니까요."

가짜 성녀도 그렇게 말했다.

'……그런데 이게 뭐지?'

쿵. 쿵. 갑자기 심장이 뛰었다. 첨탑에 시선을 둔 순간부터 심장이 뛰기 시작했다. 케일은 첨탑에 시선을 두며 입을 열었다.

"벤, 나눠서 조사하죠. 저는 첨탑 쪽으로 가보겠습니다."

"네. 알겠습니다."

제국 관리는 후원 입구로 물러나며 입을 열었다.

"편히 조사하십시오. 저는 여기 있겠습니다."

감시를 한다는 소리였다. 케일은 관리의 말에 별다른 반박 없이 첨탑으로 걸음을 옮겼다.

"왜 그러십니까?"

케일의 뒤는 최한이 따랐다. 벤에게 힐스만이, 제국 관리에게는 에르하벤이 붙었다. 케일은 최한의 물음에 대충 답했다.

"아니, 그냥 심장이 뛰어서 말이야."

심장?

최한의 얼굴에 의문이 서렸다.

그 순간이었다. 케일이 첨탑과 한층 더 가까워졌을 때. 대략 15층 높이의 투박하고 냉혹해 보이는 탑의 유일한 문이 보였을 때.

최한은 보았다.

"케일 님, 손에―"

그는 차마 더 말을 잇지 못하고 주위를 둘러보았다. 그리고 얼른 케일의 대각선 뒤에 서며 제국 관리의 시선을 막았다.

최한은 케일의 오른손을 가렸다.

휘이이이―

케일의 오른손에 작은 바람이 일고 있었다.

"하, 하하―"

낮은 웃음소리가 울려 퍼졌다. 크지 않은 웃음소리는 감탄과 황당함을 담고 있었다. 웃음의 주인공인 케일은 도저히 웃음을 참을 수가 없었다.

쿵. 쿵. 쿵.

심장이 뛰었다. 그리고 발끝이 가벼워졌다.

바람의 소리다.

어느 때보다도 고대의 힘 바람의 소리가 그의 몸 안에서 요동쳤다. 케일은 이 힘의 주인을 다시 한번 떠올렸다.

신의 물건을 훔쳤던 최고의 도둑. 빠른 발만큼이나 간이 컸던 그녀.

휘이이이—

케일 손바닥 위의 바람이 자꾸 첨탑을 향해 날아가려고 했다.

—인간, 왜 그러나? 바람을 왜 일으키나? 소용돌이로 탑 부수려고 하나?

라온의 심각한 목소리가 머릿속에 울려 퍼졌다.

—그러지 마라! 저번에 손 벌벌 떠는 것 나는 다 봤다! 네가 원하면 위대한 라온 미르가 이깟 탑쯤은 부숴준다! 황궁도 부숴준다!

케일은 낮게 말했다.

"부수면 안 돼."

"네?"

—······부수는 거 아닌가?

최한이 되물었고, 라온이 묘하게 아쉬운 투로 답했다. 케일은 왼손으로 제 눈가를 쓸어내렸다. 그는 성자와 성자가 설명해 준 첨탑에 대해 떠올렸다.

'사실 대외적으로는 이단이라고 했지만, 사실 수뇌부가 되면 압니다. 그 성에 갇혔던 이가 마지막 진짜 성녀였다고 합니다.'

'맞아. 그리고 그녀는 교단의 폐해를 뒤집어엎으려고 했다더군. 그러나 실패하고 평생 탑에 갇혀 비참한 인생을 살아야 했대.'

'교황은 어릴 적부터 저희에게 그 성녀 행세를 했다가는 남는 게

비참한 생뿐이라고 늘 세뇌시키듯 말했죠.'

진짜 성녀가 살았던 첨탑.

교황청 가장 높은 첨탑에 갇혀서 작은 창문으로 교단을 내려다봤던 그녀.

케일은 자신이 성자에게 했던 물음과 그의 답을 떠올렸다.

'태양의 단죄는 어떤 신물입니까?'

성자는 애매한 미소를 지으며 답했다.

'말 그대로 단죄지요. 사실 믿기 힘들지만.'

그는 고개를 갸웃거리며 말을 이었다.

'밤을 멈춘다고 합니다. 하얀 밤. 환한 밤이 찾아온다고 합니다.'

태양의 단죄.

어둠이 없는 백야를 만드는 존재. 태양신 교단만이 가질 수 있는 성물이었다.

케일은 첨탑을 바라봤다.

여기다.

도둑이, 바람의 소리가 그에게 소리 없는 아우성을 치는 것이 느껴졌다.

여기다. 이곳에 신의 물건이 있다.

"최한."

"네."

"오늘 밤 몰래 황궁을 벗어난다."

"……네?"

놀라는 최한을 보지도 않고 케일은 라온에게 말했다.

"라온."

-왜 그러나, 인간?

"내 방에 있는 암살자 놈한테 환상 좀 보여줘. 내가 침실에서 고이 자는 환상."

-걔 좀 강해서 마정석 하나로 마법진 그려야 한다.

"써."

써도 된다. 신물이 있는데 그게 문젠가?

케일은 입을 열었다.

"오늘 밤. 이 첨탑을 턴다."

첨탑을 턴다.

첨탑을 털어먹는다.

이쯤 되면 최한도 이제는 그러려니 하는 반응이 나왔다.

'말을 저리 표현해서 그렇지, 또 털어서 어디 선한 일에 쓰시겠지.'

지금껏 케일은 그 과정이 어떻든 결과적으로 늘 남을 돕거나 더 나은 방향으로 나아갔다. 최한은 그런 케일을 믿었다.

"준비하겠습니다."

"어. 가짜 옷 입고 간다."

또다시 조잡한 비밀 단체 옷을 입는다는 말에 최한은 멈칫했지만 묵묵히 고개를 끄덕였다.

케일은 태양신 교단과 교황청에 대해 생각했다.

태양신 교단은 오랫동안 대륙에 종교로 존재해 왔다. 그러다가 몇백여 년 전 모고르 제국에 교황청이 들어서며 대륙에서 꽤 힘센 종교가 되었고, 지금으로부터 백오십여 년 전 제국의 국교로 채택되며 그 세를 더 확장했다.

'그리고 교황청이 들어서며 이 첨탑도 세워졌다고 했지.'

케일은 팔짱을 낀 채, 첨탑을 매만졌다.

한겨울의 한밤중.

첨탑의 벽면은 차가웠다.

쿵. 쿵. 쿵.

그리고 바람의 소리가 날뛰었다.

−인간, 왜 그렇게 무섭게 웃나?

라온의 목소리가 머릿속에 울려 퍼졌다. 이를 깔끔히 흘려들으며 케일은 입을 열었다. 나지막한 목소리였다.

"새 거네."

최한이 그 말에 반응했다.

"제국에서 새로 단 듯합니다."

"그래. 원래 자물쇠를 부수고, 새로 단 것이겠지. 이대로 방치해 두는 걸로 봐서는 첨탑 안에서 뭘 발견하지는 못했나 보군."

케일은 첨탑 문에 달린 새 자물쇠를 가리켰다.

"부숴."

스윽.

검은 오러가 작게 피어올랐고, 소리 없이 자물쇠를 부쉈다. 뒤이어 첨탑의 꼭대기로 향하는 문이 조용히 열렸다. 그 틈 안으로 라온이 날아들었다.

-사람도, 마법 장치도 없다. 인간, 여기는 정말 버려졌구나!

케일은 라온의 보고에 고개를 끄덕였고 문 안으로 들어섰다. 꼭대기 15층. 그곳에 난 작은 창을 제외하고는 창 하나 없는 공간이 그의 앞에 나타났다.

파아앗. 작은 광구가 케일의 앞에 솟아올랐다. 뒤따라 들어선 최한이 입구 문을 아주 미세한 틈만을 남겨둔 채 닫았다.

"여기 있겠습니다."

케일은 고개를 끄덕이며 천천히 걸음을 옮겼다.

현재 황궁에는 에르하벤이 머리카락을 케일의 머리색으로 물들인 채 이불을 얼굴까지 덮고서 편히 자고 있을 터였다. 케일의 침실로 숨어든 정보원은 복도에서 문 앞을 지키는 진짜 힐스만과 침실 안 문가에 서서 경비 중인 허상 최한을 보고 있을 것이다. 에르하벤은 교대하고 숙소에 자러 간 줄 알 터.

-인간, 빨리 올라가자!

케일은 라온의 재촉에 답하지 않고 느긋하게 탑을 올라갔다.

타닥. 타닥. 벽을 따라 놓인 원형 계단을 하나하나 밟으며 올라가는 소리가 작게 울려 퍼졌다.

'경비가 동쪽 별관에 다 몰려 있었어.'

상시 경비원 수는 동쪽 별관, 서쪽 행정원, 중앙 건물 순으로 많았다. 물론 후원은 상시 경비도 없었다. 케일은 공중에서 한참 동안 순찰 경로를 확인한 후, 후원에 순찰 오는 시간이 대략 한 시간마다임을 알 수 있었다.

'동쪽 별관에 비밀의 방이 있다고 아주 광고를 하는 꼴이야.'

경비원 배치 내막을 아는 케일은 그 작태가 우스웠다. 그는 소드 마스터 하나가 했던 말을 떠올렸다.

'교단에서 순찰 돌 때와 지금 제국에서 순찰 돌 때 패턴이 다르겠지만, 그래도 일단 도움이 될 테니 설명해 줄게.'

가짜 성녀는 순찰 패턴에 대해 설명해 주었다.

'후원은 거의 안 돌아.'

'아, 하나. 그래도 후원에는 교황이 자주 가지 않았어?'

잭의 물음에 하나는 실소와 함께 덧붙였다.

'그렇지. 잠도 없는 노인네 같으니라고. 시도 때도 없이 후원을 돌아다녔지. 본인이 후원 산책할 때 다른 이들은 들어오지도 못하게 했어. 웃긴 놈. 후원이 지 건가?'

케일은 비로소 교황의 그 행동을 이해할 수 있었다.

'교황은 이 첨탑에 대해 알고 있었나 보네.'

신물이 있다는 사실을 말이다.

'그런데 왜 그걸 성자한테 안 알려줬는지 모르겠군.'

반쪽이라도 성자다. 잭이라면 그 신물을 사용할 수 있을 터. 그렇게 되면 신도들은 더 열광하며 열렬히 교단을 따랐을 것이다.

물론 교황은 성자에게 신물까지 주면 컨트롤이 어렵다고 생각해 신물의 존재를 숨겼을 수도 있다.

—인간, 왜 자꾸 웃으면서 계단 오르나? 얼른 가서 우리 거 가져오자!

케일은 조금 걸음을 빨리했다.

휘이이이―

바람의 소리가 케일의 발끝에 맴돌았다. 그는 힘들이지 않고 빠르게 계단을 올랐다.

그리고 마침내 15층에 다다랐다.

"인간, 자물쇠 내가 부순다!"

라온은 말소리를 조심하지 않아도 된다고 판단했는지 직접 입으로 말했다. 검은 용은 아주 작고 낡은 철문에 달린 새것 같은 자물쇠를 부수고는 그 문을 옆으로 밀어 열었다.

"인간, 기어가자!"

케일의 키 반보다 더 낮은 높이의 문이었다.

라온이 날개를 접고 엉금엉금 기어 들어갔다. 라온은 철문 속으로 들어갔고, 곧 고개를 내밀었다.

"인간, 왜 안 들어오나?"

"어휴."

케일은 한숨을 내쉬며 문 안으로 기어 들어갔다.

15층. 꼭대기의 좁은 방에 들어서자마자 케일은 일어섰다.

"……인간, 그런데 너무 아무것도 없다."

정말로 아무것도 없었다. 낡은 철제 침대, 다 낡아 부서질 듯한 테이블, 철제 의자. 그 외에는 아무것도 없었다.

"인간, 왜 제국이 여기는 그냥 놔뒀는지 알겠다."

아무것도 없는 이 공간은 말 그대로 버려진 감옥 같았다. 라온은 문득 제가 갇혔던 어두운 동굴을 떠올렸다. 그곳처럼 삭막했다.

"……인간, 이상하게 여기는 삭막하고 무서운 기운이 느껴진다."

혼잣말을 하던 검은 용은 문득 이상함을 느꼈다.

케일이 아무 말이 없었다.

그때, 희미한 소리가 라온의 귓가에 닿았다.

휘이이이-

바람 소리였다. 라온은 고개를 돌렸다. 그리고 아무 말도 하지 못했다.

톡. 톡. 톡.

감옥의 바닥을 이루는 울퉁불퉁한 석판. 케일 헤니투스가 쭈그린 채로 석판을 두드리고 있었다. 물론 그는 라온을 빤히 바라보고 있었다. 검은 용은 인간과 눈이 마주쳤다. 인간의 입이 열렸다.

"여기다."

케일의 주위에서 회오리들이 휘몰아치고 있었다.

덜컹. 덜컹.

낡은 철제 침대와 의자가 바람에 작게 덜컹거렸다. 휘몰아치는 바람에 비하면 감옥 안은 조용했다. 라온은 이렇게 강하게 응집된 바람의 힘은 처음 보았다.

케일은 감옥 안에 들어서자마자 바람의 소리를 사용했다. 그러자 곧 '고대의 힘'에 담긴 감정이 느껴졌다. 이런 건 처음이었다.

'환호.'

고대의 힘 '바람의 소리'가 환호하고 있었다.

케일의 시선에 라온은 씩씩하게 고개를 끄덕이더니, 곧 마법으로 케일이 두드린 석판을 들어냈다. 몇백 년 동안 그 자리를 버틴 석판은 꽤 힘겹게 들어 올려졌다.

휘이이이―

그 자리에 저절로 바람이 몰려 흙을 치워냈다.

"……찾았다."

검은 상자가 있었다.

오래되어 열쇠로 돌려도 열리지 않을 것 같은 자물쇠가 채워진 상자였다. 크기도 작았다. 케일은 곧바로 바닥에 묻혀 있는 상자의 겉면을 털어냈다.

쿵. 쿵. 쿵.

상자의 흙을 털어내는 그에게 날뛰는 심장 박동이 느껴졌다.

태양의 단죄. 그것이 손에 들어온다.

이것만 있으면 계획보다 더 빨리 제국 황실을 난장판으로 만들 수 있다.

케일에게 다가오던 라온은 회오리 때문에 케일 곁으로 더 가까이 가지 못한 채 마법으로 자물쇠를 부쉈다.

파직.

자물쇠는 힘없이 부서졌다. 케일은 천천히 상자를 열었다.

끼이익, 달캉.

몇백여 년 만에 상자 안이 세상에 모습을 드러냈다.

"……뭐야?"

그리고 케일은 당황했다.

휘이이이—

회오리들이 이제 안심이라는 듯 서서히 줄어들었다. 그제야 라온은 냉큼 케일 옆에 바짝 다가와 상자 안을 들여다볼 수 있었다.

"응? 인간, 이거 아주 무섭고 삭막하다!"

케일은 라온의 말에 아무 답도 하지 못했다. 그는 천천히 상자 속 물건을 꺼내 들었다.

책이었다.

하얀 책이 마치 새것처럼 존재하고 있었다. 케일은 제목을 읽었다.

〈편하게 죽는 방법〉

……싸한데.

아무래도 이건 태양의 단죄가 아닌 것 같다.

그 순간이었다.

－희생하려는 건가?

짱돌 주인의 목소리가 들렸다. 케일은 흠칫하며 라온을 쳐다봤다.

"라온, 이거 저주 마법 걸려 있냐?"

"아니다! 그냥 삭막하고 무서운 기운만 있다!"

케일의 표정이 떨떠름해졌다. 아까부터 라온은 삭막하고 무섭다고 했다.

'이 책 때문인가? 무서운 짱돌 주인이 또 말하는 걸로 봐선, 정말 무서운 게 맞는 것 같은데.'

케일은 슬그머니 책을 내려놓았다.

"응? 인간, 우리 거 아닌가?"

"……아냐. 이건 조금."

휘이이이－

갑자기 바람이 나타났다. 케일은 바람의 소리가 바람 속에서 외치는 소리 없는 분노가 느껴졌다.

"하아."

케일은 하얀 책을 집었다. 바람이 멎었다.

'신물은 신물이란 소린데. 저주도 아니고.'

물끄러미 책을 보던 케일은 문득 이상함을 느꼈다.

'……왜 로운 왕국어지?'

케일에게 보이는 책의 글자는 로운 왕국어였다.

"라온, 이거 제목 로운 왕국어지?"

"인간, 룬어인데?"

"……뭐?"

라온에게는 책의 제목이 룬어로 보인다고 했다. 케일의 표정이 변했다. 그는 망설임 없이 책을 펼쳤다.

하얀 책의 첫 장을 넘겼다.

세상의 모든 존재는 다 죽어야 아름답다.

다음 장을 넘겼다.

죽고 싶나?
나를 따라라!
가장 손쉽게 죽는 방법에 관하여!

케일의 옆에서 목을 쭉 빼고 이를 구경하던 라온은 연신 고개를 갸웃거렸다. 이상했다. 그런 용에게 케일의 목소리가 들렸다.

"라온."

"왜 그러나, 인간?"

"케이지 씨가 죽음의 신 교단이지?"

미친 신관 케이지를 갑자기 언급한 케일을 라온은 이상하다는 듯 바라보며 답했다.

"……그렇다?"

"거기 성자 성녀 없은 지 꽤 됐지?"

"……그렇다?"

당연한 걸 왜 묻느냐는 듯 검은 용의 눈동자에 의문이 서렸지만 케일은 묵묵히 책장을 넘기다가 다시 책의 표지로 돌아왔다.

그의 눈에 지은이가 보였다.

지은이 : 마음이 여린 죽음

하, 진짜.

케일은 기가 찼다.

이거 아무래도–

'죽음의 신 신물 같은데.'

신물을 만난 것은 놀랍지 않았다. 다만 의문이 들었다.

'이게 왜 여기 있어?'

왜 마지막 태양신 성녀의 감옥에 죽음의 신 신물이 있단 말인가?

케일은 뿌연 안개 속에 갇힌 듯 퍼즐이 맞춰지지 않았다. 일단 그는 상자 속에 하얀 책을 도로 넣었다. 그리고 흙 속에서 상자를 들어 냈다.

"……이건 또 뭐야?"

그 밑에 철판으로 위아래를 덮은 책이 나타났다. 케일은 놀라서 철판과 함께 책을 꺼냈다.

툭.

책이 철판에서 나와 바닥으로 떨어졌다. 낡아서 다 해진 책이 바닥과 부딪치며 펼쳐졌다. 다 지워져서 흐릿해진 페이지에 몇 개의 글자들이 보였다.

"인간, 이거 제국어다!"

제국어로 새겨진 글자였다. 이번에 제국을 오는 김에 기본적인 제국어를 배웠던 케일에게 몇 글자가 보였다.

이 개쓰레기 같은 놈들!

욕이다.

케일은 욕은 다 외워왔다.

쳐 죽을 것들!

욕이다.

몇 개 남아 있는 글자들 대부분이 욕이다.

"인간, 이거 아무래도 이 방 주인이 쓴 것 같지 않나?"

케일은 조심스럽게 책의 첫 장을 펼쳤다. 일기장의 첫 장에 적힌 제국어가 보였다.

"라온, 읽어줘."

"알았다. 위대한 나는 대륙 말 다 안다!"

라온은 페이지에 적힌 것 중 보이는 부분을 읽었다.

"교황, 쳐 죽일 놈의 새끼. 날 이렇게 가둬? 이런 태양신의 빛 하나 못 받아 처먹을 새끼."

케일은 라온을 쳐다봤다. 라온은 진지한 얼굴로 케일을 바라봤다.

"라고 한다."

"……그래."

케일은 이어지는 라온의 번역에 귀를 기울였다.

"이 귀하신 몸을 이런 좁은 감옥에 가두다니! 백날 천날 가위 눌려도 시원찮을 새끼! 절대 용서 못 해! 나쁜 놈들! 믿은 내가 바보지! 똥 멍청이!"

……그래. 사람이니 가둬두면 화나지.

케일은 성녀의 마음을 이해했다. 이 일기장은 누가 봐도 성녀가 남긴 일기장이다. 라온은 일기장을 넘기며 계속 번역했다.

"내 힘을 억누르려고 죽음의 신 신물과 같이 가둬놔? 두고 봐! 내가 신물 밑에 이거 놔두고 언젠가 후대에 알릴 테니까! 음?"

"음?"

멍하니 욕과 한탄을 듣던 케일, 그리고 실감 나게 욕을 구사하던 라온이 서로를 쳐다봤다. 라온이 하얀 책을 가리켰다.

"인간, 이거-"

"그래, 그래. 일단 읽어봐."

"알았다!"

라온은 케일이 다시 웃는 모습에 입꼬리를 씰룩이며 일기장을 읽어 내려갔다. 그리고 멈칫했다.

"바보들. 태양신 신물이 어디에 있는지도 모르지? 감히 황제를 꿈꾸는 날 이런 데 가둬놓- 인간, 이거 이상하다."

"……일단 읽자."

"알았다."

라온은 제국어로 적힌 일기장을 바라봤다.

차기 황제라 불렸던 내가 이 꼴이 될 줄이야.

2황자와 교황이 이런 추악한 결탁을 할 줄 누가 알았겠는가?

내가 왜 아바마마께 제국에 태양신을 들이자고 했던가.

내가 성녀라서 그렇지 않은가?

그렇게 내가 교황은, 교황은 저 새끼가 되면 안 된다고 했는데!

저 추악한 가면에 다 속다니! 억울하도다!

그 글자들이 고스란히 케일에게도 전해졌다. 라온은 계속 읽어 내려갔다.

"죽음의 신 교단이 무섭다고 그들의 신물을 훔쳐? 그것이 어찌 고고한 태양신의 뜻이란 말인가! 이런 후려쳐 맞을 놈들!"

케일은 조금씩 퍼즐이 맞춰져 갔다.

몇백여 년 전 마지막 성녀는 유력한 황권 계승자였다.

'2황자는 아마도 그다음으로 강했던 계승자겠지.'

2황자와 당시 차기 교황이 결탁해 성녀를 이곳에 가둔 듯했다. 또한 성녀와 함께 상극인 죽음의 신 신물을 함께 묻어둔 것 같다.

'그래서 교황이 여기 산책을 자주 했구나.'

교황이 태양의 단죄 때문에 산책을 한 것이 아니었다. 훨씬 더 비밀로 부쳐야 하는, 홀로만 알고 있어야 하는 치부이자 폭탄 때문이었다.

'이해는 되네.'

태양신 교단은 대륙에서 유명한 종교 중 하나다. 그에 비하면 죽음의 신 교단은 세가 약하다. 그러나 죽음은 태양보다 강했다. 충분히 이를 경계할 만했다.

그때, 번역 중이던 라온의 말이 케일의 귓가를 두드렸다.

"멍청이들! 나를 가두면서 내 궁도 다 태웠지? 그러면서 웃는 나를 미쳤다고, 이단이라고 비웃었지? 내가 왜 웃었을까?"

헙.

라온이 숨을 들이마시며 빠르게 말했다.

"바보들. 그 안에 단죄가 있는 줄도 모르고."

뭐?

"그 불타 무너진 궁 아래에 네놈들이 그토록 찾던 신물이 있다고!"

케일은 라온을 쳐다봤다. 라온은 일기장의 문장을 하나 더 읽었다.

"아, 웃겨."

……진짜 웃긴데?

케일은 라온을 쳐다봤다. 라온은 웃는 케일을 보며 말했다.

"인간, 황궁도 터나?"

검은 용 라온은 케일의 굳은 표정을 볼 수 있었다.

"라온."

나직이 자신을 부르는 목소리에 라온은 스스로가 섣불렀음을 깨달았다. 라온도 굳은 표정으로 입을 열었다.

"……그래."

라온은 케일의 힘을 꽤 정확히 알고 있었다. 검은 용의 앞발이 케일의 다리를 두드렸다.

"인간, 내가 조금 성급한 말을 했다. 인간 네가 몸도 약하지만, 제국 황실보다 약한 권력을 지닌 인간이란 것도 까먹었다. 그러니 가만히 있어라. 내가 턴-"

"뭔 소리야?"

"음?"

심각하던 라온과 달리 케일은 상자와 일기장을 챙기며 새로운 계획을 내뱉었다.

"내일부터 찾아보자."

"역시 인간, 너는 인간 너답다! 황궁도 위대한 용에 비하면 먼지다! 걱정 마라! 걸리면 다 부순다!"

케일은 혼자서 신이 나 살벌한 소리를 내뱉는 다섯 살을 무시하며 이 15층의 유일한 창으로 향했다. 케일은 창 앞에 섰다.

15층에 창이 있음에도 케일은 이리로 침투할 생각을 하지 못했다. 케일 얼굴만 한 크기의 좁은 창. 그마저도 철창으로 인해 제대로 시야가 보이지 않았다. 하지만 이 철창 너머로 교황청이 모두 내려다보였다. 그리고 교황청 너머의 연금술 종탑과 그 너머 황궁도 보였다.

라온은 우수에 찬 눈빛으로 밖을 내다보는 케일 옆으로 다가갔다. 케일은 철창을 매만지며 말했다.

"성녀는 힘들었겠어. 이런 공간에 갇혀 평생을 보냈다니."

꽤 감상적인 말에 라온은 제가 갇혔던 동굴을 떠올렸다. 용은 새삼스러운 느낌으로 케일을 쳐다봤다. 역시 이 인간은 착하다. 이런 생각도 할 줄 알고.

"라온."

"그래, 착한 인간."

"우리 이 성녀 한을 풀어주자."

"그래! 인간, 꼭 해내자!"

힘차게 고개를 끄덕이는 라온을 보며 케일은 미소를 그렸다. 아주 음흉한 미소였다.

"다녀오셨습니까?"

케일은 1층으로 내려오자마자 마주친 최한의 인사에 고개를 끄덕이며 품 안에 있던 병을 하나 건넸다.

"……죽은 마나 아닙니까?"

죽은 마나 액체였다. 마시는 순간 치명적인 극독이었다. 케일이 혹시 모른다며 늘 들고 다니는 작은 병이었다. 케일은 첨탑 문 밖을 가리키며 말했다.

"후원에 풀 좀 다 뽑아놓고, 죽은 마나 한두 방울만 흙에 뿌려놔. 주위가 오염되면 곤란하니까."

최한은 갑작스러운 지시에 갈피를 잡기 힘들었으나 한 가지는 분명해 보였다.

"케일 님, '암'이 다녀간 흔적을 남기면 됩니까?"

역시, 똑똑하단 말이야.

케일은 최한이 가끔 어벙하게 행동해서 그렇지 영리한 사람임을 알고 있었다.

"맞아. 그리고 빈민가의 가짜 연금술사 위치를 가르쳐 줄 테니 찾아가라. 신관이 보냈다고 하면 알 거다."

"그자에게 무엇을 하면 됩니까?"

"소문을 내라고 해."

"무슨 소문이요?"

케일은 북 3국과의 전쟁 후 발생할지도 모를 제국과의 일전을 준비하고자 했다. 그랬기에 제국과 부딪치는 것은 적어도 2년 후라 예상했다.

'하지만 상황이 달라졌어.'

신물을 손에 넣으면 상황이 달라진다. 사람들은 기적을 보면 그것을 진실로 믿는 법이다.

'제국을 흔든다.'

제국에 씨앗을 뿌려놓아야 한다. 케일은 자신을 바라보는 최한에게 지시했다.

"제국은 신의 말씀을 전할 이를 잃었다. 사악한 힘이 영원한 밤을 데리고 올 것이다. 이미 그 증거가 이단이 머물던 첨탑 가까이에서 나타났다."

그의 입에서, 빈민가 아이들에게서부터 전해져 서서히 제국에 퍼질 소문이 시작되었다.

왕세자 알베르는 오늘 아침 전해 받은 소식에 기분이 좋지 못했다. 그리고 의구심이 들었다. 그랬기 때문에 케일 헤니투스를 불렀다.

달칵. 찻잔이 차탁 위에 올려졌고, 알베르는 맞은편의 케일 헤니투스를 보며 입을 열었다.

"너냐?"

"뭐가 말입니까?"

난 아무것도 몰라요, 라는 표정으로 쿠키를 오독오독 씹고 있는 케일의 꼴에 알베르는 확신했다.

"너구나."

"뭐가요?"

"교황청에 무슨 짓을 한 거지?"

오독. 쿠키를 씹는 케일의 입가에 미소가 맺혔다.

오늘 이른 아침. 제국에서 로운 왕국 현장 조사단에게 잠시 조사를 멈춰 달라는 통보를 내렸다.

왕세자는 통보 내용을 떠올렸다. 제국이 타 왕국을 향해 대놓고 고압적인 모습을 보였다. 그 사실에 기분이 나빴지만, 제국은 협의가 불가할 만큼 급박해 보였다. 그는 케일을 보며 입을 열었다.

"갑작스럽게 제국에서 3일간 조사가 불가하다는 통보를 내렸어."

"그렇군요. 참 아쉽네요."

톡. 톡. 소파 팔걸이를 두드리던 왕세자는 입을 열었다.

"분명 교황청에 어젯밤 무슨 일이 생긴 것 같은데, 우리를 탓하거나 의심하는 분위기가 아니야. 오히려 어떻게든 우리가 교황청에 조사 가는 걸 막으려는 움직임이더군."

"그래서 받아들이셨습니까?"

"미쳤다고 바로 받아들이겠어? 조사 기간이 일주일인데 그중 3일을 하지 말라는 건 너무하다고 항의했지."

사실 알베르는 항의할 필요가 없었다. 조사는 명목일 뿐이었으니까. 그가 제국으로 온 이유 중에서 크게 중요한 요소가 아니었다.

"저하, 그러면 3일 조사를 못 하는 대신에 남은 기간 동안 감시하는 관리를 줄여달라고 하면 어떻겠습니까?"

"안 그래도 그렇게 말했어."

왕세자의 찡그린 미간이 살짝 풀어졌다. 눈이 마주친 두 사람은 실소를 흘렸다. 제국 측 관리를 줄이면, 마지막 날 교황청을 털 케일과 다크엘프의 움직임이 편해진다. 왕세자는 다시 찻잔을 집어 들며 입을 열었다.

"뭔 짓을 했는지 말할 생각이 없나 보군."

케일은 어깨를 으쓱였다. 보통 이렇게 왕세자의 말에 답하지 않으면, 알베르는 왕세자라는 자리 때문에라도 화를 내야 맞았다. 하지만 그럴 필요가 없었다.

"저하, 로운 왕국에 득일 겁니다."

케일 헤니투스는 빈말을 안 했다. 여러 사건을 일으켰지만 로운 왕국에 해를 끼친 적이 한 번도 없었다.

'오히려 도우면 도왔지.'

로운 왕국을 돕기 위해, 지키기 위해 동분서주하는 놈이 케일 헤니투스였다. 그렇기에 왕세자는 아무 말 않고 넘어갔다.

'……신뢰할 만한 놈이긴 하지.'

슬슬 이 녀석에게 신뢰가 생겼다. 왕세자는 한결 편안한 얼굴로 케일을 바라봤다. 그의 눈동자에 호의가 머물렀다.

"저하."

케일이 조심스럽게 왕세자를 불렀다.

"그래."

"그럼 오늘은 놉니까?"

순간 왕세자의 미간이 살짝 찌푸려졌다.

"……뭐 하게?"

알베르의 물음에 케일은 밝게 답했다.

"독서와 산책을 할까 합니다."

"누가?"

케일은 스스로를 가리켰다.

"저요."

방 안에는 변장한 다크엘프 상급 마법사가 있었다. 그럼에도 왕세자는 참지 못하고 내뱉었다.

"……돌겠다, 진짜."

케일은 태연히 자리에서 일어섰고 왕세자는 얼른 가보라는 듯 손짓했다. 케일은 자신을 묘하게 쳐다보는 다크엘프에게 미소로 인사를 건네곤 독서를 위해 황궁 도서관으로 향했다. 하지만 혼자 갈 순 없었다.

"공자님, 기사분의 안내를 따르시면 될 것 같습니다."

제국 측 안내인이 달라붙었다. 붉은 머리칼의 기사였다. 그래, 그 묘족이다.

"어디로 모시면 됩니까?"

청년과 소년, 그 사이에 서 있는 듯한 묘족 기사는 낮은 목소리로 물었다. 하지만 기사의 위엄을 보이기 위해 일부러 내리깐 듯 낮은 목소리가 어색하기 그지없었다.

"황궁 도서관으로 부탁하네. 이방인도 1층은 구경 가능하지?"

"네, 가능합니다. 안내하겠습니다."

묘족 기사는 절도 있는 걸음으로 앞장섰다. 케일은 자신의 왼쪽편에서 반걸음 앞장선 묘족을 따라 걸었고, 케일 뒤를 최한과 투명화한 라온이 따랐다.

-인간, 쟤 자꾸 너 힐끗거린다.

그러게.

묘족 기사는 안내를 하면서도 힐끗힐끗 케일을 쳐다봤다. 숨기면서 하는 행동도 아니고 꼭 케일이 알아주길 바라고 하는 행동 같았다.

그래서 무시했다.

'누굴 죽이러 온 놈인 줄 알고 말을 걸어?'

케일은 애써 저 멀리 모고르 황실의 자랑 중 하나인 황궁 도서관을 바라봤다. 다른 화려한 궁에 비해, 아카데미를 떠올리게 하는 검소하면서도 기품 있는 외관이었다.

신물 생각에 케일의 발걸음이 가벼워졌다. 그때, 훅 치고 들어왔다.

"저, 공자님."

"……왜 그러지?"

묘족 기사는 자신의 머리칼보다 더 선명하게 붉은 머리칼의 귀공자가 보낸 눈빛에 멈칫했다. 하지만 이내 조심스럽게 물었다.

"저기, 혹시 고양이 키우십니까?"

케일은 심장이 철렁했다.

"왜 그렇게 생각하지?"

묘족 기사는 수더분하게, 순수한 소년처럼 수줍게 말했다.

"아니, 그게, 고양이 냄새가 나서요."

주근깨 가득한 코를 찡긋거리는 얼굴은 참으로 순수해 보였다. 그러나 고개를 든 묘족 기사는 표정 변화 하나 없는 케일을 볼 수 있었다. 그 눈동자에 기사는 자신이 잘못했나 싶어 멈칫했다. 케일의 입이 열렸다.

"네가 키우는 게 아니고?"

"네?"

"고양이는 네가 키우는 것 같은데."

순수해 보이던 얼굴에 살짝 혼란이 담겼다. 케일의 손이 기사의 어깨에 닿았다. 툭. 툭. 어깨를 털어내는 그 동작에 기사의 어깨가 굳었다. 케일과 묘족의 눈이 마주쳤다.

"동물 털이 제복에 붙었더군."

"……그렇습니까?"

"그래. 네 머리색과 같은 붉은 고양이인가 봐?"

케일은 부드러운 미소와 함께 물음을 던졌고 기사는 고개를 가로 저었다.

"머리카락인가 봅니다. 저 동물 안 키웁니다."

"그래?"

케일은 단호한 기사의 모습을 볼 수 있었다.

"네. 동물이라면 끔찍하고 싶습니다."

진심으로 그래 보였다. 케일은 별다른 말 하지 않고 걸음을 옮겼고 묘족 기사도 안내를 다시 시작했다. 케일의 머릿속으로 라온의 말이 들려왔다.

―쟤 아까 고양이 키우냐고 물을 때는 신나 하더니, 동물 싫다고 할 때는 엄청 싫어하는 것 같아 보인다! 희한하다!

그러게. 희한한 놈이었다.

하지만 케일은 도서관 앞에 묘족 기사를 대기시키고 도서관 안에 들어서자마자 최한이 귓가에 속삭이는 말에 다시 한번 다짐했다.

"케일 님, 저 기사의 수준은 안내인을 하고 있을 수준이 아닙니다. 기사는 위장 같습니다."

앞으로 저놈은 모른 척하자. 늘 그렇듯 암살자의 생각이야 케일이 알 바가 아니었다. 그러나 케일의 머릿속에 저 기사에 대해 부단장 힐스만이 구해 온 대외적인 정보가 몇 개 떠올랐다.

'빈민가 출신 기사라고 합니다.'

'가난한 부모와 여러 형제 밑에서 성실하게 자라, 빈민과 평민들에게 개천에서 난 용이라며 인기가 좋다고 합니다.'

마지막 정보가 자꾸 거슬렸다.

저 기사의 나이는 23세.

'저 기사의 형제 몇 명은 15년 전에 연금술 탑에 들어갔다고 합니다. 그리고 부모는 확실한 인간인 것 같습니다.'

15년. 빈민가. 절로 연금술 종탑이 떠올랐다.

과연 묘족 기사는 무엇을 죽이러 이곳에 왔을까?

케일은 깊은 고민을 하지 않았다. 다만 그는 사서 관리의 안내를 받아 도서관 1층을 거닐었다. 사서는 꽤 반가워하면서도 신기해하는 얼굴이었다.

"황궁의 역사를 알고 싶어 하시는 외국분은 오랜만에 뵙네요."

"그런가. 나는 그저 유구한 역사를 지닌 제국에 대해서 알아보고 싶어서 말이야."

"그렇군요."

"초대받은 나라의 역사는 알아야 하지 않겠나?"

케일의 반문에 사서는 고개를 끄덕였다. 이 젊은 타국 사람의 자세가 사서의 마음에 쏙 들었다. 사서는 1층에 황궁 방문인 모두를 위해 공개된 제국 연대기란에 멈춰 서서 케일에게 설명해 주었다.

"이곳은 황궁의 역사와 역대 황제 폐하들의 업적을 기록해 두었습니다."

"호오, 그렇군. 내 찬찬히 살펴보겠네."

"네. 혹시 도움이 필요하시면 데스크에 오십시오."

사서는 고개를 끄덕이며 바로 글을 읽기 시작하는 젊은 공자를 흐뭇하게 바라보고 뒤돌아섰다.

'제국어를 안다니, 꽤 제국을 좋아하는 귀족인가 보군.'

사서의 호감 이유였다.

도서관 1층은 타국 사신단에게 공개했지만 언어가 모두 제국어였다. 결국 말이 공개지, 제국어를 배우지 않으면 공개하지 않겠다는 말이었다.

하지만 케일에게는 라온이 있었다.

─인간, 교황청 건립은 지금 손댄 책장에서 세 칸 더 가야 한다.

케일은 차근차근 책들을 살펴보았다.

사락. 사라락. 책장을 넘기는 소리와 함께 라온의 똘망똘망한 목소리가 머릿속에 울려 퍼졌다.

─교황청 건립 당시, 새로 지은 궁이 있다.

케일은 책으로 입가를 가린 채 읊조렸다.

"더 말해봐."

케일은 책 페이지를 넘겼다.

─불탄 궁에 대한 정보는 교황청 건립 전후 쓰인 사료 어디에도 없

다. 하지만 이 모고르 황궁 역사를 보면 그 당시에 유일하게 세워진 궁이 하나 있다.

제국 황궁 어디에도 불탄 자국이 남은 곳은 없다.

−그리고 그 궁 옆에 정원이 하나 조성됐다.

교황청 건립 때 맞춰 세워진 궁과 정원.

−그곳의 이름은 각각 '태양궁', '태양의 정원'이라고 한다. 이 이름은 당시 차기 황제로 유력했던 황자가 교황과 함께 지은 이름이라고 한다.

사락. 사락. 케일은 빠르게 책장을 넘겼다. 물론 라온은 이를 빠르게 읽어 내려갔다. 장장 세 시간 동안 서서 책장만 넘기던 케일에게 라온은 말했다.

−아까 그것뿐이다.

케일은 책을 덮었다. 그는 최한에게 말했다.

"가자."

이제 독서를 할 이유가 없다.

태양궁. 케일은 그곳이 어딘지 안다. 그 옆에 있는 태양의 정원도 안다. 유명한 정원이기도 했고, 연회 장소였으니까.

케일은 도서관을 나와 걸음을 옮겼다. 그의 눈앞에 가장 화려한 궁과, 마찬가지로 가장 아름다운 정원이 보였다.

태양처럼 빛나는 곳. 그곳과 어느 정도 가까워졌을 때.

쿵. 쿵. 쿵.

심장이 뛰었다. 그리고 손바닥이 근질근질했다.

보이지 않는 바람이 케일의 곁에서 맴돌았다.

조사단 현장 조사 마지막 날. 왕세자는 마차에서 내리기 전 케일에게 말했다.

"끝나고 연회서 보도록 하지."

왕세자는 케일이 동쪽 별관에 갈 틈을 만들기 위해 제국 측 관리들과 함께 온 건물을 돌아다니며 열혈 왕세자 흉내를 낼 예정이었다. 제국 측에서 안내라는 명목으로 붙였으나 실질적으로는 감시를 하던 관리의 숫자도 반이나 줄었다. 그러나 후원과 첨탑 조사는 이제 불가했다.

"아."

연회를 언급했던 왕세자는 마침 생각났다는 듯 입을 열었다.

"연회 때 소드 마스터가 온다더군."

"제국의 소드 마스터요?"

"그래."

소드 마스터. 서대륙에는 제국에 한 명, 카로 왕국에 한 명, 북쪽에 한 명 존재했다. 그렇게 대외적으로 알려져 있다.

"음."

케일의 안색이 흐려졌다. 그 모습에 왕세자는 케일의 마음을 짐작한다는 듯 입을 열었다.

"별다른 걱정 안 해도 될 거다. 제국은 연회 때 소드 마스터의 모습을 드러내 타국에 기선제압을 할 작정이겠지. 소드 마스터는 내일 도착해 바로 연회에 참가한다더군. 우린 신경 안 써도 돼."

소드 마스터의 존재는 한 나라의 위상과 기사들의 사기를 높여주는 역할을 했다.

검의 끝. 그 경지는 의미가 컸다.

왕세자는 소드 마스터가 없는 로운 왕국의 상황을 걱정하는 듯 굳어진 케일의 얼굴을 보며 입을 열었다.

"우리의 적이지만 지금 섣불리 겁낼 필요가 없지."

"저하."

"그래."

"최한이 소드 마스터입니다만, 연회에 데리고 가면 서로 경지를 알아채겠죠?"

왕세자는 머릿속이 잠시 하얘졌다. 케일은 한마디를 더 덧붙였다.

"저, 힐스만 부단장도 최상급 기사인데. 그건 괜찮겠죠?"

케일은 멍한 왕세자의 표정에 아쉬움을 느꼈다. 태양궁에서의 신물 탐사는 천생 자신과 라온 둘이서 해야 할 듯싶다.

'에르하벤 님을 데려갈까? 라온도 기척을 숨기라고 해야겠어.'

케일은 왕세자를 바라봤다. 왕세자는 한 글자를 내뱉었다.

"……허."

케일은 그 모습에 알베르를 불렀다.

"저하?"

알베르는 한참 만에 한마디를 내뱉었다.

"미친놈."

당연히 그 말은 케일을 향한 말이었다. 그리고 품 안의 마법 주머니를 꺼내 던지듯 건넸다.

"다 털어와."

케일은 마법 주머니를 챙기며 씨익 웃어 보였다.

잠시 뒤, 교황청 동쪽 별관.

"여기도 도서관이네."

닫힌 도서관 문 앞에서 케일은 문을 향해 손을 내밀었다.

"부탁드립니다, 공자님."

그는 상급 마법사이자 위장한 다크엘프의 목소리를 들으며 도서관 문을 열었다.

이 안에 존재하는 비밀의 방. 그리고 그 안의 비밀 탁자.

그곳에 보물이 있다.

끼이이익-

도서관 문이 열렸다. 그 순간 들려왔다.

-희생하려는 건가?

무서운 짱돌이 말했다.

-희생하고 보호하려는 건가?

케일은 도서관 문 앞에서 멈춘 채 들어가지 못했다.

'……위험한 곳이 아닌데.'

적어도 도서관은 위험하지 않은 공간이었다. 어제까지만 해도 로운 왕국 측 조사단 벤이 편안하게 조사를 했던 곳이다.

첫날 첨탑 조사에 케일과 함께 배정되었던 왕세자의 수족 벤. 그는 탐색에 능한 다크엘프로, 도서관 내부와 비밀의 방으로 가는 입구 근처를 모두 파악하여 안전하다고 보고했었다.

"공자님?"

"아, 들어가지."

케일은 다크엘프의 부름에 정신을 차리고 도서관 안으로 들어섰다. 최한이 맨 마지막으로 들어서며 도서관 문을 닫았다.

"케일 님, 전 여기 있겠습니다."

"그래."

만약을 대비해 도서관 안에는 최한이 남기로 했다.

상급 마법사 다크엘프. 그는 최한에게 시선을 두었다가 이내 케일에게로 돌렸다. 거칠 것 없다는 듯 도서관 가장 안쪽, 고서가 있는 곳으로 향하는 케일. 다크엘프는 그의 뒤를 쫓았다.

'케일 공자 말이야?'

그는 제국으로 오기 전 대장인 타샤에게 케일 헤니투스에 대해 물었다. 타샤는 웃는 듯 아닌 듯 묘한 표정으로 입을 열었다.

'특별해. 특별한 사람이야.'

타샤가 이렇게 평가를 내린 사람은 드물었다.

'무엇이 특별할까?'

궁금증을 억누르며 다크엘프는 케일을 따랐다. 그는 왕세자의 전언도 떠올렸다.

'입구 위치는 알려주었지만, 들어가는 방법은 케일 헤니투스만이 안다. 무조건 그의 말을 따르도록.'

무조건 따르라.

왕세자가 그리 말하는 것도 처음이었다. 다크엘프는 다시금 치솟는 호기심을 삼키며 도서관 고서 코너에서 멈췄다.

케일은 고서 코너였지만 고서적은 하나도 보이지 않는 텅 빈 책장들을 둘러보았다. 그는 성자 잭의 말을 떠올렸다.

'대대로 교황청 도서관을 관리하는 자는 교황이 임명하죠. 임명된 관리는 고서 코너에 들어갈 수 있는 이를 관리합니다. 일단 고서 코너에 가셔서 벽에 붙어 있는 책장들만 살펴보십시오.'

케일은 벽에 붙어 있는 책장 쪽으로 다가갔다.

'교황청 모든 책장 가운데 선반에는 문구가 새겨져 있습니다.'

문구가 보였다.

<아침이 오면 어둠은 사라진다. 그리고 모든 생명은 눈을 뜬다.>

태양신 신도들이 아침마다 되새기는 교리라 했다.

'그중 하나, 문구가 잘못 적힌 책장이 있습니다. 교묘하게 몇 글자만 다릅니다.'

케일은 천천히 벽을 따라 걸음을 옮겼다. 입구 근처에 선 다크엘프는 관광하듯 느긋하게 걷는 케일을 지켜보았다. 느리게 대리석을 두드리는 구둣발 소리가 공간을 채웠다.

탁! 구두가 멈췄다. 케일은 손을 뻗었다.

<아침이 오면 어둠은 사라진다. 그리고 모든 생명은 꿈을 깬다.>

잭의 목소리가 떠올랐다. 허락된 이만이 들어갈 수 있는 고서 코너에서 가장 구석. 그 책장 중간에 아주 작게 새겨진 글자.

'그 글자들을 누르면 됩니다.'

기다란 손가락이 글자를 하나씩 눌렀다.

꿈을 깬다.

케일은 손을 뗐다.

달칵. 무언가 돌아가는 소리가 들렸다.

'공자님, 그러면 곧 문이 열릴 겁니다.'

스스스ㅡ

바람에 나뭇잎이 나부끼는 소리처럼, 아주 미세한 소리와 함께 책장이 천천히 아래로 내려갔다. 그리고 태양신의 상징, 황금빛 태양이 새겨진 문이 나타났다.

─인간, 문을 열면 내가 먼저 들어간다!

라온의 말을 들으며 케일은 세 개의 눈이 새겨진 황금빛 태양의 가운데 눈을 가렸다.

기이이잉─

귓가를 찌르는 듯 날카로운 소리와 함께 문이 서서히 열렸다. 야광석이 박힌 하얀 공간. 기다란 복도가 나타났다.

─약한 인간, 나 들어간다! 조심히 따라와라!

케일은 복도로 발을 디뎠다. 그는 살짝 고개를 돌려 뒤에 서 있는 다크엘프를 쳐다봤다.

"따라오도록."

"제가 안에 장치를 먼저 확인하지 않아도 되겠습니까?"

갑자기 나타난 비밀 공간 입구. 케일은 그 입구에 서서 미소를 지었다. 다크엘프는 자신의 물음에 미소와 함께 답하는 케일을 볼 수 있었다.

"그냥 나를 따라오면 괜찮다."

상급 마법사보다 더 뛰어난 용이 안내해 주니까.

케일은 그 사실을 말하지 않고 고개를 돌려 복도로 걸어갔다. 다크엘프는 그 모습을 지켜보다가 고개를 갸웃거리는 정령을 데리고서 얼른 뒤따랐다.

'케일 공자는 방패용 고대의 힘만 지녔다고 들었는데.'

이치상 상급 마법사인 그가 앞으로 나서야 하는데.

'특별해. 특별한 사람이야.'

'무조건 그의 말을 따르도록.'

다크엘프는 들었던 말들이 떠올라 그저 케일의 명에 따라 하얀 복도 속으로 들어섰다. 그는 거칠 것 없이 걸어가는 공자의 뒤를 따라, 마침내 하얀 복도 끝에 위치한 방에 다다를 수 있었다. 동시에 당황했다.

그건 케일도 마찬가지였다. 순간 당황해서 말이 나오지 않았다. 그의 머릿속으로 라온이 외쳤다.

─인간! 이게 뭔가?

그러게 말이야.

─피다!

피로, 말라비틀어진 핏자국으로 하얀 공간이 뒤덮여 있었다. 원형의 방을 따라 존재했던 찬장과 벽장은 모두 부서져 있었고 의자들이 부러져 나뒹굴고 있었다. 그리고 그 사이로 검은 흔적들이 보였다.

대리석 바닥과 대리석 벽에 스며든 검은 자국들. 케일은 다크엘프에게로 시선을 돌렸다. 두 사람의 입이 열렸다.

"……죽은 마나."

"죽은 마나 흔적입니다."

─인간, 여기에 죽은 마나 폭탄 썼나 보다!

동시에 라온의 목소리가 케일의 머릿속에 울려 퍼졌다. 케일은 다크엘프를 보며 입을 열었다.

"수뇌부들 중 죽은 이들이 많다고 했지?"

"네. 테러로 죽은 이들이라고 말했지만, 몇은 여기 숨어 있다가 죽임을 당한 것 같습니다."

"……그 과정에서 제국이 죽은 마나를 썼고?"

다크엘프는 미간을 찌푸리며 케일의 물음에 답했다.

"그럴 것이라 생각합니– 다."

다크엘프는 답하다가 잠시 멈칫했지만 이내 말을 끝맺었다. 그는 묘한 미소를 매단 케일의 입가가 보였다.

'이번 제국에서 내가 운이 좋은가?'

케일은 조금 신기한 감정이 들었다.

"증거가 넝쿨째 굴러오네."

케일은 비밀의 방을 반드시 세상에 공개해야겠다고 마음먹었다. 그는 며칠 전, 최한에게 시켜서 연금술사를 통해 퍼뜨린 소문 중 일부분을 떠올렸다.

'제국은 신의 말씀을 전할 이를 잃었다. 사악한 힘이 영원한 밤을 데리고 올 것이다.'

케일은 사악한 힘이 남겨진 비밀의 방을 둘러보았다. 그는 함께 온 다크엘프 코라에게 물음을 던졌다.

"코라, 제국에서는 교황청을 유지한다고 하던가?"

"네. 아무리 타락했다고 해도 역사적인 의미가 있으니 지킨다고 하더군요."

케일은 다짐했다.

연금술 종탑 부술 때, 이 도서관도 부수자. 사악한 증거가 세상에 모습을 드러내게 만들어야 한다.

"코라, 여기 훼손되지 않게 흔적 없이 움직이도록."

"네."

케일은 코라에게 지시를 하고선 원형 방 중앙, 대리석으로 된 테이블로 다가갔다. 부서져서 나뒹구는 나무 의자들과 달리 제자리를 지키고 있는 테이블은 여기저기 까맣게 물들어 있었고, 검으로 베인 흔적이 남아 있었다.

케일은 테이블 앞에 서서 몸을 숙였다. 테이블을 받치고 있는 원형 기둥. 그 기둥에 화려한 양각이 새겨져 있었다.

'공자, 눈이 새겨진 태양이 총 24개 있을 겁니다.'

원형 기둥에는 입구 문처럼 태양이 새겨져 있었다.

'태양에는 숫자가 새겨져 있습니다. 1부터 24까지 순서대로 태양의 세 번째 눈을 만지세요.'

'그러면 문구가 떠오를 겁니다.'

케일은 천천히 숫자대로 눈을 매만졌다. 그리고 마지막 24번째 태양의 눈을 만졌다. 24번째 태양이 있는 자리의 바닥에 문구가 하나 나타났다.

<밤이 와도 태양은 사라지지 않으며 아침이 와도 어둠은 사라지지 않는다.>

동시에 한 소리가 케일의 귓가를 건드렸다.

달칵.

그 소리는 한 번으로 끝이 아니었다.

달칵.

달칵.

달칵.

연달아 터진 소리는 24번째에 멈췄다. 케일은 웃었다. 옅은 웃음을 터뜨리는 그에게로 코라가 달려왔다.

"공자! 괜찮으십니까?"

케일은 고개를 들었다. 코라의 얼굴이 점점 위로 올라갔다. 아니다, 케일 자신이 내려가고 있었다. 테이블 근처의 땅이 서서히 아래로 내려갔다. 케일은 코라에게 손짓했다.

"너도 이리로 와."

코라는 테이블과 함께 점점 아래로 내려가는 케일을 보며 뛰어내렸다. 다크엘프의 가벼운 몸놀림으로 코라는 테이블 위에 내려섰다.

쿠구구구−

지하가 울리는 소리와 함께 케일은 아래로 내려갔다.

'비밀의 탁자. 그 통로를 지나면 '진짜' 보물이 나옵니다.'

쿠웅−

더 이상 바닥은 내려가지 않았다. 케일은 쪼그리고 있던 몸을 일으켜 세웠다.

허름한 지하 공간이 눈앞에 나타났다. 대충 조잡하게 만들어놓은 듯한 동굴. 케일 머리에 닿을 듯 낮은 천장과 울퉁불퉁한 벽면들. 케일의 시선이 그 동굴에 놓여 있는 물체들에게로 향했다.

'그곳에 관이 있습니다.'

열 개의 관이 있었다.

'이단자라 칭했지만 진정한 성인들이 묻힌 관입니다.'

수백여 년간, 교단의 왕인 역대 교황들은 폐해를 타파하려는 올바른 이들이 나타날 때마다 이단이라 칭하며 험한 지역으로 봉사활동을 보냈다.

그러나 이단들은 돌아오지 못했다. 애초에 봉사를 간 것이 아니라, 모두 죽임을 당했다. 그 이단자들 중에서 중요했던 이들은 이 동굴 속에 묻혔다.

'교황은 보육원에서 저와 하나를 몰래 데려왔을 때, 거기서 살게 했습니다. 이렇게 죽기 싫으면 자신의 말을 따르라고 말입니다.'

어린 쌍둥이는 수백 년 된 시체, 관들과 함께 교육을 받았다. 그 말을 듣자 케일은 새삼 소드 마스터 하나의 이상한 정신 상태가 이해되었다.

"고, 공자님, 이건 관 아닙니까?"

"그래. 관이지."

케일은 그중에서도 열 번째 관으로 다가갔다.

'열 번째 관에는 시체가 없습니다. 교황은 반항하면 다음 차례가 저라고 했죠. 하나에게는 네가 반항하면 네 오빠가 여기 들어간다고 했고요. 참, 미친 교황이죠.'

'어쨌든 그곳이 교황청에서 가장 비밀스러운 공간입니다. 그게 중요합니다.'

그렇다. 그게 중요하다.

"공자님!"

코라는 케일이 열 번째 관의 뚜껑을 잡자 놀라서 그에게로 다가갔다. 하지만 코라가 말리기도 전 케일은 이미 그 관을 열었다.

'공자님, 10번째 관 안에 교황의 보물이 있습니다.'

수뇌부에게도 공개하지 못하는 보물.

—오.

라온의 짧은 감탄과 함께 코라의 탄성이 들려왔다.

"……이런."

종이, 혹은 유리 상자에 담긴 다섯 개의 물건들. 하나같이 귀하고 아름다워 보였다. 그중 한 물건의 정체를 아는 다크엘프는 감탄을 터뜨렸다.

"세상에, 태양의 눈물이 여기에 있었다니!"

오십여 년 전, 카로 왕국 비밀 경매장에 나타났던 사람 주먹만 한 다이아몬드. 다이아몬드임에도 금빛을 띠어 태양의 눈물이라 불렸다. 물건을 손에 넣은 이는 알 수 없지만, 최고 경매가가 수백억이었다. 그 태양의 눈물이 관 안에 있었다.

"공자님, 이것만으로도 그 가치가 엄청날 겁니다! 다른 물건들도 조사하면 비슷한 가치일 것 같습니다!"

코라는 흥분을 감추지 못했다. 일반적인 황금이나 보석이었다면 이러지 않았을 것이다. 다섯 개뿐이지만, 그 가치가 하나같이 남달라 보였다.

'이런 관이 열 개니까!'

코라는 들뜬 얼굴로 케일에게 말했다.

"공자님, 다른 관도 열어볼까요?"

"썩 좋은 생각 같지 않다만."

"네?"

"다른 관은 모두 시체다."

헙. 코라는 숨을 들이마셨다. 다른 관으로 향하던 그의 걸음이 멈췄다. 그는 다른 9개의 관을 보며 침음을 흘렸다.

"으음, 그럼 보물은 이 다섯 개라고 보면 되겠군요."

"그렇지."

케일은 코라의 말에 동의한다는 듯이 고개를 끄덕였지만 그의 머릿속에선 이 관들도 중요한 열쇠였다.

"그럼 이 관들은 어쩌죠?"

"성자님의 말로는 교단의 폐해에 대항하던 신관들이라고 하더군."

"아, 그럼!"

코라는 쓸쓸한 케일의 모습에 더 이상 듣지 않아도 알 것 같았다.

"……훌륭하신 분들이 이런 곳에 방치되어 있군요."

"그렇지. 일단 우리가 지금 옮길 수 없으니 조심히 두고 조용히 올라가자고."

"네."

코라는 관들을 보며 살짝 눈가를 찡그렸다. 좁고 허름한 동굴 안에 갇힌 관들이 영 마음에 걸렸다. 그때, 케일이 그의 어깨를 두드렸다.

"코라, 마음은 이해한다만. 저들의 넋을 기릴 날도 곧 올 거야. 제국의 실상을 밝히면 기회가 오지 않겠어? 그때까지 우린 우리 일에 집중하도록 하지."

"……네! 알겠습니다!"

코라는 케일의 말을 새기며 마법 주머니에 보물들을 챙겼다.

'확실히 평범한 사람은 아냐.'

코라는 방금 자신을 위로하던 케일이 보인 확신에 찬 눈빛을 떠올렸다. 케일은 분명 저들의 넋을 기릴 수 있을 것이라 확신하는 듯했다. 물론 코라 혼자만의 생각이었다.

케일은 코라가 보물을 챙기는 모습을 보며 미래에 펼쳐질 한 장면을 떠올렸다.

머지않을 미래. 이 관 속 인물들은 새롭게 태어날 태양신 교단의 진정한 성인들로 알려질 것이다.

-인간! 우리 저 관들 꼭 구해주자! 동굴은 힘든 곳이다!

케일은 라온의 말에 반응하지 않았다.

당연히 구해줄 것이니까.

"오! 케일 공자, 멋지군!"

"하하, 감사합니다. 저하는 정말 오늘 별이시군요!"

알베르는 케일의 말에 호탕하게 웃으며 엄지를 올려 보였다.

"자네도 오늘은 별이야! 참으로 멋져!"

케일은 그 말에 화답하듯 두 팔을 펼치며 웃어 보였다.

─……인간도 왕세자도 이상하다.

투명화한 라온이 중얼거렸다. 호위를 하러 온 다크엘프 벤과 부단장 힐스만도 케일과 왕세자를 보며 어색한 표정을 지었다. 하지만 알베르와 케일은 전혀 신경 쓰지 않았다.

두 사람은 서로의 눈동자를 통해 대화를 나눴다.

'다 팔면 수백억이겠는데? 제국이나 암이 알면 배 아프겠어.'

'그러니까요. 좋은데요?'

수백억을 가볍게 얻어냈다. 그리고 그 보물들은 현재 케일의 방, 최한 옆에 있었다.

왕세자는 보물들을 소드 마스터인 최한에게 맡기자고 했다. 자신과 케일은 연회에 참석하기에 품에 넣고 다니기 부적절하다고 판단했기 때문이다. 케일도 그 말에 동의했다. 그는 에르하벤이 하품과 함께 했던 말을 떠올렸다.

'이제 감시자도 사라졌구나.'

오늘 밤 연회 후, 내일 오후 짧은 공식 행사를 끝으로 로운 왕국 사신단은 떠난다. 그 때문에 케일 침실에 있던 감시자는 떠났다.

'어쩌면 은밀한 일을 행하는 자들이니, 교황청 첨탑 근처에 있을 수도.'

감시자는 케일이 첨탑 근처 후원에 뿌린 죽은 마나 때문에 그 조사를 나갔을지도 모른다. 하지만 케일은 딴생각은 머릿속에서 밀어 두었다.

"케일 공자, 가지."

"네, 저하."

왕세자 알베르가 앞장섰다. 케일은 그 뒤를 따르며 더 짙은 미소를 그렸다. 왕세자와 마주 웃을 때보다 더 신난 표정이었다.

사아아아─

왕세자는 뒤에서 불어오는 바람에 고개를 뒤로 돌렸다.

"음? 창문을 열어뒀나? 벤, 확인하도록."

"네. 궁의 창을 닫고 가겠습니다."

벤은 열려 있던 창문 두 개를 닫고 다시 왕세자를 안내했다. 케일은 그 뒤를 따랐다. 라온이 머릿속으로 말했다.

─인간, 방금 바람 네가 한 거 아닌가?

왕세자 뒤에서 불어오던 바람.

그 바람은 케일의 바람이었다. 신물을 찾을 생각에 바람의 소리는, 케일은 들떴다.

태양궁. 태양의 찬란한 빛을 형상화했다고 해서 지어진 이름이었다.

그곳의 연회장 1층 홀 구석. 케일은 수많은 디저트들이 쌓인 테이블 근처에 서 있었다.

—인간! 맛있는 게 많다! 우리 가족들도 오면 좋을 텐데!

꼴깍꼴깍. 라온의 침 넘어가는 소리가 케일의 머릿속에 울려 퍼졌다.

—금 용 할배도 오면 좋았을 텐데!

아쉽게도 케일은 최한과 에르하벤을 데려오지 않았다. 에르하벤은 피곤하다며 쉬고 있었고.

'최한은 소드 마스터 때문에 곤란하지.'

케일의 시선이 한 사람에게로 향했다.

황태자 아딘과 함께 연회장의 중심에서 웃고 있는 중년인. 태양의 기사라 불리는 제국 검술의 정점.

후텐.

약 십여 년 전 소드 마스터 경지에 오른 이로, 중년인의 모습이지만 현재 나이는 60대 중후반이다.

'최한이 후텐보다 강하지만, 소드 마스터의 예민한 기감이 최한의 능력을 알아챌 수도 있으니까.'

같은 소드 마스터라도 최한이 후텐보다 몇 단계 정도 더 위라고 보면 되었다. 최한은 용에게 한 번 덤빌 수는 있는 존재니까. 케일의 시선이 후텐에게 닿은 것을 알아챈 것인지 라온의 목소리가 들려왔다.

—저 검사는 마법사 로잘린보다 조금 더 강하다! 하지만 위대한 나

에 비하면 아주 약하다!

그렇지. 우리 라온보다는 약하지.

라온이 혼자서 대놓고 마법을 쓰거나 최한이나 로잘린에게 하듯 자신의 마나를 흘려보내 정체를 드러내지 않는 이상, 후텐은 라온의 존재를 눈치채지 못할 것이다.

'그건 그렇고. 저자가 연금술 종탑 부탑주란 말이지?'

제국은 전쟁 이후 처음 여는 연회에 꽤 유명한 인물들을 많이 모았다. 케일의 시선이 연금술 부탑주 메텔로나에게로 향했다. 황태자 곁에 있는 로브 차림의 50대 중년인. 그녀는 환한 미소와 함께 이 시간을 즐기는 것처럼 보였다.

후텐, 메텔로나. 곁의 두 사람 때문에 쉬이 황태자에게 다가가는 이들이 없었다.

'저 둘이 아딘의 힘이군.'

현재 왕세자 알베르가 로운 왕국 관리 몇 명을 대동하고서 황태자와 마주하고 있었다. 케일은 당연히 그 틈에 끼기 싫어서 연회장에 들어서자마자 구석으로 왔다.

─인간, 테이블 밑으로 케이크 하나만 더 달라!

케일은 대충 딸기 케이크 접시를 집어 사람들 몰래 테이블 천 아래로 넣었다. 라온이 냅다 받아먹었다.

'그래, 많이 먹어야 일을 하지.'

케일은 라온을 두둑하게 먹였다. 곧 신물을 함께 찾으러 갈 이는 라온이었으니까.

그는 주위를 둘러보았다. 태양궁은 총 3층으로, 2층 높이까지 뻥 뚫려 있었다. 그리고 2층에 테라스가 형성되어 있었다. 3층에는 귀빈들의 대화를 위한 장소가 있다고 했다.

'오늘 3층은 개방하지 않는다고 했지.'

케일의 시선이 1층 곳곳에 있는 기사들에게로 향했다. 동서 입구 각각에 갑옷을 입은 기사들이 시립한 채 입구를 지키고 있었다. 또한, 홀 벽 곳곳에 제복 차림의 제국 기사들이 배치된 형태였다. 로운 왕국 측 기사들도 당연히 홀 한 곳에 배치되어 있었다.

느슨한 배치인 듯하면서도 기사들의 기세를 보면 절대 쉬운 상대로 보이지 않았다.

'저놈도 있네.'

붉은 머리칼의 묘족 기사. 그도 북쪽 편 벽에 붙어 서서 황태자 근처를 뚫어지게 보고 있었다. 낯선 이의 접근을 막겠다는 강한 의지가 보이는, 매서운 눈빛이었다.

케일은 다른 기사들보다 한층 더 날카로워 보이는 묘족에게서 시선을 돌렸다.

'슬슬 훔치러, 아니, 주우러 가볼까.'

태양의 정원에 있을 태양의 단죄.

케일은 천천히 디저트 테이블에서 벗어났다. 그의 걸음이 2층으로 향했다. 그는 주위를 둘러보며 태연히 행동했다.

"아, 공자!"

시원한 목소리가 케일의 귓가에 닿았다. 케일은 호감형 미소를 짓고 있는 황태자 아딘과 눈이 마주쳤다.

'제기랄.'

케일은 속으로 욕을 내뱉었다. 그러나 우아한 미소를 띤 채 황태자와 왕세자 무리 곁으로 다가갔다. 황태자는 가까이 다가온 케일을 보자마자 물음을 던졌다.

"공자, 제국에서 보내는 시간은 어땠나?"

"제국에서 뜻깊은 시간을 보낼 수 있어 기쁩니다."

로운 왕국 현장 조사단은 아무것도 얻지 못했다. 하지만 황태자는 이를 에둘러 그래도 의미 있는 시간이었다고 말하는 케일이 기껍다는 표정으로 소드 마스터 후텐에게 그를 가리켰다.

"공작, 케일 공자가 로운 왕국의 영웅이오."

"테러를 막은 귀족이 이 공자로군요."

소드 마스터 후텐 공작은 흐뭇한 미소로 케일을 쳐다봤다. 케일은 살짝 고개를 숙여 보였다. 그런 그의 어깨를 왕세자 알베르가 두드렸다.

"로운 왕국의 정신을 이어받은 인재이지요."

황태자 아딘이 맞장구를 쳐줬다.

"충분히 멋진 인재가 될 겁니다."

뒤이어 로운 왕국 측 사신단 관리들도 맞장구를 치며 드물게 자세와 마음이 올바른 사람이라 칭찬했다. 케일은 저를 두고 펼쳐지는 말도 안 되는 대화를 들으며 그저 미소를 띠었다. 라온의 목소리가 들려왔다.

-틀렸다! 약한 인간은 약하지만 이미 충분히 훌륭하다! 내가 인정했다!

허이구.

케일은 라온의 말에 순간 실소가 튀어나올 뻔했지만 참았다. 그때 한 사람과 시선이 부딪쳤다.

묘족 기사. 그가 뚫어질 듯 이쪽을 보고 있었다. 케일은 그러려니 하며 시선을 돌렸고, 덕분에 연금술 부탑주 메텔로나와 눈이 마주쳤다. 그녀는 인자한 미소를 지었고 케일 또한 겸손한 미소를 지어 보였다.

화기애애. 제국과 로운 왕국 사람들이 모인 연회를 나타낼 수 있는 단어였다. 케일이 지금 서 있는 곳의 수뇌부들은 물론, 연회장 곳곳에 퍼진 각기 여러 분야의 사람들이 따뜻한 분위기로 한 해의 마지막 연회를 즐기고 있었다.

하지만 케일은 그 이면을 안다. 흐뭇하게 자신을 바라보는 후텐 공작의 영지에서 노예들이 공급됐고, 그 노예들이 저 인자하게 웃고 있는 부탑주 메텔로나의 결재를 통해 연금술 종탑에 들어갔다.

"앞으로도 그 정신을 잃지 않고 멋진 귀족이 되길 바라네."

"네! 꼭 그런 사람이 되겠습니다!"

모고르 제국의 후텐 공작과 로운 왕국의 젊은 귀족 케일 헤니투스. 두 사람이 주고받는 대화에 연회장의 분위기는 더 밝아졌다. 하지만 후텐 공작은 케일의 표정이 좋지 못함을 눈치챘다.

"내가 부담이 되는 말을 한 건 아닌가 모르겠군. 얼굴 표정이 좋지 않은데."

걱정스레 건네는 물음에 케일은 씁쓸함을 얼굴에 드러냈다.

"요 근래, 전력을 다해 조사하다 보니 조금 몸 상태가 안 좋아졌습니다."

"저런."

부탑주가 안타까움을 표했다. 케일은 이런 분위기에서 이런 말을 해 죄송하다는 듯 미소를 그렸다.

"죄송합니다. 이런 자리에서 즐겁게 어울려야 하는데. 제가 몸도 약한 편이고, 이번에는 로운 왕국의 한을 풀 수 있겠구나 하는 생각에 기대를 했던지라 감정을 숨기는 게 미숙했습니다."

"아니야, 전혀 아닐세."

후텐 공작은 이 정의로운 귀족에게 위로를 건넸다.

"언젠가 꼭 우리도, 로운 왕국도 진실을 밝히고 범인들을 잡을 것이네. 황태자 전하, 그렇지 않습니까?"

"그럼, 무조건 그래야지. 그런데 케일 공자가 몸이 약한 편인가 봐?"

아딘의 은근한 물음에 케일은 침중한 얼굴로 고개를 끄덕였다.

"네. 저번 수도 테러 때도 그 후에 요양을 했었습니다."

"우리 케일 공자가 몸이 약하지요. 참으로 안타까워."

뒤이어 왕세자 알베르가 맞장구를 쳐줬다. 아딘은 묘한 표정을 지었다가 부드럽게 케일에게 말했다.

"몸도 안 좋은 이를 오래 잡아둘 수 없지. 연회 편안히 즐기게. 우리 제국의 젊은 인재들과도 인사를 나누고 말이야."

"감사합니다. 그럼 이만 가보겠습니다."

케일은 끝까지 예의 바르지만 상심한 정의로운 귀족으로, 그들 사이에서 물러났다.

'피곤하네.'

그는 급격하게 귀찮음과 피곤함이 밀려왔다. 집에 가서 침대에 드러누워 뒹굴고 싶었다.

하지만 케일은 꾹 참고 연회장에서 몇몇 제국 측 귀족들과 인사를 나누고는 연회의 흥겨운 분위기가 물이 올랐다 싶었을 때, 2층 테라스로 향했다.

벽을 따라 이어진 2층 복도에는 수많은 테라스들이 존재했다. 케일은 가장 구석에 있는 테라스 문고리를 풀었다. 달캉. 가벼운 소리와 함께 케일은 테라스 안으로 들어서며 안에서 문을 잠갔다.

"살 것 같네."

서늘한 겨울바람이 케일의 뺨을 훑고 지나갔다. 동시에 그의 눈동자에 태양의 정원이 담겼다.

본래 밤에도 화려하게 빛난다고 하여 유명한 태양의 정원. 하지만 전쟁 뒤라, 밤을 비추는 화려한 조명이 켜지지 않고 있었다. 다만 연회를 기념하여 분수대 근처의 마법 조명만이 켜져, 아름다운 분수대 조각상들과 정원 곳곳을 비추고 있었다.

'가볼까.'

케일은 살짝 몸을 풀었다.

똑똑.

그때, 테라스 창을 두드리는 소리가 들렸다. 케일은 테라스 창을 가리던 커튼을 걷어내며 문을 열었다.

"부단장."

"공자님."

케일은 약속한 장소에 온 힐스만에게 지시했다.

"망 잘 봐."

"네. 믿고 맡기십시오!"

"그래."

힐스만의 씩씩한 대답에 케일은 주위를 둘러보았다. 아직 연회 초라 테라스에 온 이들이 없었다.

휘이이이–

작은 바람 소리가 일었다. 힐스만은 테라스 창을 커튼 자락으로 가리고, 창 앞에 석상처럼 서서 주위를 둘러보았다.

테라스 난간에 가볍게 올라선 케일은 힐스만에게 씨익 미소를 그려 보였다.

"갔다 오지."

휘이이. 바람 소리와 함께 케일의 신형이 테라스에서 멀어졌다.

그의 모습은 곧 태양의 정원 어두운 곳에서 나타났다.

ー인간, 근처에 경비 인원은 없다.

케일은 몸에 묻은 나뭇잎을 떼어내며 라온이 말하는 순찰 경로에 대해 새겨들었다. 그는 거추장스러운 브로치와 행커치프를 떼어내 주머니에 쑤셔 넣었다.

사아아아ー

바람이 한 줄기 케일의 손바닥에서 맴돌았다. 그는 바람이 가리키는 방향으로 걸음을 옮겼다. 마치 산책 나온 귀족처럼 느긋한 겉모습을 지녔지만, 그 발걸음은 은밀했다.

케일은 일기장에 적힌 내용을 떠올렸다. 라온이 첨탑에서 읽어준 글 뒤에도 내용은 많았다.

신물은 신이 인정한 자에게만 그 효과를 드러낸다.

썩어버린 교단은 결코 사용할 수 없다.

멍청한 놈들은 신물을 봐도 그게 신물인 줄 모를 것이다.

다 낡아빠지고 부서져 있으니까!

신성력도 없는 것들이 어떻게 그 존재를 알겠나!

천년만년! 황궁 밑에 묻혀 있겠지!

그러나 아쉽게도, 신성력이 없어도 신물을 알아차릴 수 있는 존재가 있었다.

도둑. 바람의 소리 주인이었던 자가 그럴 수 있었다.

'고대의 힘이 그 주인의 성향을 닮았을 줄이야.'

케일은 바람의 소리가 가르쳐 주는 대로 걸음을 옮겼다. 태양의 정원. 케일은 한밤중임에도 넓고 미로 같은 그곳을 빠르게 이동했다.

스스스스-

빠르게 이동하는 그의 몸에 나뭇잎들이 스쳐 지나갔다. 라온이 케일의 머릿속에 말을 전했다.

-인간! 거기로 가는 게 맞나?

케일은 걸음을 멈췄다.

쿵. 쿵. 쿵.

뛰는 심장이 목적지에 다다랐음을 알려주었다.

-인간! 쓰레기통 근처에 왜 가나?

케일은 웃음이 흘러나왔다. 정원 구석구석에 배치된 쓰레기통. 아름다운 정원의 미관을 위해 훌륭하게 꾸며졌지만 결국 용도는 쓰레기통인 물체가 있었다.

그 쓰레기통 아래의 땅.

'미치겠네.'

케일은 입을 열었다.

"누구 있나?"

-없다!

케일은 소매를 걷었다. 그리고 제 허리만큼 오는 쓰레기통을 옆으로 밀었다. 그러고는 아공간 주머니에서 호미를 꺼내 들었다.

콱. 콱. 콱.

호미가 언 땅을 팠다. 어느 정도 언 땅을 파낸 케일이 뒤로 물러섰고, 라온이 살짝 바람을 일으켰다. 가벼운 마법에 땅은 서서히 들춰졌다.

ㅡ……인간, 안 보이는데?

"계속."

계속 팠다. 거의 케일의 키만큼. 땅을 아래로, 아래로 팠다.

ㅡ진짜 있나?

"더."

라온은 케일의 짧은 대답에 뭐라 더 말을 하려다가 말았다. 아주 미세하게 케일의 상의 옷자락이 펄럭이고 있었다.

바람이 환호하고 있었다.

케일은 점점 깊어지는 구멍을 뚫어질 듯 바라봤다.

나도 그 신물을 못 써봤는데!

그걸 썼다면 어느 누구도 나를 이단이라고 말하지 못했을 거야.

달칵. 다른 소리가 들려왔다. 케일은 손을 뻗었다. 라온의 마법으로 흙이 묻은 물건이 하나 떠올랐다. 케일은 주머니에 넣어두었던 손수건으로 물건을 닦아냈다.

ㅡ인간, 이거 뭔가 무서운 기운이 느껴진다! 뜨겁다!

케일은 입꼬리를 감추지 않았다. 그는 웃었다. 그의 손끝에서 작은 콤팩트형 손거울이 모습을 드러냈다.

뚜껑을 열었다.

"······깨졌네."

깨진 거울이 보였다.

어느 누가 이걸 신의 물건이라 생각할까. 그것도 태양의 단죄, 그 무서운 이름과 어울리지 않았다.

"아, 정말 재밌네."

케일은 안주머니에 손거울을 넣었다.

"가자."

ㅡ알았다, 인간! 그런데 말이다!

빠르게 테라스로 돌아가는 케일은 라온의 말을 대충 흘려들었다.

ㅡ저 손거울보다 며칠 전에 본 책이 더 삭막하고 무섭다!

하지만 흘려들을 수가 없었다. 용이 한 말이다. 아무리 다섯 살이라도 용은 용인 법.

수백억과 꽤 좋은 신물 두 개를 얻게 된 케일의 발걸음은 가볍다 못해 경쾌해서 날아갈 듯했다.

ㅡ인간, 기분 좋나?

그럼 좋지.

케일은 기분 좋게 테라스 근처로 다가갔다. 태양궁의 모습이 보였다. 그리고 당황했다.

"힐스만!"

"고, 공자님!"

힐스만이 허겁지겁 케일을 향해 달려오고 있었다.

"너 왜 그래?"

"지금 피하셔야 합니다!"

"뭐? 그게 무슨 소리야?"

케일은 눈을 크게 떴다.

'지금 태양궁 입구 쪽에서 왜 사람들이 빠져나오는 거지?'

케일은 자신이 있는 쪽에서 꽤 떨어진 태양궁 입구 근처에서부터 기사와 병사들, 그리고 귀족들이 빠져나오는 모습을 보았다.

파아앗, 파앗.

정원 곳곳에 마법 조명들이 켜지기 시작했다.

케일은 일단 테라스로 가던 것을 멈추고 정원에서 어두운 곳으로 이동했다. 어둠 아래에서 그는 힐스만을 쳐다봤고, 부단장은 한결 침착한 모양새로 말했다. 하지만 그가 한 말은 충격적이었다.

"조금 전 연금술 부탑주를 암살하려던 자가 있었습니다."

……이 무슨 뜬금없는?

케일의 얼굴에 황당함이 서렸다.

"암살자는 제국 측 기사였던 이로, 부탑주를 공격하다가 부상만을 입힌 후 도망쳤습니다!"

설마. 케일은 입을 열었다.

"붉은 머리칼을 지녔나?"

"어떻게 아셨습니까? 맞습니다! 그 암살자는 연금술사와 기사들의 공격을 받았지만 도망쳤고, 지금 대대적인 수배 중입니다! 암살자는 부상을 입은 상태라, 곧 잡힐 것이라 생각됩니다!"

오, 이런.

케일은 기가 찼다.

"공자님, 그래서 말입니다. 공자님은 일단 몸이 안 좋아서 테라스에서 쉬고 있다가 위험이 발생하자 제가 공자님을 업고 테라스를 뛰어넘어 정원으로 대피한 것으로 하면 어떨까 싶습니다."

힐스만은 꽤 침착하게 말했다.

"공자님, 꽤 좋은 방법이지 않습니까? 얼른 업히십시오! 저기 왕세자 저하께 가면 될 것 같습니다."

"일단, 가자."

케일은 일단 정원 구석에서 나가야겠다 생각했다.

바로 그 순간이었다.

스스스-

나뭇잎이 갈라지는 소리와 함께 툭 하고 나무 위에서 무언가가 떨어졌다.

"크륵."

작은 동물이 나무 사이를 뛰어넘다가 떨어진 것 같았다. 동물은 신음을 흘리며 어떻게든 몸을 일으켜 세웠고 다시 도망치려 했다.

이를 본 케일은 입을 열었다.

"뭐, 이런. 힐스만!"

"네?"

"잡아!"

"네?"

케일은 곳곳에서 피가 흘러내리는 붉은 고양이를 바라봤다.

'뭐, 이런 경우가 다 있어?'

-인간! 묘족이다!

'그러니까 내 말이!'

힐스만이 엉거주춤 고양이에게 다가가고 고양이가 이를 드러내며 도망가려고 할 때, 케일이 입을 열었다. 그와 고양이의 눈동자가 부딪쳤다.

"너도 연금술을 무너뜨리려는 건가?"

너도. 그 단어에 고양이가 멈칫했다. 그 순간 케일은 생각했다.

'자꾸 알아서 굴러오네.'

제국과 연금술을 무너뜨릴 존재들이 알아서 넝쿨째 굴러왔다.

5권에 계속